日本人の知らないベトナムの真実

川島博之

Hiroyuki Kawashima

JN107873

はじめに

米中対立に伴い、中国リスクを回避するために中国から他国へ投資・生産拠点を分散させる「チャイナ・プラス・ワン」という言葉と共に、ベトナムに対する関心が日本でも高まっている。

出入国在留管理庁によれば、日本の在留外国人数の上位5か国（2023年末現在）は、次のようになっている。ベトナム人は韓国人を上回り、中国人に次いで2番目に多い。彼らの多くは日本で働いており、ベトナム人はすでに日本経済にとって重要な労働力になっている。

1位	中国	82万1838人
2位	ベトナム	56万5026人
3位	韓国	41万1556人
4位	フィリピン	32万2046人
5位	ブラジル	21万1840人

だが、ベトナムがどんな国であるかを知る日本人は多くない。東南アジアの国であり、かつてベトナム戦争があった。その時に米軍が撒いた枯葉剤の影響で、下半身のつながった結合双生児「ベトちゃんドクちゃん」が生まれた。多くの日本人にとって、ベトナムに関する知識はその程度のものであろう。筆者が「ベトナムに行く」と言うと、「地雷が埋まっているので危ないのではないか」と言われる時もある。

同じ東南アジアの国でも、タイは日本人にとって身近な存在である。多くの日本企業が進出していることもあるが、タイに観光に行く人も多い。定年後の長期滞在先としても人気がある。タイとベトナムでは日本人の認知度に大きな差がある。

その最大の理由は、ベトナム戦争とその後のベトナムの歩みにあると言ってよい。ベトナム戦争（第一次インドシナ戦争）は、第二次世界大戦が終わった直後からベトナムとフランスとの間で始まった。だが、多くの日本人が関心を寄せたのは、１９６４年のトンキン湾事件から本格化した米国との戦争（第二次インドシナ戦争）であった。それは１９７５年まで続いた。

その頃の日本は学園紛争の時代であり、多くの日本人はベトナム戦争を通して世界情勢を理解していた。ベトナム戦争を、米帝（帝国主義である米国）が東南アジアの赤化（共産化）

を防ぐために起こした戦争と捉えていた。日本では「ベトナムに平和を！市民連合（ベ平連）」なる組織も存在し、活発にデモ行進などの反戦活動を行っていた。その中心人物であった小田実《まこと》氏は、そんな時代を代表する人物と言えよう。当時の日本では、米国の不当な介入に反対してベトナムに同情することは正義であった。

だが、そんなベトナム像はベトナム戦争終結と共に崩れ去ってしまった。多くの難民が南ベトナムからボートに乗って脱出し始めた。彼らは「ボートピープル」と呼ばれた。その多くは華僑と南ベトナム政府に協力していたベトナム人であったが、ボートが転覆して乗っていた難民が死亡する事件が多発した。このニュースは人道問題として世界に広く報道された。米帝に勝利した正義の味方であるはずの北ベトナムが、南ベトナムの人々に対して非人道的なことを行っている。多くの日本人がショックを受けると共に、ベトナムに対する同情や関心は急速に冷めていった。

それに輪をかけたのが、1978年に始まったベトナムによるカンボジア侵攻であった。当時、カンボジアはポル・ポト政権の時代であったが、世界はその内情をよく知らなかった。ベトナムは、カンボジアにいるベトナム人を助けるという名目で侵攻し、カンボジアの首都プノンペンを陥落させ、支援するヘンサムリン政権を樹立した。

名目はどうであれ、これは明確な侵略行為であり、米国が行ったことと同じである。ベ平連に代表される組織の中心にいた知識人たちは立場を失ってしまった。

そして、１９７９年に中越戦争が始まった。これは左翼的な知識人だけでなく、保守層も含めた多くの日本人に衝撃を与えた。

当時、日本人はイデオロギーに基づく「冷戦」という言葉で国際情勢を理解していた。中国とベトナムは共に社会主義国であり、社会主義国の間で戦争が起こることなどないと思っていた。しかし、現実の国際関係はそんな枠組みを遥かに超えて複雑であることを思い知らされた。

このようなことが立て続けに起こったために、日本人のベトナムに対する同情心が薄れてしまうと共に、関心も失われてしまった。その結果、大学でベトナムの研究を志す人が激減した。日本政府も、カンボジア侵攻によって孤立したベトナムと積極的に交流しようとはしなかった。

日本人が再びベトナムに対して関心を持つようになったのは、ここ10年ほどのことに過ぎない。その関心は、「労働力の供給源」としてであった。そんなベトナムであったが、米中対立に伴って中国から工場を移設する先として、「チャイナ・プラス・ワン」という言葉と共に、にわかに注目を集めることになった。

本書は、このような日本とベトナムの関係についてよく知らない人たちのために、現在のベトナムの政治や経済、産業について、その歴史を踏まえて解説するものである。新書版に収めるために触れることができなかったことも多いが、ベトナムがどんな国か知りたいと思っている人や、日本でベトナム人と交流する機会のある人、また、ビジネスパーソンで今後、ベトナムに出張や赴任を命じられた場合にも、知っておくべき点は網羅したつもりである。

第1章では政治の現状について書いた。共産党独裁が続いているベトナムでは、この部分に関して信頼できる情報やデータを入手することが難しい。本書には、筆者がハノイに滞在している時に聞いた「噂話」を元にしたものも多くなっている。週刊誌が扱うような内容も豊富に書き込んだ。

第2章ではベトナムの歴史について通史を紹介した。ベトナムの歴史については、日本の歴史のように数多くの本が出版されているわけではない。本書には、ベトナムを理解する上で役に立つと思った日本や中国に関するエピソードも多く書き込んだ。これは、ベトナムで仕事をしようと考えているビジネスパーソンに、硬軟取り混ぜた情報を伝えて、ベトナムという国を立体的に理解してもらいたいと思ったからである。

第3章ではベトナムの経済について、**第4章**ではベトナムの産業について、多くの図表を用いてベトナムを他の東南アジア諸国と比較しながら論じた。この二つの章は、ビジネスパーソンにとって社内でベトナムに対する調査やレポートの作成を命じられた際にも役に立つであろう。

第5章では、ベトナムと日本の今後の付き合い方について述べた。

マスメディアが統制されている共産圏では、「噂話」なしに政治や経済の実情を理解することはできない。「噂話」のため玉石混淆であるが、真実も含まれている。「噂話」に潜む真実を探り出そうと筆者なりに努力したつもりであるが、後日、誤情報であったことが指摘されるかもしれない。それは筆者の能力不足に起因している。お許しいただきたい。

本書がベトナムに興味・関心を持って手に取ってくれた人たちの期待に応え、また、日本でベトナム人と接する機会のある人たちや、ベトナムに出張や赴任する人の必読書と言われるようになれば、それは筆者の望外の幸せである。

目次

地図1　ベトナム

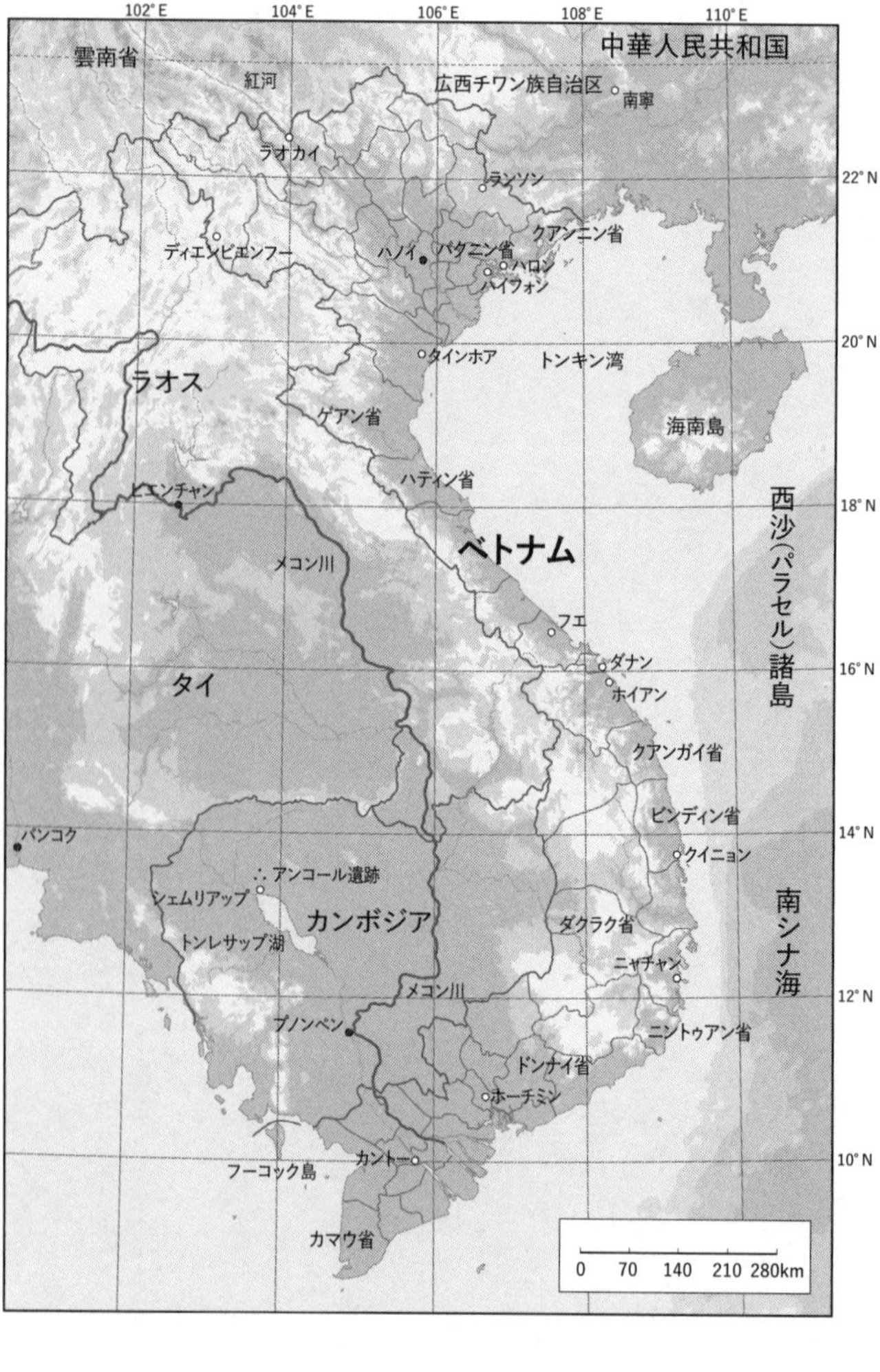

102° E
104° E
106° E
108° E
110° E
22° N
20° N
18° N
16° N
14° N
12° N
10° N
雲南省
中華人民共和国
紅河
広西チワン族自治区
南寧
ラオカイ
ランソン
クアンニン省
ディエンビエンフー
ハノイ
バクニン省
ハロン
ハイフォン
タインホア
トンキン湾
ラオス
ゲアン省
海南島
ハティン省
ビエンチャン
西沙（パラセル）諸島
ベトナム
メコン川
フエ
ダナン
ホイアン
タイ
クアンガイ省
ビンディン省
バンコク
クイニョン
アンコール遺跡
シェムリアップ
カンボジア
南シナ海
ダクラク省
トンレサップ湖
ニャチャン
メコン川
プノンペン
ニントゥアン省
ドンナイ省
ホーチミン
カントー
フーコック島
カマウ省
0
70
140
210
280km

第1章　現代ベトナムの政治と社会

第1節　ベトナム共産党

党が政府を指導

第1章では、ベトナムにおいて現在進行形で起きていることを書きたい。ベトナムでは政治と経済が密接に関係している。小さなビジネスを行う場合でも役所の許認可が発生するために、政治の動向を知っておくことが重要になる。特に多くの許認可を必要とする不動産に関連したビジネスを行う場合には、政治の動向を知ることは必須と言ってよい。我々とは全く異なる社会主義の世界を紹介したい。

ベトナムの政治システムは中国によく似ている。ほぼ同じと言ってよいが、それはロシアのレーニンが生み、ソ連のスターリンが育てたシステムである。よくマルクス・レーニン主義と言われるが、マルクスはこのシステムに関係がない。彼はドイツの思想家であり、経済学者である。私はマルクスが現在の共産党を見たら、そのやり方に賛成しないと思っている。それは、ベトナムで政治の実状を近い場所から見た人間の率直な感想である。

ベトナム政治を理解するには、まず「党が政府を指導する」、このフレーズを覚えなければならない。日本や米国では、内閣総理大臣や大統領が政府のトップに立って政治を行う。与党と政府の関係は微妙だが、指導を受けることはない。通常は与党のトップが首相である。

しかし、ベトナムでは首相といえども共産党の指導を受けなければならない。もちろん首相も共産党員であるが、ベトナムでは首相は共産党の序列３位の者が就任する慣例になっている。

共産党の最高意思決定機関は政治局である。現在、ベトナムの政治局のメンバーは16人。第13期が発足した時は18人であったが、現時点（２０２４年5月末）は16人である。発足時から６人が失脚して４人が補充された。

中国では政治局員は現在24人であるが、その中の上位7人は政治局常務委員（俗に言う「チャイナ7」）である。中国の政治局員は多数決が可能なように奇数とされており、定員は25人だった。だが、２０２２年の党大会において国務院副総理で次期国務院総理（首相）の有力候補と見なされていた胡春華《こしゅんか》が直前に外されたために偶数になったと言われる。大会中に胡錦《こきん》濤《とう》が途中退席させられた映像は世界に衝撃を与えたが、これは胡春華が外されていることに気づいた胡錦濤が抗議しようとしたためとの噂がある。胡錦濤も胡春華も党指導下の青年組織・中国共産主義青年団（共青団）出身であるが、これにより共青団出身者は政治局員からいなくなった。

ベトナムの政治局員は奇数の19人とされていたが、なぜか2021年に発足した13期は18人と偶数であった。それが翌年の中国共産党大会での出来事と関係しているとしたら不気味である。習近平《しゅうきんぺい》は胡春華を直前に外す陰謀を、ベトナム共産党大会が開かれた2021年の時点で考えており、ベトナム共産党に予行演習させた可能性がある（筆者は現在の両国の関係を考える時、あってもおかしくはないと思っている）。

ベトナムには常務委員は存在しないが、序列1位の書記長、2位の国家主席、3位の首相、4位の国会議長、この4人は「4柱」と呼ばれ、政治局員の中でも別格の扱いになっている。はっきりした規定はないのだが、この4人には不逮捕特権があると言われている。平の政治局員にも不逮捕特権があると言われていたが、後に触れるように、2016年にホーチミン市の書記を務めていたディン・ラ・タンが逮捕されたことがある（**第4章第1節**参照）。トップ4人といえども、今後、政治情勢によっては逮捕されることがあるかもしれない。

ベトナムと中国の政治は二重行政と言ってよい。共産党のトップである書記長が首相を指導する。同様のシステムは各省やハノイ、ホーチミン市などの地方組織にも存在する。省長や市長は行政のトップだが、共産党の地方組織（人民委員会）のトップである書記が省長や市長を指導することになっている。

ただ、共産党の地方組織はそれほどの規模ではない。実際の行政は省や市の役人が行って

ベトナム共産党政治局の構成

・政治局員＝定員19人（2021年から18人）、2024年5月末現在16人、2人欠員

・任期＝5年

序列1位 ベトナム共産党中央執行委員会書記長

ベトナム共産党の党首。党中央軍事委員会書記を兼任。事実上の最高指導者

初　代　レ・ズアン（1976～86）
第6代　ノン・ドゥック・マイン（2001～11）
第7代　グエン・フー・チョン（2011～）

序列2位 ベトナム社会主義共和国主席

ベトナム社会主義共和国の国家元首

※ホー・チ・ミン（1945～69）：当時はベトナム労働党で序列1位

第9代　グエン・フー・チョン（2018～21）
第10代　グエン・スアン・フック（2021～23）
第11代　ヴォー・ヴァン・トゥオン（2023～24）
第12代　トー・ラム（2024～）

序列3位 ベトナム社会主義共和国政府首相

第6代　グエン・タン・ズン（2006～16）
第7代　グエン・スアン・フック（2016～21）
第8代　ファム・ミン・チン（2021～）

序列4位 国会議長

第6代　グエン・フー・チョン（2006～11）
第7代　ヴオン・ディン・フエ（2021～24）
第8代　チャン・タイン・マン（2024～）

いるので、実情は彼らが一番よく知っている。一般の役人の上司は省長や市長である。通常の業務では地方支部の書記が行政に口を挟むことはないが、中央から指示があった場合などは、地方支部の書記が省長や市長を指導することになる。そして大きな案件、例えば大きな工場や住宅団地を建設する際の許認可は、省長や市長ではなく地方支部の書記がOKを出すかどうかが鍵になる。

大きな案件では省長や市長だけに陳情しても物事は動かない。ただ、実際に業務を行うのは省長や市長なので、そこに対する陳情も必要になる。まさに二重行政である。

ベトナムでも中国でも、ここ20年ほどは右上がりの好景気が続いたために、この二重行政はそれほど苦にならなかったようだ。だが、現在、両国ともに不動産バブルが崩壊して経済が混乱している。両国が公表するGDPは多分に粉飾されており、実態を知ることは難しいが、街の噂では2023年のベトナムはマイナス成長ではないかとも言われている。このような情勢の中で、今後、この二重行政は経済成長の足枷になる可能性がある。

司法も立法も共産党の指導下

ベトナムでは三権は分立していない。行政も司法も立法も共産党の指導下にある。誰が有罪かは共産党が決める。特に重要な案件では政治局が決めている。日本でも一度起訴されたら無罪を勝ち取るのは難しいが、ベトナムでは日本以上に難しい。ほぼ確実に有罪になる。話題になった事件の裁判は大きく報道されるが、それは裁判ではなく「見せ物」であるとされる。裁判で審理などを行うつもりはない。既に判決は決まっており、共産党の方針を民衆に知らしめるための裁判であると言われている。

司法は共産党の制度の枠組みの中で行われているが、立法の過程は少しずつ変わり始めている。立法は国会で行われる。国会の会期は30日から40日程度で、年2回開催が通例とされる。国会議員は固定給が支払われるわけではなく、国会会期中の手当が支払われるだけである。国会議員は他の仕事を持っている。最近は党の高官や閣僚などは国会議員になることが奨励されている。

そして国会の論戦は比較的まともである。傍聴に行く日本のマスコミ各社の記者に聞くと、日本の国会よりマシだと言う。「シャンシャン大会」になっている中国の全国人民代表大会と違って、まともに機能している。

国会議員は地域の代表であり、民衆の意見を代弁している。ベトナムの農村では、村の中心に設けた集会所に村民が集まり、長老が中心になって話し合いが行われて多くのことを決めたとされるが、その伝統は国会に生きている。国会では地方で行われる公共事業に関連すること、また景気が悪い際に消費税を下げることなど、庶民の生活に直接関連することがらについて熱心に議論される。生活に関連した法案などについて、国会の発言権は大きい。個々の国会議員の主張は共産党のイデオロギー的ではない。ただし、外交方針についての議論はタブーのようである。

国会議員は選挙で選ばれる。定員は500名である。中選挙区制度であり、各選挙区から3名前後の議員が選出される。

立候補するには「祖国戦線」という組織の許可を得る必要があり、誰でも立候補できるわけではない。「祖国戦線」とは、中国の政治協商会議と同じようなもので、共産党以外の政治組織と話し合うための組織と考えればよい。当初は北の共産党と南のベトコンが話し合うための組織だった。現在は共産党の下部組織と考えてよく、立候補者を許可するくらいしか仕事がない。そのトップは南部や少数民族出身者が就任するのが慣例である。

立候補者の約9割は共産党員である。近年、共産党員以外の議員を増やそうとする動きがある。ただ、後述するようにグエン・フー・チョン書記長が力を強めた2016年以降、その動きも鈍くなっている。

投票は無記名で、選挙権は18歳以上の男女にある。被選挙権は21歳以上である。一見、民主的に見えるが、共産党の関係者がその地区の票をまとめて持っているとも噂されている。この辺りの詳細はよく分からないが、毎回投票率が9割以上であることから、何が行われているか想像することはできる。

　各選挙区で立候補者は当選者より1名か2名多く、全員当選できるわけではない。競争がある。そのため、有力者の支持を集めるために、陰で激しい選挙運動が行われているとも言われる。ベトナムの選挙でも、当選するには組織とお金が必要であるようだ。共産党内での地位を高めるためには上位で当選することが必須とされる。だから、選挙が全く機能していないわけではない。

社会主義経済とドイモイ

　ベトナム経済の仕組みは、中国と同様と理解しておけばよい。政治は共産党独裁だが、経済は資本主義である。中国では、1978年に鄧小平《とうしょうへい》が実権を掌握して「改革開放」を始めた。ベトナムはそれに遅れること8年、1986年にドイモイ（ベトナム語で刷新）と呼ばれる改革開放と同じ路線に舵を切った。

　ここで今さら社会主義の欠点を数え上げることはないが、社会主義では経済は発展しない。そのため、1975年にベトナム戦争が終わっても、なかなか豊かになれなかった。ベトナム戦争中は、日本のあの戦争中の標語である「欲しがりません勝つまでは」の精神で、貧しさを分かち合う経済が機能したが、戦争が終わってもそのような状態が続くと、人々は不満を漏らすようになる。

1986年12月に始まったドイモイは、それに対応した政策である。だが、中国の改革開放政策より8年遅れた。多くの物事が素早く変化する現代社会では、この8年は意外に大きな意味を持ってしまった。ベトナムは外資を導入して工業を発展させようとしたが、それより8年早く中国が同じことを始めていたからだ。

米国や西欧、日本の会社が中国に工場を作ってしまえば、その直後に他の国にもう一つ作ることはない。ベトナムと同じような政治機構を持つ中国との競争で、この8年の遅れは大きかった。中国の改革開放よりも早くドイモイに踏み切っていれば、現在、ベトナムは「東南アジアの工場」と呼ばれていただろう。ベトナム共産党はいつも中国の後追いなので、それは無理な注文とも言えるが、振り返ってみれば残念でもある。

村落共同体の記憶が息づく土地制度

社会主義に関連して、土地政策について書いておきたい。それは住宅や工業団地の建設において、土地の取得が決定的に重要になるからだ。土地制度は社会主義農政に結びついている。

北ベトナムでは、1945年の独立直後から農地改革が始まった。阮《グエン》朝までベトナムの農地は村落共同体が所有し、村人が協力してそれを耕すことが行われていた。かつてベトナムの李朝、黎朝などは、土地を国有として耕作者に均等に分与する中国大陸の均田法を取り入れたが、弱い王朝が土地を管理することはできなかった。その後、国家による均田法は行われなくなり、その代わりに村落共同体が農地を管理するようになった。これが現在においても強固な村社会が維持されている原因と考えられる。

日本では江戸時代に庄屋と小作の関係が作られるので、村の結びつきは強いと言っても、小作の村に対する愛着はそれほど強いものにはならなかった。しかし、ベトナムのように農地が村落共同体のものであれば、村への愛着は強くなる。ベトナムの農村ではこのような状態が数百年続いてきたと考えられる。中国型の均田法の考え方を導入しながらも、亜熱帯、熱帯の気候が生んだ国民性が、国家による厳密な管理よりも村落による緩やかな管理を好んだためだろう。

ベトナムの水田は、日本や中国の水田とは異なり、二期作、三期作が可能である。そのために1年を通して水田に水を張っている。だが、水管理は一人ではできない。大雨の時などは村人総出で用水路を守る必要がある。

ベトナムの村は隣村と争いが多い。生活しているとさまざま利害が対立するからだろう。そんなベトナム人であるが、中国が攻めてきた時とハノイを流れる紅河《ホンハ》が氾濫しそうになった時は、すべての村落が協力し合うそうだ。地域の人々が総出で大雨の中で土嚢を積み上げる。このことはベトナムの政治を考える上で重要である。中国に対しては団結するが、内政では足の引っ張り合いが絶えない。「和をもって貴しとなす」などという精神はない。

話を元に戻すと、このような阮朝までの土地所有制度をフランスが変えた。西洋人にとって所有権は重要である。農地を村民が共同で所有するなどということは前近代的であり、植民地行政にとっても支障がある。そのためフランスの指導の下で、地主と小作が作られていった。アジア的な村落共同体による農業が壊されて、資本主義的な農業になった。

ただ、それが行われた期間は短い。ベトナムがフランスの植民地になったのは１８８７年であり、１９４０年になるとフランスの本国がナチスの支配下に置かれてしまい、かつ日本軍の仏印進駐があったために、フランスの統治は名ばかりになってしまった。フランスがベトナムの農村に資本主義的な農政を行ったのは50年ほどに過ぎない。そのため現在になっても、ベトナム人は村落共同体の中で生きていた時の記憶に基づいた行動を取るケースが多い。

付言すれば、ベトナム人は就職や転職に際しても、地元のコネで動く。住宅の売買なども地縁血縁が情報源になっている。そのため街で不動産屋を見かけることが少ない。テト（旧正月）の時は、地元に戻って親族と過ごす。このような行動様式はネット社会になって急速に変化しているとも言われるが、それでも就職や住居の購入など、人生にとって大きな出来事では地縁血縁が重要な情報源になっている。大きな商談でも地縁血縁が重要な役割を果たすと考えて間違いない。政治の世界も地縁血縁が重要な意味を持っている。

北ベトナムでは、１９４５年から１９５０年代初頭にかけて、急進的な農地改革が行われた。それによって、北部では地主や富農の多くが殺害されたとされる。当時は中国でも同様の土地改革が進んでおり、そんな時代だったのだろう。ただ、この辺りのことについては、現在、その情報を入手することは難しい。

急進的な農地改革が行われた結果、北ベトナムでは農地が細かく分かれてしまった。そして相続によってその細かい農地がさらに細かくなってしまった。日本など儒教文化圏では、農地は長子に相続されることが多いが、ベトナムでは、子供に平等に農地を分割する東南アジア的な方法が取られたからだ。その結果、現在、一戸の農家が所有する農地は、北ベトナムでは０・２ha程度になっている。そのため、住宅団地や工業団地を作る場合に多くの農家と交渉しなければならなくなり、その手間は膨大である。

社会主義農政では土地は国家が所有するが、使用権は農民にある。中国では使用権が弱いために、農民は農地を手放してもわずかなお金しか得ることができない。農地売却益の多くが地方政府のものになった。しかし、現在、ベトナムでは土地売却益は農民のものになる。ベトナムの土地制度は中国に比べて農民に優しい。中国の地方政府は膨大な土地売却益を得て、それを公共投資に使って奇跡の成長を遂げたが、ベトナムではそのメカニズムは働かなかった。その結果、ベトナムの地方政府は貧しく、その職員は汚職をしなければ生活できないなどと言われるようになってしまった。

先にも述べたが、その昔、農地は村のものだった。そのため農家の意思だけで農地を売ることはできない。村の承認が必要になる。ある農地を購入したいと思った時には、昔の村の有力者の了解を得る必要がある。この辺りのことは慣習であり、非合法でもある。地域によってやり方は異なるとされるが、北部にはこの習慣が強く残っている。地域の有力者にお金を払わなければ、農民と土地売却に関して交渉を開始することすらできないと言われる。

一方、南ベトナムでは一戸の農家が所有する農地は広い。これは、現在では米所になっているメコン流域の開発がフランスの統治時代に行われたためである。フランス人が大土地所有者だったケースも多い。その後、フランス人が去って農地の所有権はベトナム人に移った。南ベトナムが1975年まで資本主義体制であったために、南ベトナム政府によって農地改革が行われたが、それは不完全なものに留まった。

南北統一後、共産党による農地改革が行われたが、すぐにカンボジア侵攻が始まり、政情は混沌とする。そして1986年になるとドイモイが始まったために、南部では農地改革はあまり進んでいない。その結果、一戸の農家が保有する面積は北部に比べて広い。

大土地所有者の多くはボートピープルになったと考えられ、その農地の多くは北ベトナム軍の関係者が接収したと思われるが、この辺りの事情もよく分かっていない。同様のことは、ホーチミン市についても言える。多くの華僑がボートピープルとして脱出した後、その空き家は北ベトナム軍が接収したと思われる。現在でも、ホーチミン市の目抜き通りの土地所有者はハノイに在住すると言われる。彼らは膨大な家賃収入を得る不在地主である。ただこの辺りについても、詳細は分からない。

公務員はコネ採用・コネ昇進

ベトナム戦争に勝利した時に、ベトナムには多くの兵士がいた。ベトナムはその兵士たちに報いるために、帰還した兵士たちを公務員として雇用した。貧しかった当時のベトナムではそのような方法しかなかったのだろう。多くの公務員がこのような形で採用されたために、戦争が終わってから半世紀が経過しようというのに、公務員の採用基準はいまだに曖昧である。公務員試験は行われているが、コネ採用が多いと言われる。そして昇進にもコネが大きく作用する。

この辺りのことは確たる証拠はないが、先ほどから述べてきたようにベトナムの人々の心の中にいまだに村落共同体が生きているために、昇進も村社会のコネが重要な役割を果たしているようだ。そして、ベトナム戦争において勇敢に活躍した兵士の子孫は優遇されているという。なんだか、関ヶ原の戦いの後の江戸時代を見ているようである。

現在のグエン・フー・チョンの前の書記長のノン・ドゥック・マインは、ホー・チ・ミンの隠し子だったと言われる。ホー・チ・ミンはその生涯をベトナムの独立に捧げて、独身を通したとされるが、それが建前であることを多くのベトナム人が知っている。

ノン・ドゥック・マインはこの噂の真偽を問われた時に、

「ベトナム人は皆、ホー・チ・ミンの子供です」

と答えたが、これはベトナムでは有名なエピソードである。

2024年3月に失脚したヴォー・ヴァン・トゥオン前国家主席は、ドイモイに舵を切った後にベトナムを成長軌道に乗せる上で大きな役割を果たしたヴォー・ヴァン・キエット元首相（第4代）の甥だと噂されていた。これはおそらくは偽情報だとされるが、ベトナム政界には常にこのような噂が存在する。

ベトナムは中国から科挙を取り入れたが、近世において長期間にわたり南北朝の騒乱が続いていたために、中国のように科挙官僚が地方に赴任して絶大な権力を行使するシステムを作り上げることができなかった。

そんなわけで、公務員は試験で選ぶものという感覚が浸透していない。筆者はベトナムで、公務員の採用方法が不公平だという声を聞いたことがない。多くの人が、公務員のコネ採用やコネ昇進は当たり前と思っているようだ。

ホー・チ・ミンは共産主義者か民族主義者か

ベトナムの政治を理解する上で、ホー・チ・ミンの位置付けは極めて重要になる。彼はその死に際して自身をレーニンのように神格化しないように遺言したが、それは無視された。ホー・チ・ミンの遺体はレーニンと同じように防腐処理が施されて、ハノイの中心部にある立派な廟堂に安置されている。ベトナムはマルクス・レーニン・ホーチミン主義の国である。少なくともベトナム共産党の公式イデオロギーはそのようになっている。

フランス時代のホー・チ・ミン（1921 年撮影）

神格化が進んでしまったために、ホー・チ・ミンの生涯は謎に包まれたままになっている。そもそも生年が2年違うとも言われている。また、ベトナムからフランスに渡ったホー・チ・ミンとソ連、中国経由でベトナムに戻ったホー・チ・ミンは別人だとの説がある。現在では、残された写真から本人か替え玉かを簡単に識別できるが、別人説が本当だとは言われていないので、替え玉説は日本の明治天皇替え玉説と同様に都市伝説のようなものなのだろう。ただ、そのような話が語られるほど彼の生涯は謎に満ちている。

フランスに渡ったホー・チ・ミンとソ連・中国を経由して帰国したホー・チ・ミンが同一人物であるとしても、彼が共産主義をどのように理解していたかは大きな謎になっている。彼を教育して、ベトナムの指導者に仕立て上げたのがコミンテルンであることには疑いがない。彼はソ連から中国を経由してベトナムに戻る際に何度も殺されかけたとされるが、そうであるなら彼と中国共産党との関係はどのようなものだったのであろうか。彼の生涯については、いくつかの研究書が出ているが、彼の実像は理解し難い。

ホー・チ・ミンは、ベトナム人から「バックホー」（ホーおじさん）と呼ばれて、現在も敬愛されている。そんな彼は共産主義者だったのであろうか、それとも「独立ほど大切なものはない」という言葉で知られるように民族主義者であり、共産主義は独立を勝ち得るために用いた方便に過ぎなかったのであろうか。この辺りのことについて、ベトナムの知識人たちは今でも自問自答を繰り返しているように見える。それにはホーチミン思想が何なのかハッキリしないことも関係している。

ソ連が崩壊した後に、多くの国が社会主義国ではなくなった。現在、社会主義国は中国、北朝鮮、ラオス、キューバ、そしてベトナムの5か国しかない。そのどれもが開発途上国である。中国とベトナムは改革開放路線やドイモイに舵を切ったために、この5か国の中では「まし」な方だが、両国ともに2022年に不動産バブルの崩壊が始まったために、これまでのように経済が順調に発展するとは言い切れなくなっている。

共産党員の中の少なからぬ人々が、ホー・チ・ミンはベトナムの統一と独立を考えた民族主義者であり、熱烈な共産主義者ではなかったのではないかと考え始めている。

ホー・チ・ミンは晩年、健康が優れなかったために、レ・ズアン第一書記が党務を代行していた。レ・ズアンは、1968年にホー・チ・ミンが亡くなってから1986年まで労働党と共産党の書記長として政治を取り仕切った（ベトナム労働党は1976年にベトナム共産党と改名）。1975年に南北統一を果たしたことはレ・ズアンの最大の功績と言えるが、その後のカンボジア侵攻はベトナム人にとって苦い記憶になっている。そして彼の推し進めたベトナムの社会主義化がホー・チ・ミンの意思に沿うものであったのか、現在、ベトナムの知識人はこの問いかけを繰り返しているように見える。

共産党は秘密主義が徹底していて、ごく普通の共産党員は中央政界で起こっていることを知ることができない。そのために重大な決定がいきなり出てくる。汚職退治は政争の道具として使われており、共産党幹部や公務員は、ほぼすべての人がこれまでに汚職を行ったことがあるので、そのすべてがビクビクして暮らすことになってしまった。こんなベトナムは、ホーおじさんが理想とした国ではない。そんな思いが共産党への疑念につながっている。

「自民党」になりたいベトナム共産党

1917年にロシアで革命が起こった時から、マルクス主義によって政治を行うことには無理があった。レーニンは無理を承知でソ連の政治システムを作った。そのために、このような息苦しい共産党ができあがってしまった。

マルクス主義は、歴史の必然として資本主義から共産主義に移行することを強調している。だから、マルクスの理論が正しいとすれば、資本主義が成熟した西欧や米国が共産主義に変わるはずであった。しかし、ロシアや中国、そしてベトナムなど資本主義が発達していない開発途上国で共産革命が起こった。

ホー・チ・ミンが独立を宣言した時、ベトナムでは多くの人々は中世さながらの村落共同体社会の中で生きていた。そこに共産主義がやってきた。

レーニンやスターリンは有能な政治家であり、ロシアの社会が社会主義に移行するには無理な段階にあることをよく知っていた。そのために独裁で政権を維持するシステムを考えた。マルクスの考えたこととレーニンが行ったことは全くの別物である。マルクスの理論では共産主義によって理想社会が出現するはずであったが、レーニンが作ったのは恐怖が跋扈する社会であった。現在のベトナムはこの歴史の過誤に悩んでいる。

ベトナム共産党の多くの党員は、ベトナム共産党を日本の自由民主党のようにしたいと考えている。なぜなら自民党は戦後の日本で、ほぼ一貫して政権政党であり続けているからだ。

米国や英国は民主主義の先進国であるが、二大政党制が機能しているためにしばしば政権交代が起きる。それに対して日本では、バブル崩壊後の一時期、日本新党ら非自民連立政権や民主党政権ができるなどの混乱はあったものの、ほぼ一貫して自民党が政権を握っている。

ベトナム共産党は、民主的な選挙制度を導入しても、政権政党であることの旨みを失いたくない。自民党になりたいとの思いは、そんな虫のいい動機から出ているように見える。

日本人とベトナム人は歴史上、稲作を行う村落共同体の中で生きてきたために、その政治に対する考え方が似ている。現書記長のグエン・フー・チョンの独裁が強まるまでは、ベトナム共産党はことある毎に自民党と交流して、そのノウハウを学ぼうとしていた。

ベトナム人と話す時に気を付けること

ここでベトナム人と話す時に気を付けることを述べておく。それは日露戦争後の日本に多くのベトナム人の若者を留学させせた東遊《ドンズー》運動と当時の指導者ファン・ボイ・チャウである（第

2章第3節で詳述）。

日本人としてはチャウの東遊運動について語りたいのだが、現在のベトナム政府の人々はそれを喜ばない。チャウは阮朝の王族などとも近く、ホー・チ・ミンの行った独立運動とは一線を画すものである。チャウらの独立運動はホー・チ・ミンの独立運動とはライバル関係にあった。チャウの独立運動は歴史的事実であるので否定はしないが、話された当事者は、政府の高官であればあるほど対応に困る。

それは民族の英雄であるボー・グエン・ザップ将軍（第2章第4節で詳述）についても言える。最近、ホー・チ・ミンとザップが並んだポスターや絵画を目にすることが多い。ザップがベトナムの英雄であることは間違いないが、ホー・チ・ミンと並んで賞賛されるようになったのは、それほど昔からではない。

彼は共産党の政治局員に昇進したが、書記長や国家主席になることはなかった。国防大臣を務めたが、その序列は高くなかった。彼は2013年に102歳で亡くなったが、晩年、彼は共産党の幹部たちが汚職に染まっていると繰り返し批判していた。彼が死んだ時に、共産党は彼を国葬にするつもりはなかった。だが軍や市民からの強い要望があったために国葬にした。

中国の伝統を引きずるベトナムでは、軍人の地位は高くない。日本では鎌倉時代から武士の社会的地位が高くなったが、中国では北宋の時代に科挙制度が完成して、学問における秀才が社会の上位を占めるシステムが定着してしまった。「軍人は文官の下」という社会通念が作られた。この辺りのことが日本の評論家にはよく理解できないらしい。

日本では、中国で軍人がクーデターを起こすのではないかとの観測がよく語られる。しかし、中国で軍人が独断でクーデターを起こすことはありえない。中国では二・二六事件は起こり得ない。それはベトナムでも同様である。

毛沢東《もうたくとう》が死去した直後に、四人組が政権から排除されたことがある。これはクーデターと言ってよい。ただこの時も文官が水面下で連絡を取り合って四人組を排除した。北京の実戦部隊の指揮官である汪東興《おうとうこう》はキー・パースンであったが、彼は文官たちが軍の長老である葉《よう》剣英《けんえい》を担ぎ出したために、その意思に従って動くことに決めた。王東興が動かなければ実戦部隊は動かないが、王東興は自分の判断ではなく文官の指示に従っている。このことは中国、そしてベトナム政治を理解する上で重要である。

ベトナム共産党は軍人を下に見る伝統に従って、ザップ将軍を国葬にはしたくはなかった。ただ国民から強く慕われており軍も強く要望したことから、国葬とした。その弔問の葬列は3日間途切れなかった。これは他の書記長や国家主席の葬儀の際には見られなかった光景である。

そのザップが最近、ホー・チ・ミンと並んで賞賛されている。このことは、市民がホー・チ・ミンとザップを共に賞賛することによって、間接的ではあるが共産党を批判しているとも言える。共産党に対する批判が一切禁じられているために、庶民はこのような方法を使って体制に不満があることを表明していると思われる。

第2節　蔓延する汚職と汚職退治

蔓延する汚職

ベトナムに赴任したビジネスマンが最も頭を悩ませるのは、蔓延する汚職に関することであろう。ベトナムの役所で許認可を得る際には賄賂が必要であり、賄賂なしに許認可を取ろうとすると膨大な時間がかかる。そんな噂があるが、それは概ね事実である。だが、日本の本社は賄賂を認めない。さてどうするか……。大いに悩むことになる。

汚職が横行しているのは事実であるが、世界を見渡した時に、現在のベトナムは汚職天国と言えるほどではない。２０２２年の汚職指数では、１８０か国の中で77番目であった。半分より上にいる。1位はデンマーク、2位はフィンランド、3位はニュージーランドと人口が少ない先進国である。ちなみにドイツは9位、日本はベルギーや英国と並んで18位。フランスは22位、米国は24位、韓国が33位、中国は65位である。

ベトナムより下位にはインドの85位、ブラジルの95位、タイの101位、インドネシアの110位、フィリピンの116位が並ぶ。ベトナムは自慢すべき水準ではないが、言われているほどひどくはない。開発途上国では汚職は行政の一部を成していると考えた方がよい。

ベトナムの順位が上昇したのは、2016年から始まったグエン・フー・チョン書記長による汚職退治の結果と言ってよい。それまでのベトナムは、タイやインドネシアと同じような水準にあった。

安月給の公務員と未熟な税制

ベトナムの汚職は、改善されつつあるとは言っても根絶されたわけではない。しかし、摘発が怖いために、露骨な賄賂の要求は減っていると言われる。

ベトナムで汚職が根絶できない最大の理由は、公務員の給与が安いためである。ハノイやホーチミン市の役人の月給は、部長クラスでも500ドル（1ドル140円で計算して7万円）、役職のない公務員は300ドル（4・2万円）程度とされる。

現在、ハノイやホーチミン市では、夫婦2人と子供1人の世帯は最低でも1か月に10万円程度ないと暮らしていけないと言われる。夫婦共稼ぎが普通としても、公務員の給与だけで生活していくのは苦しい。このことが、公務員が汚職を行う最大の原因になっている。

そして部長クラスを考えた場合には、同年代の人々との所得格差を考慮しなければならない。役所に入るための試験はおざなりであり、出世もコネが重要とされるが、それでも主要な官庁やハノイやホーチミン市で部長や局長クラスに出世する人は優秀である。彼らはベトナムの名門大学を出ているケースが多く、かつ学校時代も優等生だった。

部長や局長になるのは40歳以降であろうが、ベトナムは20年前に比べて大きく変わった。21世紀に入った頃は、経済成長が始まったと言ってもまだ貧しく、貧しさを分かち合う時代だった。だが、過去20年でベトナム経済は飛躍的に成長した。

そのような経済情勢の中で最も豊かになったのは、企業経営者や商店主であった。ベトナムは労働者の賃金が安い。その反面、その安い賃金を利用して経営者が成功するチャンスが多い。そして公務員は労働者と同様に雇用される側にいる。20年前に同じ大学を出た仲間が、企業を経営したり商店主になったりして豊かになった。学生だった時は俺の方が優秀だったのに……。そうぼやく役所の局長や部長クラスは多い。その複雑な思いが、彼らを汚職に走らせている。

局長や部長は、給料は安いが許認可権を持っている。商売で成功した昔の仲間はお金を持っている。商売を広げようとした時には役所の許認可が必要になる。そこから、何が起こるかは想像に難くないだろう。

ベトナムで汚職を撲滅するには、役人の給料を同程度の能力がある民間人と同じ水準にする必要がある。しかし、ベトナム政府はそれを行うことができない。最大の理由は、政府にお金がないからだ。ベトナム政府はいつもお金が不足している。

政府にお金がない理由として、税制の不備がある。日本企業だけなくすべての外資系企業が、自分たちだけが税金を取られていると思っている。基本的に外国から来た企業は法律に基づいて税金を支払う。脱税がゼロとは言わないが、遵法精神で会社を運営している。

ベトナムの企業でも大企業は税金を払っている。そこで働いている人々もエリートであり税金を払っている。外資系と同じような感覚で運営されている。

問題はベトナムに多数存在する零細企業や個人商店である。それらは多くの人を雇用している。また路上の屋台で働いている人も多い。そのような人々は、全くと言っていいほど税金を支払っていない。

ベトナムにも消費税が存在するが、小さな商店や露店で消費税を取られることはない。正確な統計があるわけではないが、ベトナム人の9割は税金を支払っていないと言われている。

庶民は税金を払わなくても良い。そんな社会的なコンセンサスがあるのではないかと疑ってしまう。

このような状況を、社会主義の時代に税金がなかった名残だと言う人もいるが、中国政府はそれなりに税金を集めているので、庶民から税金を取れない理由を社会主義だけに押し付けることはできないと思う。

ベトナムの税務署は中国とは異なって弱く、個人商店から税金を徴収することはまず不可能という。税務署の職員を増員して一軒ずつ訪ね歩かせたとしても、職員が税を徴収する代わりに賄賂を貰って見逃してしまうだけだと言う。交通違反をしても賄賂を渡すと見逃してくれる国である。庶民からの税の徴収は極めて難しい。皮肉をこめて言えば、庶民は税金を支払っていない代わりに、賄賂としてお金を役人に渡さなければならない。ただ、現状のシステムは著しく透明性に欠ける。そして不公平でもある。

政府にお金がない理由をもう一つ付け加えておく。それは、日本などのように政府が赤字国債を発行できないことだ。インフレとドン安が怖いために政府は借金の上限を低く抑えている。国債発行残高はＧＤＰの60％以下にしなければならない。これも政府にお金がない理由になっている。

グエン・フー・チョン書記長の汚職退治

このような状況が続けば、人々の共産党に対する信頼が低下し、共産党政権が崩壊してしまう。そんな危機感がグエン・フー・チョン書記長を汚職退治に走らせた。２０１６年に第二期目に入ったグエン・フー・チョン書記長は、汚職退治を開始した。それは、中国の習近平が２０１２年に共産党書記に就任して始めた汚職退治とよく似た動機である。

そして、汚職退治と言いながら、それを利用して政敵を排除するという構図もそっくりである。ベトナムでも中国でも許認可権を持つ者は、多かれ少なかれ汚職をしている。その気になれば誰でも捕まえることができる。民衆から恨みを買っている政治家や官僚を逮捕すれば、民衆は喝采を上げる。それは共産党体制の維持、引いては書記長自身の権力基盤の強化につながる。

２０１６年から汚職退治が激しくなったが、それでも官僚や政治家は汚職をやり続けた。それは先に書いたように公務員の給与が安く、正規の収入だけではよい暮らしができないためである。

汚職摘発が行われている最中に賄賂を貰うことは極めて危険な行為である。汚職として摘発されれば、政治家や役人は残りの人生を失う。そこで考えついたのが、不動産の事前購入である。どの国でも不動産開発は汚職の温床と言ってよい。それは土地の取得や建物の建設

ベトナム共産党書記長（2011～）のグエン・フー・チョン（1944～）

には多くの許認可が付き物だからだ。直接現金を授受する汚職が難しくなってから、ベトナムの政治家や官僚は不動産の事前販売によって利益を得ることにした。それは中国の真似とも言える。

中国は日本の不動産バブル崩壊から多くを学び、同じ轍は踏まないと豪語していた。日本で不動産バブル崩壊の後に経済が長期間にわたって低迷した原因は、不動産会社に資金を融資していた銀行の経営が悪化したからである。そのように分析した中国は、不動産開発に伴うリスクを銀行ではなく不動産購入者に押し付けるシステムを作り出した。

日本ではデベロッパーは銀行からお金を借りて、そのお金で土地を購入し、そこにマンションを建設し、完成した後に買いたい人に売る。しかし、中国では建設計画の段階でマンションを販売する。そこで集めた資金を用いて、土地を購入しマンションを建設する。デベロッパーが倒産した場合に日本では銀行が不良債権を抱えることになったが、中国ではマンションを購入した者が不良債権を抱えることになった。現在、中国ではローンを組んでお金を払ったのにマンションが完成しないことが問題になっている。

ベトナムでも不動産の事前販売が行われた。不動産価格が勢いよく上昇していたために、早く購入した方が得だったからだ。このような状況の中で、不動産業者は許認可に関連する政治家や官僚に対して、一般の人々よりも早く情報を教えて、特別割引価格で販売していた。完成後に転売すれば多額の利鞘を取れる。

大手デベロッパーといえども資金の調達には苦労する。だから信用度の高い顧客が購入してくれることはありがたい。政治家や官僚は妻や妻の親族の名義でマンションを購入していた。中国やベトナムは夫婦別姓だから、政治家や官僚の関与は一般の人にバレにくい。ただバックが誰であるかは容易に分かるから、融資の許可はすぐ下りる。このような行為を完全に汚職と決めつけることはできない。グレーな汚職と言ってよい。

そんな両国を不動産バブル崩壊が襲った。本書は中国を論じるものではないが、中国の政治家や官僚の多くは、この資金転がしがうまく行かなくなって大きな損失を出している。中国では建設途中でストップしているマンションが2000万戸もあると報道されている。中国の人口は日本の約10倍。もし日本で200万戸のマンションが建設を中断してしまい、購入者に引き渡されないような事態が発生すれば、政治的にも大問題になっているだろう。

しかし、中国ではそれほど大きな問題になっていない。それは購入者の多くが政治家や官僚に関係のある人々だからである。彼らは後ろめたいことがあるために、騒ぎ立てることはない。バブルが崩壊しても、中国社会が案外平静を保っている理由の一つがここにある。

ベトナムでも同様の現象が規模を小さくして生じている。2022年の秋に突然、不動産バブルが崩壊すると、多く政治家や官僚が困難な状況に追い込まれてしまった。だが、彼らは声を上げることができない。声を潜めて耐え忍ぶしかない。最近、資金繰りに窮した官僚の自殺が増えているとも聞く。

不動産バブル崩壊は始まったばかりであり、今後、さらに不動産の価格が下落してデベロッパーが本当に倒産すれば、それは不測の事態を引き起こす可能性もある。この辺りのことは予測するのが難しい。何事も秘密主義でやってきた中国やベトナムで不動産バブルが崩壊すると、その処理は日本のようには進まないと思う。

公務員の大量退職

そんなベトナムで公務員の大量退職が始まった。その数は明らかになっていないが、国家公務員も地方公務員も大量に退職しているとされる。その噂は本当だろう。

ベトナムの官僚は、2016年から始まったチョン書記長による汚職退治を、最初は一時的なものと考えていた。首をすくめて嵐が通り過ぎるのを待っていた。しかし、待っても、待っても汚職退治が終わることはない。そのために不動産の事前販売を利用して利益を得るシステムを考え出したのだが、バブルが崩壊して、それも行き詰まってしまった。このような状況で、安月給の公務員に留まる理由はない。それが大量退職の理由である。

どの組織も同じであるが、このような状況になると優秀な人間から退職する。それは他の分野でも生きていけるからだ。能力の低い人間だけが公務員に留まり、その結果として、これまでも非効率だった役所の業務がなお一層非効率になったと言われる。

ベトナムの先行きを見通すことが難しくなっている。米中対立によって中国から工場が移転してくるために好景気が続くとの見通しがあったが、不動産バブルの崩壊はそれを帳消しにしてしまった。

筆者は、現在行われている汚職退治には問題があると考えている。それはベトナムの公務員の給与が安く、かつ中国の公務員のように公務員宿舎などのフリンジ・ベネフィット（給与以外の利益・報酬）も少ないからだ。ベトナムの政治家や公務員は、汚職をしなければ社会をリードする人間としてのプライドを保つことができない。

チョン書記長は汚職退治を行うだけで、公務員の待遇改善には興味がないようだ。チョン書記長を、いたずらっ子に対して「悪いことをしてはいけない」と声を張り上げる小学校の先生のようだと評する声がある。人間は倫理観だけでは動かない。チョン書記長は党の理論畑を歩み、マルクス・レーニン・ホーチミン思想研究の第一人者とされる。彼は清貧であったホー・チ・ミンのような生き方を共産党員に求めている。しかしベトナムは豊かになった。そんな時代の公務員に清貧を求めることはできない。

今後、公務員の大量退職がいつまで、どの程度の規模で続くかを見通すことは難しい。しかし、それによって、これまでも力量不足が指摘されていたベトナム政府の能力が一層低下することだけは間違いない。ベトナムの将来を楽観視することはできない。

コロナ検査キット汚職と帰国便汚職

チョン書記長が汚職退治を行っているにもかかわらず、汚職はなくなっていない。2020年に新型コロナウイルス感染症が蔓延して、ベトナムだけでなく世界中が大混乱に陥った時に、後に政界を大きく揺るがすことになった汚職が行われていた。一つが検査キット汚職であり、もう一つが帰国便汚職である。

ベトナムの会社であるベトアー社が、国防省傘下の軍医学院と共同でコロナ検査キットを開発したと発表した。検査キットの自国での開発は、新興国であるベトナムにとっては快挙であり、自治体の疾病管理センターなどがベトアー社の検査キットを購入した。

だが、開発した検査キットの性能は低かったようで、後にWHOの基準を満たしていないことが判明した。そしてもっと重要なことは、実際にはベトアー社は検査キットを作っていなかったと噂されていることだ。ベトアー社は中国から安価な検査キットを大量に輸入して、それを自社製品と偽って販売し大きな利益を上げた。だが、これまでのところ、ベトアー社が中国から輸入していた数量などは明らかになっていない。

ベトアー社は合計で約8000億ドン（約46億円）の賄賂を疾病管理センターなどの幹部らに支払っていた。それを受け取ったとされる保健相や科学技術相などの高官を含む約100人が逮捕された。

裁判では、ベトアー社が製造に関する権利を違法に入手して不当に高く売ったことが罪状として挙げられた。だが、中国から安価な検査キットを大量に輸入していた疑惑が語られることはなかった。肝心な部分は裁判でも明らかにされなかった。ベトナムが独自でコロナ検査キットを開発したことを快挙としたために、その性能はともかくとして、中国から検査キットを大量に輸入していたという事実を政府は認めたくなかったのであろう。これで幕引きにした。これがベトナムの汚職裁判の実情である。

この事件にはグエン・スアン・フック元国家主席の妻が関わっていると噂されている。ただ、これまでのところ、その当否は明らかになっていない。共産党の常として真相は闇の中であるが、2023年1月にフックは国家主席を辞任した。これはフックが妻の監督責任を問われたためと噂されている。ただ、国家主席が妻の監督責任を問われたのではいかにもカッコウが悪いので、公式には首相在任中の行政組織に対する監督責任とされた。

フックの妻はやり手で、亭主の権威と権力を背景にかなり悪辣な商売をしているとの噂が絶えなかった。フックが気の良いおじさん風であったために、フックは完全に尻に敷かれているなどと言われていた。

今回の事件の本質は、チョン書記長（支持基盤北部）のフック元国家主席（支持基盤中部）に対する権力闘争と見るべきだが、それが庶民の間で笑い話のようなストーリーになるところがベトナムのベトナムたる所以である。

ベトナム第10代国家主席（2021〜23）グエン・スアン・フック（1954〜）［出典：首相官邸ホームページ］

もう一つがコロナ禍での特別帰国便をめぐる汚職である。新型コロナウイルス感染症の蔓延に伴い、世界中で往来が強く制限された。その結果として、海外に多くの人が取り残されてしまった。各国の政府は緊急帰国便を出して、そのような人々を帰国させた。ベトナムもその例外ではなかった。

ベトナムでは、日本の労働研修生など海外で働く多くの若者が取り残されてしまった。日本では、労働研修期間が終わり、ビザも切れて働くこともできなくなり、異国で途方にくれる若者が続出した。

そこでベトナム政府は緊急帰国便を手配した。ただ、緊急帰国便の手配は混乱した。航空便の数が限られるために、希望してもなかなか帰国できなかった。それでも多くの若者が政府の用意した帰国便でなんとか帰国した。

だが、その際の航空便代が異常に高額だった。また帰国してから2週間の隔離が必要とされたが、隔離期間中、高級ホテルに宿泊しなければならなかった。日本に労働研修に来ていた人々は、多くが貧しい農村部の出身である。なにも高級ホテルに隔離する必要はない。その頃は海外からの旅行者がゼロになっていたので、どのホテルも空室だらけであり、高級ホテルでも大幅な値引きが行われていた。しかし、緊急帰国者はなぜか正規料金を支払わなければならなかったという。

帰国当初から、これはおかしいとの声が上がった。今はネットの時代である。若者の間で不満が爆発した。それが汚職摘発のきっかけになった。

旅行会社や航空会社が政府関係者に多額の賄賂を渡して、このようなことを行ったとされる。その結果、前駐日大使や旅行会社の幹部ら約40人が逮捕された。政治局員であり筆頭副首相でもあるファム・ビン・ミンも辞職に追い込まれた。彼は前外務大臣であり、外務省に強い影響力を持っていたが、彼も多額の賄賂を貰っていたとされる。

この事件は、実際は外務官僚が主体になって汚職の構図を考えたと噂されている。あるベトナム人は、外務官僚は汚職のチャンスが少ないので貧しい。今や外交官はあこがれの職業ではない。そんな彼らがコロナ禍を千載一遇のチャンスと見て、このスキームを考え出したのだろうと言っていた。

検査キット汚職も帰国便汚職も、多くの人が関与するために発覚しやすい。そしてコロナ禍で人々がパニックになっている時にこのようなことをすれば、発覚した時に全国民から袋叩きに遭うことは必定である。日本語で言えば火事場泥棒だ。

現にチョン書記長が大いに怒り、民意もそれを望んだために多くの逮捕者が出た。逮捕された公務員は全員が残りの人生を棒に振った。それは頭の良い人がやる汚職ではない。しかし、ちょっとしたチャンスを汚職に結びつけるのが、今のベトナムの公務員である。彼らはそれほどお金に困っている。

報道の自由のない社会で真実は噂話で伝わる

ベトナムには報道の自由がない。最も有名なメディアは共産党の機関紙である「ニャンザン」(ベトナム語で人民)である。その他にも国営Vietnam Newsなどがあるが、その記事はニャンザンと瓜二つと言ってもよい。メディアは完全に共産党のコントロール下にある。

そんな国ではニュースは口コミで伝わる。ベトナム人はカフェが大好きだ。安価なコーヒーを飲むカフェが多く存在する。ベトナムのカフェは椅子が低い。路上に低い椅子を置いてベトナム茶（日本茶に近い味がする）やコーヒーを提供する店が数多くある。路上なら1杯10kドン（約50円）、店なら20kから40kドン（約100円から約200円）程度である。ベトナム人は仕事中でも平気でカフェに行く。ある経営者は、腹立たしい習慣であるがこれを禁じると社員が辞めてしまうので、1日に1回程度は見て見ぬふりをすることにしているなどと言っていた。

ニュースはそんなカフェで広まる。何か重大な事件が起きて、朝にその概要を報じるニュースが流れると、昼頃には多くの人がニュースでは触れられることがなかった事件の背景について知っている。

ある日系企業の支社長は、何かあったら社用車のベトナム人運転手に聞くのだそうだ。その方がいろいろなメディアから情報を集めるよりも、的確で早いと苦笑していた。ベトナムに赴任したら、情報通の運転手を雇うと便利だ。お抱え運転手は、待つのが商売である。時間を持て余すので、待っている間に仲間と話したりネットで情報を仕入れたりしている。

ベトナムのインターネットは検閲があるものの、その検閲は緩やかである。あからさまに共産党を批判するものでなければ野放し状態にある。あるベトナム人は、「ベトナム共産党は中国共産党ほど有能ではない。中国には数十万人ものネット警察官がいると聞くが、ベトナムでは数十人程度だろう」と言って笑っていた。ネット警察官が本当に数十人かどうかは分からないが、ネット検閲が緩やかなことは確かである。

首相と「マダム・ニャン」の関係は？

その一例としてファム・ミン・チン首相の愛人についての噂を紹介したい。ベトナムの商社AICの元会長であるグエン・ティ・タイン・ニャンは、ベトナム東北部のクアンニン省や南部のドンナン省の国立病院への機材導入に関する入札において、関係者に賄賂を渡し、不当に高い価格で納入させて国に損害を与えたとされる。公共事業の入札に関連した典型的な汚職である。

このニャンは「マダム・ニャン」と呼ばれており、なかなか魅力的な人物である。マダム・ニャンは日本への労働研修生の派遣ビジネスも行っており、2018年秋の外国人叙勲で旭日小綬章を授与されている。叙勲理由は、日越間の相互理解・友好親善、投資、医療分野における交流強化のための長年にわたる献身的貢献となっている。

このニャンは現在も逃亡中であるが、欠席裁判が行われて、有罪になった。いくつかの罪状を合わせて懲役30年ほどになっている。複数の裁判が行われて刑期が加算されるので、筆者には正確な刑期はよく分からない。ただ年齢から考えて、捕まれば生きて刑務所から出ることはないだろう。ベトナムの刑期はそんないい加減な基準で決められているとしか思えない。

このニャンがファム・ミン・チン首相の愛人だったとの噂がある。美人経営者と首相のスキャンダルには誰もが興味を示す。大人であれば、ベトナムでこの噂を知らない人はいない。この事件の後に、あるベトナム人から、「本名のニャンではなくあだ名で呼んでほしい」と言われたことがある。それくらい有名な話である。

ベトナムの商社 AIC 元会長グエン・ティ・タイン・ニャン（1970～）［出典：首相官邸ホームページ］

いろいろな噂が飛び交っているので、その一部を書いておく。日本に関係した噂では、ニャンは捜査の手が自分に伸びているのを知って、逮捕状が出た時には日本に逃げていたという。ニャンは旭日小綬章を授与されているくらいであり、この逃亡には日本政府関係者も関わったとされる。

ニャンに逮捕状が出たのは２０２２年５月１

日であるが、その日に岸田首相はベトナムを訪問した。岸田首相はニャンが日本にいることも、ニャンがチン首相の愛人と噂されていることも知らなかったと思うが、愛人と噂される人間の逮捕状に、チン首相はショックを受けて動揺した。彼はニャンの逮捕が近いことを知っており、日本逃亡に関与していた可能性もある。

逮捕状が出たタイミングは、明らかに日越関係を揺さぶろうとしたものである。それは中国の意向を受けたチョン書記長の周辺と中国の情報機関が組んで仕組んだものと、一部の情報通の間で囁かれている。チン首相に対して、不用意に日本に甘い顔をするなとのメッセージである。

ベトナム第8代首相（2021〜）
ファム・ミン・チン（1958〜）

あるベトナム人によると、岸田首相はジャカルタからハノイ入りしたが、逮捕状が出たタイミングは岸田首相が飛行機に乗っている時である。機中では情報が遮断されるから、日本側は迅速な対応ができない。その時を狙ったのだ。こんな芸当ができるのは、中国の情報機関が裏にいるからに違いない。ベトナム人だけではこのようなことはできない。そんな話だった。どこまでが本当かは分からないが、現代におけるスパイ戦とはこのようなものなのだろう。

日本政府関係者は、いつまでもニャンを庇っていることはできないために、ニャンはヨーロッパに向けて飛び立ち、現在はEUのどこかにいると言われている。ドイツの可能性が高いとされる。

過去にベトナムは、汚職の容疑で手配されていた人物をドイツから強制的に帰国させたことがあり、日本で起きた金大中《キムデジュン》事件のように、ベトナムとドイツとの間で主権侵害問題に発展した。そのため、ベトナムはドイツに逃げ込んだニャンに対して手が出せない。この情報も噂の域を出ないが、ベトナムでは信憑性が高いとされている。

チン首相とニャンが愛人関係にあったかどうか、その真偽は分からない。ただ両人の間には子供がいるとの噂まで出た。その噂を日系の現地ジャーナルまでもが取り上げて、ベトナムの日本人社会では、ひとしきり話題になった。

この一連の出来事は、チン首相の影響力を削ぐために行われたとされる。実際にチン首相は2022年の春ごろから力を失った。2023年のテト明けには、フック国家主席に続いて、一連の汚職事件の監督責任を問われてチン首相も辞任に追い込まれるのではないかという観測が出ていた。実際には辞任しなかったが、チン首相はレイムダック状態にある。

メディアが管理されたベトナムでは、上手に噂を流すことによって政敵の外堀を埋めることができる。

第3節　ベトナム政治の三つの対立

ベトナム政治の三つの対立①　南北の対立

この節に書くことは、現代ベトナム政治を理解する上で重要である。ベトナム政治を理解するには、次の三つの対立を知る必要がある。

① 南北の対立
② ドイモイをより徹底すべきか、社会主義に戻るべきか
③ ①と②の対立を背景としたグエン・フー・チョン書記長とグエン・タン・ズン元首相の対立

①の「南北の対立」から説明したい。ベトナムは南北に長い国であり、ハノイとホーチミ

ン市は直線距離で１１６０㎞も離れている。これは東京と大阪の距離の約2倍である。東京人と大阪人の間に大きな気質の違いがあることを考えれば、ハノイの人とホーチミン市の人の間に大きな気質の違いがあることが理解できよう。その言葉の違いは、東京で話される標準語と大阪弁の違いよりもずっと大きいという。ただ北も南もキン族が中心であり、民族的な対立があるわけではない。それは東京と大阪で民族的な対立がないことと同じである。

現在の対立の原因は気質の違いではない。それはベトナム戦争にある。北ベトナムは戦勝国であり、南ベトナムは敗戦国である。このことが対立の背景になっている。戦勝国は敗戦国を支配下に置く。戦争に負けた南ベトナム政府の官僚や政府に協力した人々、また華僑は、ボートピープルとして国を逃げ出さなければならなかった。そしてベトナムに残った南の人々も敗戦国の国民として北の支配下に置かれた。

逃げた華僑の資産などは北ベトナム政府に接収され、政府の関係者に分配されたと言われる。この辺りの経緯ははっきりしないが、ホーチミン市の目抜き通りの家主はハノイに住んでいることが多いと言われる。その経緯を探ることは不可能であり、かつ危険でもある。

南ベトナムの人でも、ベトコン（南ベトナム解放民族戦線）に参加していた人々は戦勝国の一員として扱われた。ただ、ベトコンに参加した人々は、自分たちは北ベトナムの勝利に大きく貢献したにもかかわらず、北ベトナムの人々に比べて分け前が少ないと感じている。

それは、現在の政治局員の人数を見れば分かる。第13期の政治局員メンバーは発足時18名であったが、その中に南ベトナム出身者は5名しかいなかった。また、首相は１９９１年に就任したボー・バン・キエット以降、ファン・バン・カイ、グエン・タン・ズンと南部出身者が就任してきたが、グエン・フー・チョン書記長が実権を握った２０１６年以降、南部出身者は首相になっていない。このようなことから、現在、南部は冷遇されていると思って不満を募らせている。

だが、経済は南が強い。メコンデルタは19世紀末からフランスによって開発が進んだ。ホーチミン市を中心とする南部は新開地と言える。最初から資本主義的なものの考え方が導入されて、それが１９７５年まで続いていた。その結果、人々は資本主義的な考え方に慣れ親しんでいる。そんな人々はドイモイに順応しやすかった。

ベトナム第6代首相（2006～16）グエン・タン・ズン（1949～）

一方、ハノイを中心とした北は、李朝、黎朝以来の封建制の名残の中に生きてきた。先にフランスが土地制度において地主制度を導入したことを書いたが、資本主義的な習慣が根付く前に１９４５年を迎えてしまい、その後は強制的に社会主義的な政策が行われた。それが1986年にドイモイが始まるまで続いたから、人々は村落共同体的な社会と社会主義しか知らない。そんな人々は、ドイモイが始まって、これからは資本主義と言われても順応が難しかった。

現在でもハノイは「官僚の街」、ホーチミン市は「商人の街」と言われる。どちらが経済発展するかは明らかだろう。実際にホーチミン市の方が豊かである。ホーチミン市の人々は、自分たちが稼いだお金を北が税金として巻き上げて、それをハノイのインフラ整備に使っていると思っている。その当否は別にして、そのような感情がホーチミン市にはある。南は北を経済面でも恨んでいる。

ただ、彼らが積極的に反体制派を形成しているかと言われれば、そうでもない。南は北に対して恨みを持っているものの、それを態度や口に出すことはない。その第一の理由は、経済面で北よりも豊かなことにある。北に搾取されていると思っていても、南はそれなりに豊かであり、経済面で北に対して優越感を持っている。言わば「金持ちケンカせず」の心境なのかもしれない。

外国資本もこの辺りの事情を理解しており、本店をホーチミン市に置くケースが多い。北は戦勝国であるにもかかわらず、南より貧しいことに劣等感を抱いている。そんな感情の発露として、政治において南を差別しているようにも感じる。表面的には見えにくいが、南と北の対立は根深い。

ベトナム政治の三つの対立②　ドイモイ推進か社会主義回帰か

②は、ドイモイをより推し進めようとする人々と、経済的に豊かになったのだから社会主義に戻そうとする人々の対立である。このことも政局を理解する上で極めて重要になる。

この対立は、全く同じ構造で中国にも存在する。ドイモイが中国の改革開放より8年遅れたように、ベトナムの政治状況は中国の後追いである。習近平が2012年に共産党総書記に就任してから、汚職退治と共に改革開放路線を否定する動きが強くなった。ベトナムでは2016年にグエン・フー・チョン書記長が2期目に入って以降に同様の動きが見られる。

この動きの底流は根深い。中国革命やベトナム革命をどのように位置付けるかという問題になっている。中国革命もベトナム革命も歴史の中の偉大な出来事であった。西欧諸国や日本の侵略から民族を救い、独立を勝ち取った。毛沢東もホー・チ・ミンも英雄である。そして両国共に社会主義国になった。

ただ、1989年にソ連が崩壊したように、社会主義に欠陥があったことは事実である。市場を否定して需給を官僚に制御させるシステムはうまく作動しなかった。その結果として、貧しくなってしまった。だから、改革開放路線やドイモイに踏み切ったのだが、国是はあくまでも社会主義である。経済の仕組みとして資本主義を取り入れたのは方便に過ぎない。政治は共産党独裁を貫いた。改革開放やドイモイで採用した資本主義は、豊かになるという点では優秀なシステムだった。しかし、貧富の差が拡大するなど弊害も目立った。

本当に改革開放を続けていてよいのか？　資本主義の親玉である米国のような格差社会になってしまうのではないか？　米国のようにドラッグが蔓延する社会になってよいのか？　ベトナムはある程度豊かになったのだから、もう一度路線を変更して元の社会主義に戻るべきではないのか？

ベトナムで耳を澄ましていると、共産党の中心部からそのような声が聞こえてくる。それに賛同する共産党員も多い。だから、グエン・フー・チョンが政権を握っている。それは中国も似たような状況だろう。習近平やグエン・フー・チョンの独りよがりだったら、彼らがこれほどまでに強い権力を握ることはない。

だが、ここまで書いてきたことは、共産党の「表の声」でもある。党中央の真の目的は、自分たちの権力を維持することにある。改革開放やドイモイが進展すると、新しく生まれた資本家たちが力を持つ世の中になった。中国ではアリババのジャック・マーが有名であり、ベトナムでは筆者が所属するビングループのファム・ニャット・ブオンが有名である。

このまま改革開放やドイモイをより深化すると、いずれ権力は新興資本家たちに奪い取られてしまう。米国の政治家はニューヨークに住む資本家の代弁者に過ぎない。もしジャック・マーやファム・ニャット・ブォンなどの新興資本家がもっと力を付ければ、現在政治の中心にいる共産党員は追い出されるに違いない。新興資本家にとって都合のよい人物が政治家になる。共産党員は居場所を失う。

共産党員はマルクスの理論を学んでいるので、経済が下部構造であり、政治が上部構造であることをよく認識している。マルクス経済学の教科書には「経済は政治を桎梏《しっこく》する」などと書かれている。このまま改革開放やドイモイを続けていては、権力を取られてしまう。習近平やグエン・フー・チョン周辺の共産党員はそのように考えている。

そのことが最も強く表れるのが国営企業の改革である。国営企業は共産党の牙城である。その幹部はすべて共産党員であり、人事も共産党が握っている。共産党は国営企業を思いのままに動かすことができる。だから旨みがある。

こんな話を聞いたことがある。私の知り合いは中国の四大銀行（もちろん国営）の一つに勤めていた。審査部に勤めていたのだが、そこに「へんなおばさん」が一人いた。彼女はほとんど仕事をしない。サボってばかりいる。だが誰も注意しない。

私の知人がある案件を何日もかけて審査し、この案件には融資はできないと結論づけて、それを上司に報告した。その数日後に「へんなおばさん」が誰かから電話を受けた。その直後に「へんなおばさん」が上司に一言声をかけると、一転して融資が決まったという。「へんなおばさん」は共産党の有力者の縁者であり、上司も頭が上がらない。これが共産党のシステムである。現在、不良債権問題が深刻化しているが、このことから類推すれば、何が起きていたのかよく分かる。

国営企業改革は、中国やベトナムで大きな政治課題である。中国やベトナムだけではない。日本でも大きな政治課題であった。中曽根内閣や小泉内閣がそれを行ったが、中曽根内閣による国鉄改革では革新政党が反対し、郵政民営化を推し進めた小泉改革では自民党の内部から強い反対の声が上がった。改革は難航したが、それでも日本の国営企業改革はだいぶ進展した。

中国では江沢民時代の2000年前後に行われた朱鎔基《しゅようき》首相（当時）の改革がそれに当たる。朱鎔基の国有企業、行政、金融の三大改革があったからこそ、その後の中国の奇跡の成長があった。しかし、改革の当初、朱鎔基は強い抵抗に遭遇した。朱鎔基はその反対を封じるために、「棺桶を100個用意しろ。99個は反対者のために、そして最後の1個は自分のために」そんなことを言ったそうだ。そこまでしなければ、国営企業改革はできない。そんな朱鎔基は功績を評価されながら、一期しか首相を務めることができなかった。やはり反対者の力は強かった。

小泉政権で金融改革に辣腕を振るった竹中平蔵氏は、いまだに悪口を言われ続けている。改革を口で言うのはやさしいが、改革をすれば必ず既得権者が傷つく。どの国でも既得権者は力を持っており、かつ陰湿、陰険である。だから既得権者になれたとも言えよう。これは日本でも中国でもベトナムでも同じである。

ベトナムでは、グエン・タン・ズンが首相の時代に国営企業の民営化が始まったが、2016年にグエン・フー・チョンが書記長になると、その動きは完全にストップしてしまった。このことからも分かるように、ドイモイを推し進めたいと考える勢力と社会主義に戻したいとする勢力の真の対立点は、国営企業改革の是非にある。中国では国営企業を守りたいとする勢力が習近平の周りに結集し、ベトナムではグエン・フー・チョンの周りに結集している。それが現在の政治情勢の根底にある。

ベトナム政治の三つの対立③　グエン・タン・ズン対グエン・フー・チョン

これまで述べた北と南の対立、ドイモイを推進したい人々と社会主義を守りたい人々の対立、この二つの対立は、現在、グエン・フー・チョン書記長（1944年生）とグエン・タン・ズン元首相（1949年生）の対立という形で表れている。

チョン書記長はハノイの出身であり、ズン元首相は南部のカマウ省の出身である。現在、ズン元首相は公職を退いており表舞台には立っていない。ただし、いまだ健在で、その存在はいろいろなところで話題になっている。ベトナムでは一度公職を退いたものが復活することはないとされるが、南部ではいまだに待望論があるようだ。

チョン書記長は北と社会主義を守りたいとする人々の意思を体現している。一方、ズン元首相は南とドイモイをより進化させたいと考える人々の意思を体現している。チョン書記長は汚職の容疑でズン元首相を逮捕したいのだが、ズン元首相が強いために逮捕できないとも噂されている。

ズン元首相は「ベトナムの田中角栄」とも言える人物である。若い時にベトコンに入り、戦争が終わった時は中隊長を務めていた。物事の理解力が高く、決断力がある。彼は２００６年から２０１６年まで首相を務めたが、その時期はベトナム経済の黄金期になった。彼が首相であった時代に原子力発電所や南北新幹線の建設が決まった。しかし、２０１１年にチョンが書記長になると、南北新幹線の話はうやむやになってしまい、ズンが公職を退くと、原子力発電所の建設は中止された。ベトナムの経済発展はズン元首相が推進し、チョン書記長になってブレーキがかかったと理解すればよい。

チョン書記長とズン元首相の性格の違いが、対立を深めている。チョン書記長はハノイ大学を出て共産党に入党し、党の機関紙の編集に携わった。共産党の理論畑を歩んできた。

1981年から83年にかけて、崩壊前のソ連に留学した。ソ連留学はその思想形成に大きな影響を与えたと思われる。一方、ズン元首相は先ほども書いたように若くしてベトコンに身を投じた熱血漢である。

ちなみに、ベトナム人の心の声を聞くと、チョン書記長は人気がない（後に異なる見方も示す。人の評価は多面的であり、時代によって変わる）。ベトナム戦争が本格化した1964年、チョン書記長は20歳であったが、その頃彼は大学で勉強しており、卒業後も党の雑誌編集に携わっていたため、戦争に参加していない。エリートとして兵役を逃れている。

一方、ズン元首相は1961年、12歳になった時からベトコンに参加している。ゲリラであることが彼の青春だった。どちらが人々の心に刺さるかは自明だろう。

2011年から2016年にかけての5年間、チョンは共産党書記長、ズンは首相であった。憲法ではチョン書記長がズン首相を指導することになっていたが、ズン首相はチョン書記長を無視していた。ズンは頭の硬い共産主義者の話など聞いても仕方ないと思っていたのだろう。ズン首相の判断は的確であり、それによって経済が勢いよく成長した。共産党の多くのメンバーがズン首相に従った。

チョン書記長はそれがよほど悔しかったのだろう。それが、今日に至るチョン書記長とズン元首相の確執につながった。チョン書記長はズンが憎いために、彼が決めた原発や新幹線の計画をひっくり返したと噂される。老人の嫉妬ほど恐ろしいものはない。

ズン元首相を憎んだのはチョン一人ではない。共産党エリートは、ズンが推し進める政策を恐れた。たしかに経済は順調に成長しているが、このような状態が続けば、ベトナムは資本主義の国に戻ってしまう。

先ほども述べたように、そんな国ではビングループのブオンのような人物が政治に対して強い影響力を及ぼすようになる。そうなると自分たち共産党エリートは居場所がなくなってしまう。ズン首相が共産党の牙城である国営企業の民営化を推し進めようとすると、共産党エリートの恐怖はピークに達した。それがチョン書記長の悔しさと相まって、２０１５年12月の政変を引き起こした。

ズン首相引退・チョン書記長続投という政変

２０１５年11月に習近平はベトナムを訪問した。あるベトナムの知人は、「当時、なぜ習近平がベトナムに来たのか分からなかった。だが、後になってその理由が分かった」と言っていた。

２０１５年秋の段階では、チョン書記長が退いて、ズンが首相から書記長に昇格することは既定路線だった。多くのベトナム人もそう思っていた。しかし、２０１５年末に情勢が急変した。昇格すると見られていたズンが急遽、引退し、チョンが書記長として2期目を務めることになったのだ。

チョン書記長が習近平に泣きついた。習近平はそれを受けて、チョンを続投させるようにベトナムの政治局員たちに圧力をかけたようだ。圧力だけでなく、習近平はお土産と称して政治局員に１００万ドルずつ配ったとも言われる。これらは噂でしかなく裏取りをすることはできない。歴史の闇に葬られることになろうが、国際政治の裏側とはそのようなものなのであろう。

ただ、このような噂が囁かれているように、チョン書記長の政治基盤は万全ではない。それにはベトナムの歴史が関係している。**第2章**で詳しく述べるが、ベトナムにおいて政争で敗れた者が中国に助けを求めることは、歴史上何度も起こっている。直近では黎朝最後の皇帝である黎《レ》愍《マン》帝《デ》（昭統帝）の事例がある。それが清とのドンダーの戦い（１７８８－８９年）につながった。黎愍帝はベトナムに中国軍を呼び込んだ史上最悪の皇帝と言われている。

現在、多くの人がチョン書記長に黎愍帝の影を感じている。黎愍帝は乾隆帝《けんりゅうてい》に助けを求めたが、チョン書記長は習近平に助けを求めた。多くベトナム人がそのように見ているために、チョン書記長の政治力は見た目ほどには強くない。汚職退治は大義名分があるからよいが、他のことに関しては弱い。現に彼は汚職退治以外に政策らしい政策を行っていない。

チョン書記長を続投させるか、ズン首相を昇格させるか、決定は最終段階まで揺れ動いた。北部の共産党官僚グループはチョンを推し、資本家の支援を受けた南部の政治家はズンを推した。最終段階でグエン・スアン・フックを中心とした中部の政治家たちが南を裏切って北に味方したために、チョンに決まったとの噂もある。

フックはその論功行賞として第2期チョン政権で首相に抜擢された。これも噂だけで裏取ができない。その後、フックは第3期に国家主席になったが、先述の検査キット汚職に夫人が関与していたという疑惑のために２０２３年1月に失脚した。

フックの立場は、関ヶ原の戦いにおける福島正則に似ている。フックは熱心な共産主義者には見えない。彼は人柄がよく、誰にでもニコニコと笑って接するために、国民に人気があった。ただ、その実力はズンに大きく劣り、彼が首相の時代にベトナムは次の成長のために必要なインフラの整備や国営企業改革などを行うことができなかった。原発も新幹線計画も彼の時代にうやむやになってしまった。

チョンはフックを首相に抜擢したことで、ズンを裏切って自分についた恩に十分に報いたと考えたのだろう。彼を重用し続けるつもりはなかった。そのために夫人が検査キット汚職に関連しているとの噂を利用して彼を切り捨てた。徳川家康は福島正則に関ヶ原での活躍の褒美として大きな領地を与えたが、江戸幕府は家康が死ぬと難癖をつけて正則から領地を奪っている。フックは利用するだけ利用されて、最後は切り捨てられた。

チョンを推した北の共産党エリートたちは、これで自分たちの天下が続くと考えたが、彼らにも天罰が降った。それはチョン書記長が強硬に汚職退治を推し進めたからだ。チョンは2024年4月に80歳になった。2019年に脳梗塞を患い左半身に麻痺が残るが、老人特有の非妥協的な態度で汚職退治に邁進している。

彼の汚職退治は当初ズンの配下をターゲットにしたものであった。それによって現職の政治局員であったディン・ラ・タンなどが逮捕された。その後、チョン書記長は見境がなくなり、北の共産党エリートまでも汚職容疑で逮捕するようになってしまった。それは民衆の喝采を浴びてはいるが、北のエリートたちは自分で自分の首を締めてしまったようなものだ。

レイムダックのファム・ミン・チン首相

現在の政治情勢について書くとキリがないので、ファム・ミン・チン首相がグエン・フー・チョン書記長に疎まれている理由だけ書いておく。チン首相は先に述べたスキャンダルによって、レイムダックになっている。

チン首相は10年ほど前に東北部のクアンニン省の書記であり、飛ぶ鳥を落とす勢いだったズン首相の子分であった。チョン書記長はそのことが気に入らないらしい。チン首相が省の書記であった10年も前の病院への機材納入に係る汚職事件をほじくり返して、ニャンとの関係を蒸し返している。

この件について、ベトナムの知人の見解を書いておく。

ニャンがチン首相の愛人だったとの噂を言い立てて喜んでいる人々は、事実がよく見えていない。ニャンは持ち前の美貌を武器にして要人に近づく女性であった。チンがクアンニン省の書記だった時代、ニャンはズン首相に近付いていた。ズン首相が実力者だったために、ニャンは短時間でＡＩＣグループを大きくすることができた。ＡＩＣを大企業にするには省レベルの役人ではなく、首相と懇意になる必要があった。

当時、ニャンはズン首相の愛人との噂があったが、知人はそれもゲスな世間の勘繰りだろうと言っていた。当時のズンは六十代半ばであり、かつ忙しく、プライベートな時間はなかった。日本の首相が愛人を持つのが難しいのと同じである。ただ、パーティーなどでニャンがズンと親しくしていたことは確かである。ニャンは要人に取り入るのが上手く、一代で財を築いた。

ズンが失脚した後、チンとニャンが親しかったことは事実である。ニャンは馬を乗り換えた。チンは次期首相との呼び声が高かった。そんなチンは政治資金が欲しかった。どの国でも首相になるにはお金が必要になる。ニャンは将来への投資と思ってチンにお金を渡して、両者は親しくなった。ニャンは大きな会社の社長である。登場人物全員が超多忙であり、1度か2度の情事はあったのかも知れないが、愛人関係などではなかった。ドライな大人の関係だ。知人はそう言っていた。

チン首相がチョン書記長から疎まれた最大の理由は、ズン元首相との関係もあるが、実力があったからだと思う。チン首相は公安をバックにしており、力がある。独裁者でありたいと思う書記長にとって、実力がある首相は疎ましい。一党独裁である共産党という組織の宿命である。それは習近平がナンバー2を作らないこととそっくり同じである。

チン首相はここまで書いてきたような噂を立てられて、失脚寸前になっている。現在、チン首相が何か言っても、役人がすぐには動かないと言われる。

政治は生身の人間が行う権力闘争である。ベトナム政治もその例外ではない。

実は庶民に支持されていたチョン書記長

2024年1月11日木曜日の午後、グエン・フー・チョン書記長が入院しており、病状は深刻だとの情報がベトナム政界を駆け巡った。その後、死亡との情報も流れた。12日金曜日の朝には日系のメディアも含めて各国のメディアがこの情報を知り、騒然となった。同日の午後にはロイター、ブルームバーグ、日経新聞が記事にしてこの情報を流した。ベトナムでは噂はあっと言う間に広がる。12日の夕刻にはほとんどのベトナム人がこの情報を知っていた。

チョン書記長は2023年12月26日に訪越した日本共産党の志位和夫前委員長と面談して以降、動静が不明になっており、共産党中央委員会の開催が延期になり、訪越したラオス共産党書記長やインドネシアのジョコ・ウイド大統領にも面会しなかった。そのためこの情報は確度が高いものと受け取られていた。メディアは死亡原稿を用意した。

そのような状況で週末が過ぎたが、1月15日の月曜日に開催された国会の開会式にチョン書記長が現れたので、国中が騒然となった。書記長は国会に15分ほどしか滞在せず、議長の開会の挨拶が終わるとすぐに退席した。

例によって共産党からは何の発表もなかったが、筆者が得た情報では風邪かインフルエンザで高熱が続いていたとされる。高齢であるために肺炎になることが心配されたが、なんとか乗り切ったようだ。ただ、その後も公式の場に出ることは少なく、チョン書記長には健康不安が付きまとっている。

このことに関連して筆者が驚いたのは、国民の反応である。チョン書記長が国会に現れたとの情報が駆け巡ると、多くの国民が素直に喜んだ。ネット上には、「いつまでも健康でいてください」などといった書き込みが溢れかえった。筆者はチョン書記長がこれほどまでに国民に愛されているとは思っていなかった。

筆者を含めて日本企業の社員や日本のメディアは、ベトナムの上級国民と言ってもよいような人とばかり話をしている。彼らはハノイに住み、その多くは企業の経営者や幹部、また高級官僚や政治家などである。彼らから聞くチョン書記長の評判は芳しいものではない。習近平を後ろ盾に左傾化路線に走り、汚職退治に注力する。これでは官僚が萎縮してしまい、それでなくても遅い許認可が余計に遅くなってしまう。

「チャイナ・プラス・ワン」の有力国とされるベトナムであるが、FDI（海外直接投資）の伸びはそれほどでもない。**第4章第3節**で示すように、最近は横ばいに近い。またグエン・タン・ズン元首相が始めた国営企業改革（民営化）も、チョンが書記長になってからは、何も進んでいない。こんなことではいつになっても先進国になれない。そんな愚痴を聞かされていたので、チョン書記長は評判が悪いとばかり思っていた。

しかし、それはベトナムの上級国民とも言える人々の話であった。大多数の庶民はチョン書記長を支持していた。それればかりか敬愛していた。彼が国会に現れたことによって、それが日本人にも明らかになった。

多くのベトナム人はチョン書記長を、悪代官を懲らしめてくれる黄門様（水戸黄門）と考えているようだ。どの国の国民も政治家の汚職に怒っている。そして先進国ではそれなりに悪い政治家は逮捕されるが、途上国では政争に負けない限り、有力な政治家や官僚が逮捕されることはない。

チョン書記長による汚職摘発は政敵排除の側面もあるが、それが広範囲にわたっていたために、庶民には水戸黄門による悪代官退治のように見えていた。チョン書記長は庶民から熱く支持されていた。毀誉褒貶はあるものの、彼はベトナム政治史に汚職退治という大きな足跡を残したと言ってよい。今後誰がトップになろうと、以前のように汚職が蔓延する世の中に戻ることはないと思う。

チョン書記長は高齢であることから、任期途中で死亡しなくとも2026年には新たな書記長が選任されるだろう。チョン書記長の汚職退治があまりにも苛烈であったために、誰が書記長になるかを含めて、ポスト・チョン政治を見通すことは極めて難しくなっている。ベトナム政治は激動期を迎えている。

最大のキン族と少数民族との関係は良好

ミャンマーでは民主化が進展し、政府はノーベル平和賞を受賞したアウンサンスーチーが指導している。日本では政府も民間もミャンマーをそのように見ていた。ミャンマーは東南アジア最後のエマージング・マーケット（新興国市場）である。日本は官民挙げてミャンマーに投資した。

そんなミャンマーで２０２１年に起きた軍事クーデターは、日本のビジネス界に大きな衝撃を与えた。軍事クーデターによってすべての事業が中断されてしまった。このミャンマーのクーデターにはロヒンギャ族の問題など少数民族の問題が複雑に絡まっていたが、日本はミャンマーのカントリー・リスクを軽視していたようだ。

同じことがベトナムで起こるのではないか？　そんな疑問に答えるために、ベトナムの少数民族問題について書いておきたい。

ベトナム人の85％はキン族であり、残りの15％が少数民族になっている。ベトナム政府は公式に53の少数民族を認めている。その中で最大と言われるタイー族でも人口は１５０万人ほどに過ぎない。少数民族の多くは中国、ラオス、カンボジアとの国境付近の山岳で暮らしている。

ベトナムは、東南アジアの中では主要民族と少数民族との争いの少ない国と言ってよい。もちろん、争いがないわけではない。２０２３年6月にベトナム中南部のダクラク省で、武装した集団が役場や警察署を襲った。この事件はすぐに鎮圧されたが、当局の発表では合わせて9名の役人や警察官が殺害された。その後、容疑者74人が逮捕された。当局は、この事件の背景を気にしてかなり強引な捜査（容疑者の拷問）をしたとの噂を耳にした。

土地収用を巡っての対立が事件に発展したらしい。ここからは筆者の想像である。山岳地帯で道路を建設するなどの公共事業が行われる場合には、少数民族にそれなりの補償金が支払われる。だが、中央政府から来た補償金を現地の役所がピンハネする汚職がしばしば発生する。むしろピンハネは常態と言った方がよい。既に汚職については書いているので、この背景は理解できると思う。少数民族はそのピンハネに怒ったと思われる。

例によってベトナム政府は秘密主義で、原因などについての発表は一切なかった。だが、押収された武器が旧式で、猟に使うようなものでしかなかったので、海外の反政府勢力（米国に逃れた旧南ベトナム人）が背後にいる可能性は少ないように思われた。

ところが2024年1月になって行われた裁判では、米国に住む反政府勢力が少数民族に蜂起をそそのかしたとされた。目的は山岳地帯に独立国を作るためだと言う。しかし、猟に用いる鉄砲を用いて100名程度が反乱を起こしても、独立国を作ることなど不可能である。おとぎ話だ。とても信じることができない。反乱の原因は役所によるピンハネであったが、それが原因では困る役人が多く出てしまうために、米国在住の反政府勢力が背後にいて、独立国を作ることを目論んだというストーリーを作り上げたのかもしれない。真相は闇の中である。

時にこのような事件も起きるが、ベトナム政府と少数民族の関係は概ね良好である。それを宗教の影響に帰すのは、学者などから批判を受けると思うが、筆者はベトナムが大乗仏教圏であることが大きいと思っている。

フランスの植民地だった関係で、ベトナムにはキリスト教徒もいるが、その精神的な支柱は日本人と同じ大乗仏教である。宗教にそれほどのこだわりがない。それが少数民族との共存を可能にしている。

ベトナム政府も民衆も、少数民族に寛容である。ベトナム人から少数民族の悪口を聞いたことがない。第一の理由は、少数民族は山岳地帯に暮らしており、平地のキン族とあまり交わらないからだろう。

筆者はある時、ベトナム人（キン族）と一緒に山岳地帯におけるカカオ栽培の調査に行ったことがあるが、その時に山道をオートバイに二人乗りした若者が勢いよく駆け下って来るのに出会った。若者たちは陽気な声（挨拶だったのだろう）を上げながら、筆者たちの横を通り過ぎて行った。筆者に同行していたベトナム人は笑っていた。

筆者が何者かと尋ねると、楽しげに「山猿だよ」と答えた。そのベトナム人によると、政府は山岳地帯に住む少数民族に何らかの補助金を与えている。おそらく、その補助金でオートバイを買ったのではないか。若者がそれに乗って麓に買い出しに行ったのではないか。そんな解説だった。

その話が正しいかどうかは分からないが、その時の両者の様子から、ベトナム人と山岳民族の間に深刻な対立がないことを窺い知ることができた。筆者はタイやインドネシアにおいて、主要民族に属する人々から少数民族の悪口や、彼らは恐ろしいと語ることを何度も聞いてきた。タイやインドネシアでは、宗教の違いが背景にある。それらの国では山岳地帯で少数民族とばったり出会った場合に、これほど陽気な出会いにはならないであろう。

ただ、カンボジアとの国境付近では、国境が明確に定まっていない地域もあり、その周辺では少数民族を巻き込んだ問題があるとされる。**第2章**で詳しく述べるが、カンボジア人はベトナムに領土を奪われたと思っている。そのため、対立の根は深い。

現在のカンボジア政府は、ベトナムの軍事侵攻によって作られたヘン・サムリン政権の流れにあるが、ベトナムではなく中国との結びつきが深い。しかし、カンボジアの一般民衆は中国と中国人をひどく嫌っている。国境付近にはカンボジア系少数民族が多く暮らす。

そのような情勢の中で、中国の不動産バブルが崩壊して、中国からの投資が減り始めている。カンボジア政府は困難な立場に追い込まれているが、それがベトナムとの関係にどのような影響をもたらすか、現在は不透明である。

ベトナムとカンボジアの国境は、見た目には平穏であるが火種はある。メコンデルタのカンボジアに近い地域で事業を展開する場合には、この辺りのことに細心の注意を払う必要がある。

トゥオン国家主席とフエ国会議長の失脚

２０２４年３月、ヴォー・ヴァン・トゥオン国家主席（１９７０年生）が失脚した。彼は前年１月に辞任したグエン・スアン・フックの後任として就任したばかりであった。政治局員の中で最年少であったが、グエン・フー・チョン書記長に近いことから国家主席に就任したとされる。トゥオンは２０２３年11月に日越外交関係樹立50周年を記念して来日し、天皇皇后両陛下と昼食を共にしている。

トゥオンは、党員としての規律と党幹部としての模範を示すことを定めた規定に違反したために自ら辞任を申し出たとされるが、例によってその具体的な内容は発表されなかった。彼が以前に書記を務めていたクアンガイ省における汚職が理由と噂されているが、それは表面上の理由であり、真の理由は別にあるとも言われている。なぜなら、汚職はほとんどすべての役人が行っており、それを理由にすれば、すべての人が辞職しなければならなくなるからだ。

２０２６年に第14期共産党大会が開催されるが、その際に病身のチョン書記長は引退して、トゥオンが新たな書記長に就任するとした観測が出ていた。チョンは引退した後もトゥオンを使って院政を敷こうとしているなどと噂されていた。それだけに彼の突然の失脚は、ベトナムでは驚きをもって受け止められた。

以下に書くことは、ハノイで囁かれている噂話から筆者が類推したものである。これが真実と言い切ることはできない。だが、そこに多くの真実が含まれていることは事実であろう。

先に2024年1月にチョン書記長が死亡したか、または脳死状態に陥ったとの情報が拡散したと書いたが、その際に共産党内の一部の人々が話し合い、トゥオンが次の書記長になることを密かに決めたとされる。その後、回復したチョンがその事実を知って激怒したために、トゥオンが失脚したと噂されている。

チョン書記長は死亡説が流れた1月11日頃には病状がかなり改善しており、1月15日に開催される国会に出席できる自信がついていた。そして、チョン書記長は自ら自身の死亡説を流したとの説がある。今回の死亡説は、ロイター、ブルームバーグ、日経新聞など海外メディアも報じたが、それは聞こえてくる話が真実味を帯びていたためである。単なる噂話程度では、多くの海外メディアが同時に報道することなどない。

書記長は自分で自身の死亡説を流すことによって、どのような状況が生まれるか探っていた。つまり、すぐに裏切る者を炙り出していた。チョンはトゥオンを腹心と考えていたが、その彼が書記長の椅子に飛びついたことが気に食わなかったようだ。これはトゥオン失脚の真の理由と囁かれている。

この噂話が真実かどうかは分からない。ただ今回の出来事からチョン書記長への権力集中が一層進んでいることが分かる。ベトナムでは、政治局における合議が重視されてきたが、チョン書記長が汚職退治を名目に政敵を排除してきたために、書記長に反対するものがいなくなってしまった。

トゥオン失脚に続いて4月にヴオン・ディン・フエ国会議長も失脚した。フエは旧チェコ・スロバキアで経済学を学んだ経験があり、経済通として知られていた。次の書記長の有力候補の一人でもあった。これまでと同様に解任理由について公式に発表されることはなかったが、インフラ建設にまつわる汚職に関連したためと囁かれている。

続いて5月には、唯一の女性政治局員であり序列5位のチュオン・ティ・マイが失脚した。彼女は共産党書記局常務と中央組織委員長を兼務しており、共産党の要に位置していた。大物政治家の相次ぐ失脚はベトナム社会に衝撃を与えている。

2024年4月に80歳になったチョン書記長は、心身ともに衰えが目立つと言われる。晩年の毛沢東に似てきたとも言われている。2024年に入ってからは人前に出る機会も減った。そんなチョン書記長だが2024年3月に突然、ロシアのプーチン大統領と電話会談を行い、プーチンをベトナムに招請した。これをベトナムの全方位外交の結果と受け取る向きもあるが、その外交方針には不安がつきまとう。

ベトナムは不動産バブルの崩壊によって不況に見舞われている。２０２３年の銀行貸し出し金額は前年比で０・５％減少した。このような状態は開発途上国では異例と言ってよい。デフレや低成長が問題になっている日本でも、２０２３年の貸し出し伸び率は３％を超えていた。途上国なら数％伸びることが当たり前である。10％伸びてもおかしくない。それがマイナスに陥るほどに景気は悪化している。

ベトナムはＦＤＩ（海外直接投資）を渇望している。２０２３年9月にバイデン大統領の訪越を受け入れたのも、米国からの投資が欲しかったためである。米国に接近することは中国を怒らせることになるが、危険を冒しても米国からの投資が欲しかった。

そんなベトナムがプーチンのハノイ訪問を招請した。現在、プーチンを招く国は中国、北朝鮮、イランぐらいだろう。ベトナムが親しくプーチンと付き合うことは、米国をはじめとした西側の強い反発を招くことになる。米国の顔色を窺う日本にとっても、ベトナムとの付き合い方に迷いが生じる。

このチョン書記長の判断は、ベトナムの国益に合致していない。チョン書記長の任期は２０２６年までだが、一説には、健康状態が許せばそれ以降の続投もあるとされる。そうなると82歳から87歳まで書記長を務めることになる。年齢と健康状態から考えて、さすがにそのようなことにはならないと思うが、医療が発達して病人の延命が可能になった現在、そうはならないと言い切ることもできない。先にも書いたように汚職退治を続ける書記長は庶民に人気があるから、続投を阻止するものは書記長の健康問題だけと言ってよい。

トゥオン国家主席とフエ国会議長の突然の失脚は、ベトナムが不動産バブル崩壊に苦しむ経済だけでなく、政治においても不安要因を抱えていることを示している。

ベトナム政治は混迷を極めており、一寸先が見通せない状況になっている。

第2章 民衆の心の中のベトナム史

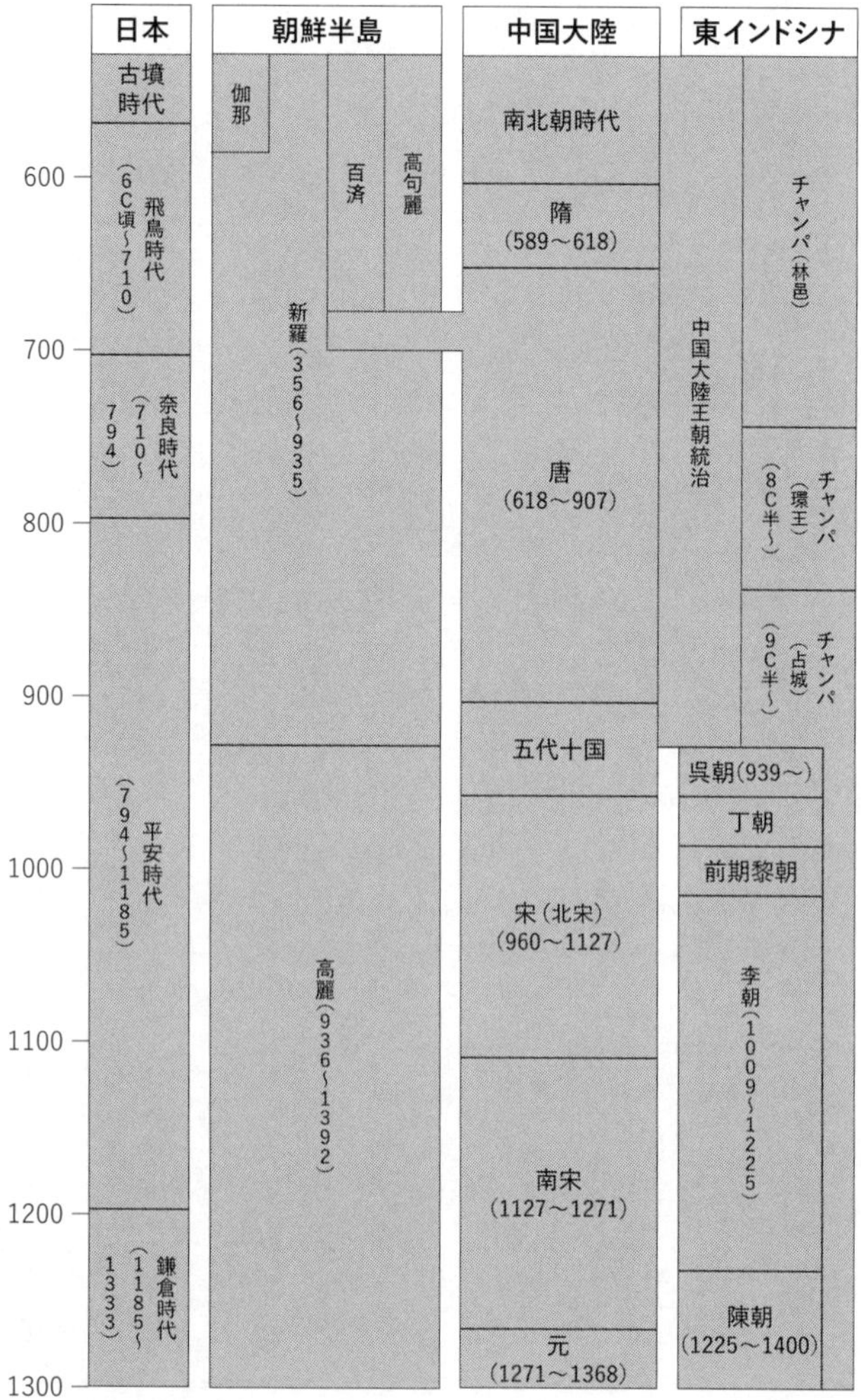
日本
朝鮮半島
中国大陸
東インドシナ
600
700
800
900
1000
1100
1200
1300
古墳時代
飛鳥時代（6C頃〜710）
奈良時代（710〜794）
平安時代（794〜1185）
鎌倉時代（1185〜1333）
伽那
百済
高句麗
新羅（356〜935）
高麗（936〜1392）
南北朝時代
隋（589〜618）
唐（618〜907）
五代十国
宋（北宋）（960〜1127）
南宋（1127〜1271）
元（1271〜1368）
中国大陸王朝統治
チャンパ（林邑）
チャンパ（環王）（8C半〜）
チャンパ（占城）（9C半〜）
呉朝（939〜）
丁朝
前期黎朝
李朝（1009〜1225）
陳朝（1225〜1400）

極東アジアの略年表［参考：『世界史年表・地図』吉川弘文館、『物語ヴェトナムの歴史』中公新書］

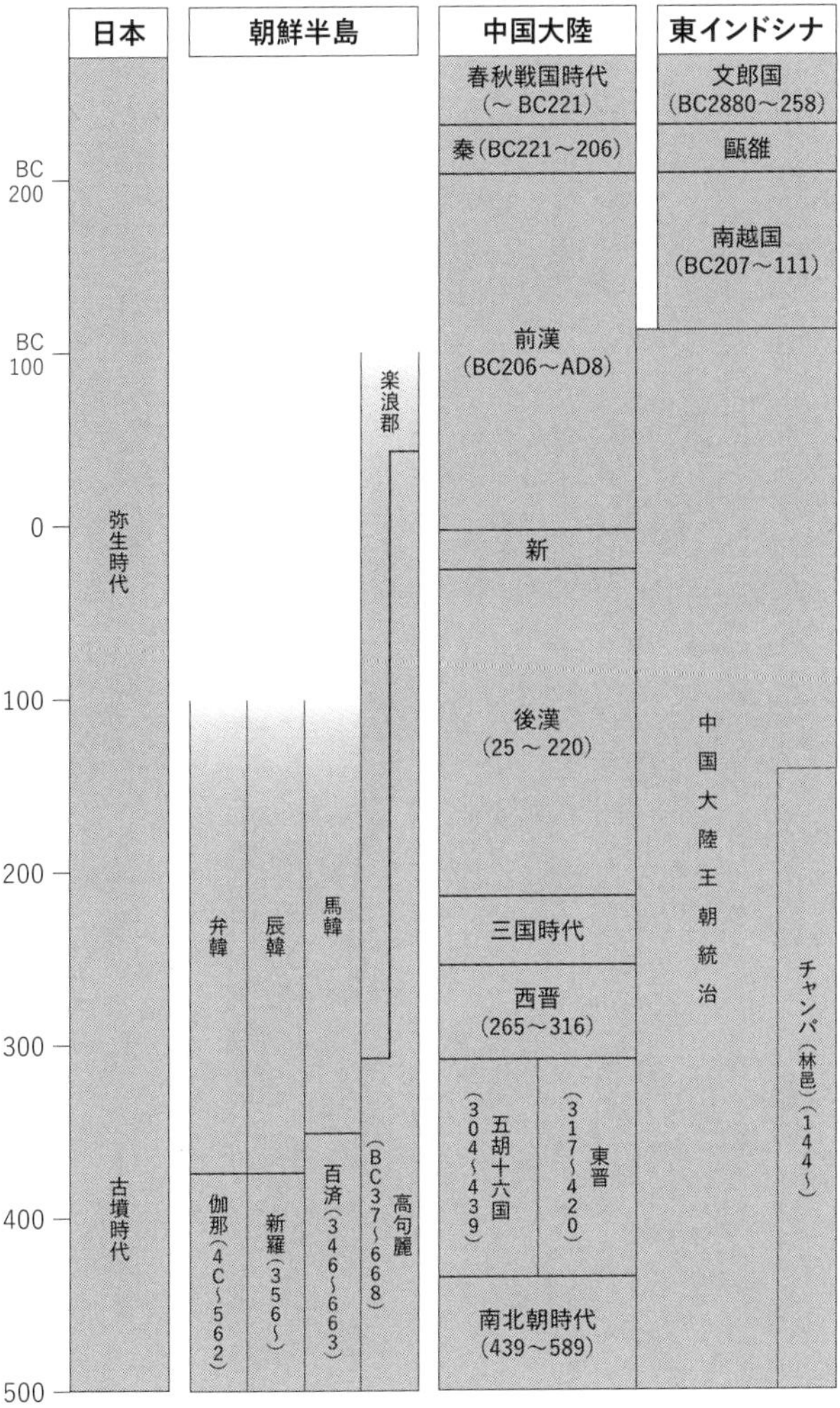

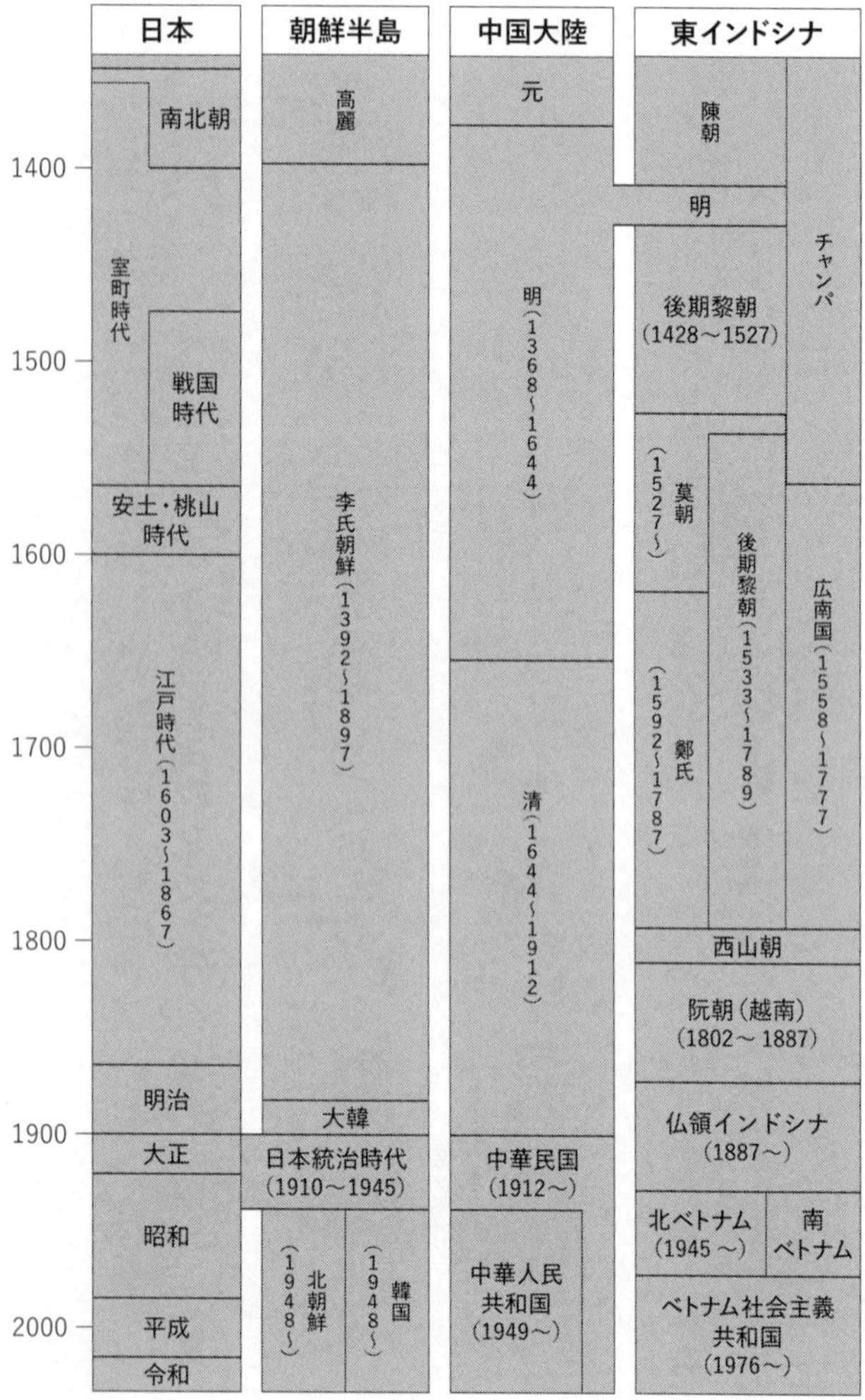

日本
朝鮮半島
中国大陸
東インドシナ
1400
1500
1600
1700
1800
1900
2000
南北朝
室町時代
戦国時代
安土・桃山時代
江戸時代（1603～1867）
明治
大正
昭和
平成
令和
高麗
李氏朝鮮（1392～1897）
大韓
日本統治時代（1910～1945）
北朝鮮（1948～）
韓国（1948～）
元
明（1368～1644）
清（1644～1912）
中華民国（1912～）
中華人民共和国（1949～）
陳朝
明
チャンパ
後期黎朝（1428～1527）
莫朝（1527～）
後期黎朝（1533～1789）
広南国（1558～1777）
鄭氏（1592～1787）
西山朝
阮朝（越南）（1802～1887）
仏領インドシナ（1887～）
北ベトナム（1945～）
南ベトナム
ベトナム社会主義共和国（1976～）

第1節　北属時代と独立——ベトナムの古代

歴史を知ればベトナム人の考え方や行動が分かる

本章ではベトナムの歴史を概説する。歴史を知ることは、ベトナム人の考え方や行動を理解する上で大いに役に立つ。本書は歴史の教科書ではないので、細かな出来事や年号はなるべく省略して、おおまかな流れのみを書いた。またベトナム人の心に残っている英雄にスポットを当てた。英雄の多くは中国との戦いで生まれたが、現在、その名は地域や大通りの名前になっている。英雄の事績を知っておくと、ベトナム人との共通の話題作りに役立つ。

どの国でも同じであろうが、特にベトナムでは幼い頃に父母や祖父母から聞いた話が人々の歴史観を作っているように思われる。そして、それがベトナム人の国民感情である「反中」の根底をなしている。

ここで語るのは、ベトナムの主要民族であるキン族の歴史である。ベトナムには50余の少数民族が存在するがキン族は人口の約85%を占めており、キン族の歴史をベトナムの歴史としてよいだろう。ホーチミン市に代表される南部の歴史観も基本は北部と同じである。ただ、南北分断とベトナム戦争があったために、近代に関わる歴史観は微妙に異なっている。この点には注意が必要である。

神話の中の最初の国・文郎国

ハノイに初めて赴任してきたビジネスマンは、「ここは東南アジアではなく中国だ」と感じるそうだが、その認識は間違っていない。ベトナムは中国と東南アジアが混じり合った国である。特にハノイを中心とした北部の人々の行動様式は中国人によく似ている。

ベトナムの北部には古代中国の青銅器文化の影響を受けたドンソン文明が存在するが、記録がほとんど残っていないので、考古学の対象でしかない。秦の始皇帝は紀元前２２１年に中国を統一するが、文字に書かれたベトナムの歴史はその時代から始まる。中国の文書に記録があるために歴史を知ることができる。それは日本の弥生時代から古墳時代の状況によく似ている。

現在のベトナムの主要民族であるキン族は、自分たちは中国人の末裔だと考えている。ベトナムの神話では、中国古代の炎帝神農の３世孫である帝明の子である禄続《ロクトゥク》が南部に封じられて、そこで現地の人々と交わったことによってベトナム人の始祖が生まれたとされる。

神話ではベトナム最初の国は文郎国《ぶんろうこく》である。文朗国は紀元前２８８０年から前２５８年まで存続し、その間に18人の王がいたとされる。文朗国は前２５８年に甌雒《おうらく》に滅ぼされた。その甌雒は前１７９年に南越に併合されるが、この辺りから中国の文書に残るベトナムの歴史が始まる。それまでの話は神話だろう。

　文郎国の王の治世は平均で１４５年にもなる。日本の古代の天皇（大王）も長寿だが、これは自国の歴史が中国と変わらないくらい長いと言いたかったためだろう。即位を紀元前２３３３年とする朝鮮半島の檀君神話も、自国の歴史が長いことを強調するために作られた。中国の周辺にあるベトナム、朝鮮、そして日本の神話は中国文明に対して見栄を張っている。

　文郎国の雄《フン》王の命日は旧暦の3月10日とされるが、その日は歴代の王を記念するための命日であり、これは個々の王の命日ではないとされる。この辺りの理屈もよく分からないが、神話である以上、真剣に考える必要はない。

　２００７年に旧暦の3月10日が祝日に制定された。それはベトナム文明の基礎を築いた人々を祀る記念日であり、政治的な意味はないとされるが、そんなことは嘘っぱちである。本質は政治に他ならない。２００７年頃にベトナム人の政治意識は大きく変わり始めた。

　文郎国は王国である。そして雄王は王様である。社会主義国であるベトナムが古代の王を讃えているのだから、これはおかしなことと言ってよい。そもそも、ベトナムの建国の日は９月２日である。１９４５年９月２日にホー・チ・ミンはハノイでベトナムの独立を宣言した。それは第二次世界大戦において日本が降伏文書に調印し、正式に戦争が終わった日でもある。

社会主義国であるなら帝国主義戦争が終わり、ベトナムが植民地からの独立を果たした日が唯一の建国の日であるはずだ。それなのに日本の建国記念の日のような神話に基づいた非科学的な日を記念日にした。それはベトナム人がマルクス・レーニン主義よりも、民族的な感情を重視し始めたことを意味している。このことについては後に触れる。

南越国とベトナム人の呼称の由来

始皇帝が作った秦は短期間で滅びたが、秦が滅びた時に南部に派遣された官僚である趙佗《ちょうだ》が、現在の広東省からベトナム北部にかけての地域を支配下に置いて、自らを王と称して南越国を宣言した。中央政府が滅亡した時に地方官僚が独立を宣言することは、歴史上しばしば見られる現象である。南越国は海南島も領土としていた。

現在、多くのベトナム人はこの南越国をベトナムの始祖と考えている。そんなベトナムで「海南島は昔ベトナムの領土であったが、中国に取られてしまった」と真顔で言う人に何度も出会ったことがある。男女含めて複数である。男性はちょっと酔うと、国力を付けていつか中国から海南島を取り戻したいなどと言う。かなりのインテリでもその話をするから、それがベトナム人の歴史観なのだろう。

ベトナム人の名前はその昔は漢字で書かれていた。現在はローマ字表記になっているが、それぞれに漢字を当てはめることができる。ホー・チ・ミンは胡志明、グエンは阮、ファムは范、ブオンは王、ブーあるいはヴォーは武である。ベトナムでは、それぞれ氏族の始祖は中国人と考えているようで、あるブーさんは自分の始祖は武則天（則天武后）であり、名門の出身だと誇らしげに言っていた。

ベトナムは古代から中世にわたる長い間に、中国から移り住んだ人々が現地人と交わることによって作り上げられた国と言えよう。その文化や文明が中国によく似たものになるのは当然である。我々は、ベトナムはＡＳＥＡＮに属しているから東南アジアの国であると思ってしまうが、ベトナムを中国文明の支流と考えた方が理解しやすい。筆者はベトナム人を「中国が大嫌いな中国人」と理解している。

約1000年間の中国大陸の王朝の植民地時代

ベトナムは前漢の武帝の時代である紀元前111年に植民地になった。独立を果たすのは939年であるから、約1000年の間、ベトナムは中国大陸の王朝の植民地であった。ベトナムはこの1000年を屈辱の時代として北属期と呼んでいる。

ベトナムが植民地になってから独立を果たすまでの間に、中国大陸では前漢、王莽《おうもう》が作った新、後漢、日本でもよく知られている魏・呉・蜀による三国時代、五胡十六国、南北朝、そして隋、唐と王朝が入れ替わったが、その間、常にベトナムは中国の植民地であった。分裂の時代には中国南部を支配した王朝がベトナムを支配した。

当時のベトナムは現在のハノイを中心とした紅河流域だけであり、中部以南は別の国だった。中国は当初、ベトナム北部を交州と呼んだ。その後に交趾《こうし》と呼ぶようになったが、これは後にベトナムが西欧からコーチシナと呼ばれる所以になった。

ベトナムの北は中国の広西チワン族自治区であるが、現在の中国共産党の統治の下では自治区とは名ばかりで、実態は中国の一つの省に過ぎない。人口構成は漢族が61%、チワン族が33%、ヤオ族が3%などとなっている。広西チワン族自治区の西側の雲南省にも多くの少数民族が暮らしている。中国南部は少数民族が多く暮らす地域であるが、ベトナム人もこのような民族の一つであったと思われる。ただ他の少数民族とは異なり、肥沃な紅河流域に住んでいたために、時と共に人口が増加して、ついには独立する機運に恵まれた。

中国南部に住む少数民族は黄河流域の中央政権が強いか弱いかによって、その運命が大きく左右された。中国では政権の入れ替わりが激しいが、中央の政権が弱い時は周辺にまで目が届かない。そんな時、南部に住む少数民族は羽を伸ばすことができた。しかし、中央に強い政権ができると、遠く離れた南部の少数民族にも干渉してくる。具体的にはより多くの税金を取ろうとする。だから、少数民族は中国の政情を正しく認識しておく必要がある。現在でもベトナムは北京の動向に極めて敏感である。

1000年前のベトナムはいくつかの村落に分かれており、その村落を支配する人々は中国から「貉将《らくしょう》」や「貉侯《らくこう》」と呼ばれていた。貉《むじな》とは狸または穴熊のことである。これは中国側の記録に出てくる名称であり、「倭人」と同様に明らかに蔑称である。中国人が周辺民族を馬鹿にしていたことは、彼らが選んだ漢字からも分かる。

そんな貉将や貉侯は前漢の武帝の時代に漢の支配下に入った。それは徴税権が前漢に移ったことを意味する。だが武帝の時代に輝いていた前漢は、その後、徐々に衰退し、最後は王莽によって滅ぼされてしまう。王莽は「新」を建国するが、「新」が長続きすることはなかった。そんな混乱の時代にベトナムに住む人々は、少しは羽を伸ばすことができただろう。

ハイ・バー・チュンの乱

しかし、西暦25年に光武帝によって後漢が作られると状況は大きく変化した。光武帝は有能な君主であり、国内を統一した後に、植民地に対する支配も強めた。それはベトナムの人々にとっては税金を多く取られることを意味する。

これが現在でもベトナム人の記憶に強く残る大反乱に発展した。ベトナムでは、光武帝の時代の代官である蘇定《そてい》が悪政を行ったために反乱が起こったとされる。ただそれが本質ではないだろう。中央に強力な政権ができたので、それまでいい加減だった税の徴収をきちんと行うようになっただけだと思う。その時の代官が蘇定だっただけだ。税をきちんと徴収されることは、前漢後期の混乱期から新にかけて羽を伸ばしていたベトナム人にとって悪政である。

ベトナム側は女性の徴側《チュンチャク》(彼女は中国側から見れば貉将・貉侯の一人)が中心になって徴税権を貉将・貉侯側に返すように要求した。前漢の終わりから新にかけて、貉将・貉侯が農民から税金を集めて、その一部を中国に上納するシステムが採用されていたと思われる。それを蘇定が自ら徴収しようとしたために、徴側が反乱を起こした。それに妹の徴弐《チュンニ》や紅河流域の65県の貉将や貉侯が加わったために大反乱に発展した。西暦40年のことである。これを「ハイ・バー・チュンの乱」と呼ぶ。「ハイ」は「2」、「バー」は女性に対する敬称、「チュン」は「徴」、つまり徴姉妹のことを指す。

反乱は3年間続いたが一時は成功して、徴側はベトナムの王であると自称した。これに対して光武帝は歴戦の勇将である馬援を派遣して鎮圧に当たらせた。ベトナムの反乱は鎮圧され、徴姉妹は殺害され、首は塩漬けにされて後漢の都である洛陽に送られたという。ただ、

後漢の支配に対して反乱を起こした徴姉妹（ハイ・バー・チュン）（ホーチミン市スイティエン公園）

ベトナムの伝承ではチュン姉妹は追い詰められた際に入水して自殺したとされる。

馬援の晩年に再び南方で反乱が起こった。その時も馬援は出陣しようとしたが、光武帝は「もう年なのだから」と言って、止めようとした。それに対して馬援は颯爽と馬に飛び乗り元気なところを見せたので、光武帝は「矍鑠《かくしゃく》たるかな、この翁」と言って出陣を許したという。その後、「矍鑠」は老いても元気な老人を褒める言葉になった。

馬援はそんな逸話が残る勇将である。戦術巧者でもあったのだろう。姉妹を首領に仰いだ貉将・貉侯は、緒戦に敗退すると散り散りになって逃げ出したという。

日本の卑弥呼の時代よりも２００年ほど前に起こったこの乱は、今もベトナム人の記憶に強く残っている。先にも述べたが、ベトナムでは過去の偉人（中国と戦った将軍が多い）の名前を大通りの名称にすることが多く、ハノイにもホーチミン市にも「ハイバーチュン通り」がある。ハノイの中心部のやや南にはハイバーチュン区があり、そこには徴姉妹を祀った寺がある。ハイ・バー・チュンは中国に対抗するベトナム人の心の原点になっている。

ベトナムが中国の植民地だった時代、日本は海を挟んでいたために中国の植民地になることはなかったが、遣隋使、遣唐使などによって中国大陸の文化や文明を取り入れることができた。一方、ベトナムは植民地時代に独自の文化や文明を発達させることができなかった。ベトナムを語る場合には、このことをよく認識しておく必要がある。

この時代の日本に関係したエピソードを書き加えておく。それは百人一首に採用された歌である「天の原　ふりさけ見れば春日なる　三笠の山に出でし月かも」を詠んだ阿倍仲麻呂（698 - 770年）が761年から767年までの6年間、安南（ベトナム）の節度使（地方長官）を務めたことだ。

阿倍仲麻呂は遣唐使として入党した後に外国人枠の科挙に合格したとも、異国趣味だった唐の玄宗皇帝の意向で採用されたとも言われる。いずれにしろ外国人でありながら学識が認められて官僚に登用されて、高い地位に上った。

彼が唐に渡ったのは717年19歳の時であったが、彼が節度使としてベトナムに赴任したのは安史の乱（755-763年）の最中から直後であり、唐の力は衰えていた。赴任期間は63歳から69歳までであり、当時としては高齢の彼がベトナム人との間でトラブルを起こすことはなかったようだ。本国が混乱している時代であったために、彼はベトナム人と協調して穏便に業務をこなしていたと思われる。

ちなみにベトナム人の間から阿倍仲麻呂に関する話題を聞いたことはない。印象に残らない節度使だったのだろう。

呉権による白藤江の戦いとベトナムの独立

ベトナムを植民地支配していた唐は907年に滅亡した。その後、960年に北宋が建国されるまで、中国は五代十国と呼ばれる分裂の時代になる。その最中の939年にベトナムは1000年にも及んだ中国の支配から脱して独立を果たした。その立役者は呉権（898-944年）であり、彼は現在もベトナムの英雄である。

独立に関連しては、938年に起きた白藤江の戦いを知っておく必要がある。ベトナムの歴史の中で白藤江の戦いは3度ある。独立に際して起きた戦いが最初であり、2度目は北宋との戦い（981年）、3度目はモンゴルとの戦い（1288年）である。ベトナムは1度目と3度目の戦いに勝利しており、この白藤江での2度の勝利はベトナム人の心に今でも強く残っている。そのため我々もその概要を知っておく必要がある。

唐が滅亡する1年前の906年に、ベトナムの豪族である曲承裕《きょくしょうゆう》が勝手に節度使を名乗り、力が衰えた唐がそれを追認する事件が発生した。ここに今日でも繰り返される中国とベトナムの関係が見られる。それは中国の力が衰えるとベトナムが勝手な動きをすることだ。これが「第一のパターン」である。

【ベトナムの歴史・パターン①】中国の力が衰えるとベトナムに反中の動きが表れる。

曲承裕の地位は息子の曲顥《きょくこう》に引き継がれた。917年に曲顥が死亡すると、その息子の曲《きょく》承美《しょうび》が引き継いだ。節度使は中国の王朝が地方を支配するために送り込む役人であるが、それがベトナム人によって世襲されることになった。

五代十国の時代、中国は周辺の少数民族を支配することができなかった。曲承美は父から地位を引き継いだ際に、唐の後継とされた後梁《こうりょう》からその地位を認められて、後梁の冊封国になった。

だが、五代十国の時代にベトナムに隣接した南部を支配していたのは南漢であり、南漢は曲承美に後梁ではなく南漢に臣従するように求めた。しかし曲承美は南漢を偽王朝としてこれを拒否した。五代十国の時代には、唐の都であった長安付近を実効支配していた後梁が正当な王朝であり、その他の国を偽王朝と見る見方もあったから、曲承美の言い分にも理がある。ただ、それでは南漢の腹の虫が治まらない。曲承美と南漢の戦いになった。

その結果、曲承美は930年に南漢に捉えられてしまい、南漢は曲承美の命を助ける代わりに新たな節度使として中国人の李進を送り込んできた。当然、ベトナム側はおもしろくない。

その際に曲承美の父親である曲顥の部下であった楊廷芸《ようていげい》が立ち上がって李進を追い出して、自身を節度使と称するようになった。呉権はその楊廷芸の娘婿である。937年に楊廷芸は部下であった矯公羨《きょうこうせん》に殺害された。これは「第二のパターン」である。ベトナムでは内輪揉めが絶えない。ちょっと隙を見せると、すぐに部下や周辺の豪族が反乱を起こす。

【ベトナムの歴史・パターン②】ベトナムでは権力者に対する部下や周辺の豪族による反乱が絶えない。

義父を殺害された呉権は矯公羨に戦いを挑んだ。明智光秀ではないが主殺《しゅう》しはどの国でも評判が悪い。矯公羨は孤立してしまう。そんな矯公羨は南漢に救援を要請した。ここで、今日まで見られる「第三のパターン」が出現する。それはベトナムの内紛において、形勢の悪い側が中国に助けを求めることだ。

【ベトナムの歴史・パターン③】内紛の際、形勢の悪い側が中国に助けを求める。

南漢は矯公羨の求めに応じて兵を派遣した。しかし南漢からの援軍が到着する前に矯公羨は呉権の軍によって殺されてしまう。楊廷芸を殺害した1年後の938年のことである。やはり主殺しでは人心を掌握できない。

呉権は攻めてきた南漢軍と938年に白藤江で戦った。白藤江はハイフォンの北を流れる川であり、広東省を出発した船はそこを遡ってハノイ周辺に至る。白藤江の下流域は中国からハノイを攻めようとした時に必ず通る経路であり、ここで何度も激戦が交わされた。

呉権は白藤江下流域の川床に数多くの杭を打ち込んだ。この杭は潮が満ちてくると隠れるが、干潮になると現れる。南漢軍が攻めてくると呉権の軍は逃げるふりをして、南漢軍を杭のある水域におびき寄せた。潮が引き始めると杭が現れて、広東省からたくさんの兵隊を乗せてきた大きな船は杭に挟まれて身動きがとれなくなってしまった。その瞬間を狙って、川の周囲の森に隠してあった小舟を使って呉権の軍勢が襲いかかった。呉権はこの戦いに完勝する。

これは今でもベトナム人の胸を熱くする話になっている。この話を知らないベトナム人はいないと言ってもよい。ベトナム人との宴会などで、この話を持ち出すと必ず喜ばれる。ハイバーチュンの話が暗い結末であるの対して、この話は勝利の記憶である。ベトナムでビジネスを行う際に、知っておきたいエピソードである。

その翌年の939年に呉権はハノイの北部の古螺《コローア》で王位に上り王朝（呉朝）を開いた。呉権は節度使を自称するのはなく、自身の王朝を開いた。ここにベトナムは約1000年続いた北属の時代を脱して、独立国として歩むことになった。

北宋との白藤江の戦い

だが、呉権が作った王朝は長続きしなかった。建国から30年も経過しない968年に、有力豪族であった丁部領《ディンボリン》に簒奪された。その丁部領が作った王朝（丁朝）も980年に部下である黎桓《レホアン》に簒奪されている（前期黎朝）。王朝が目まぐるしく替わった。パターン②である。

呉朝の末期の960年に北宋が中国を統一する。中国が統一を果たし、かつ力のある皇帝が即位すると、必ずと言ってよいほどベトナムに侵攻する。北宋も例外ではなかった。ベトナムに攻め込んだのは北宋の第二代皇帝太宗である。彼は976年に初代皇帝である兄（趙《ちょう》匡胤《きょういん》）が亡くなった後に即位した。太宗の即位には、弟が兄を殺害して即位したという疑惑があり、「千載不決の議」（千年経っても結論の出ない議論）と呼ばれている。

そんな太宗であったが、彼は敏腕の政治家でもあった。太宗は国内の疑惑を逸らす意味もあって、多くの外征を行った。ベトナムへの侵攻もその一つである。

北宋には、前漢の時代から植民地であったベトナムが、五代十国の混乱に乗じて独立したことは許せないという感情があった。チャンスがあれば再び植民地にしたい。そう考えていた。

一方、ベトナムは北宋が中国の統一に成功し、またスネに傷持つ太宗が即位したことを甘く見ていた。黎桓は中国情勢などそっちのけで、丁朝から政権を簒奪して黎朝を建国した。

だが俊敏な太宗は、黎桓の政権簒奪によってベトナムが混乱していることを見逃さなかった。それをチャンスと見てベトナムに攻め込んだ。ベトナム側からの要請はなかったが、内乱によって中国の介入を招いたからパターン③と言ってよい。

それが981年の白藤江の戦いになった。黎桓の軍隊は今回も白藤江下流域に杭を打って、周辺の森に隠れて待ち伏せした。しかし北宋軍が同じ手に乗ることはなかった。黎桓は大敗を喫した。

ただ、そこで戦いは終わらなかった。黎桓の軍隊はハノイ周辺に後退して持久戦に持ち込んだ。北宋軍はベトナムの暑さに疲弊した。黎桓の軍隊はそこを攻めて大勝を収めた。北宋軍は逃げ帰ったが黎桓は深追いせずに、北宋に使者を送り、下手に出て冊封してくれるように頼んだ。

当時、北宋は北の契丹の脅威に晒されていたので、大宗は黎桓を許して冊封することにした。呉権は地方政権であった南漢から独立したが、黎桓は中央政権である北宋から冊封という形で独立を勝ち得た。

これを「第四のパターン」とする。それは侵略してきた相手に対して真っ向から戦いを挑むことなく持久戦に持ち込み、相手が疲れるのを待つ戦略である。そして相手が逃げ帰ったら深追いすることなく、相手の面子を立てて講和する。米国に勝利したベトナム戦争もこのパターンである。

【ベトナムの歴史・パターン④】侵略相手に対して持久戦に持ち込み、その後、講和する。

ベトナムは中国型中央集権国家が根付かなかったマンダラ型国家

ベトナムの政治は安定しない。すぐにパターン②が現れる。建国から日が浅い時期に政権が安定しないのは仕方ないとも言えるが、親から子へ代が替わると、それほど時間を経ずに豪族が政権を簒奪しようとする。これは、ベトナムには中国や日本に見られるような長子を優先する思想が根付いていないためと考えられる。

東南アジアには、「マンダラ型」と呼ばれる権力構造がある。そこでは一つの王権が大きくならず、国の内部にいくつもの王朝が並立する。仏教の曼荼羅図に似ているのでこのような名称で呼ばれる。東南アジアでは父系だけでなく母系も強く、その結果、後継者候補が多くなる。後継者は多くのライバルとの争いを勝ち抜かなければならず、それに力をすり減らすために、大きな王朝を作る余裕がない。その結果、同じ国の中に小さな王権が並立することになる。

ベトナムの南部にはチャンパと呼ばれる王朝があったが、その勢力が強大になることはなかった。チャンパはマンダラ型国家の一つである。ベトナム紅河流域は東南アジア型のゆるい王権と中国型の強い王権が混じり合う地域であった。ベトナムには「王の権限は村の垣根まで」という諺がある。王は存在するが、村の中は村落共同体が管理する。この諺は、ベトナムの政権が中国型（強い皇帝が官僚を通して人民を直接支配する）と東南アジアのマンダラ型（小さな王がたくさんいる）の中間に位置することをよく表している。

筆者はマンダラ型の弱い王権は稲作が原因ではないかと考えている。稲作は水田で行われるが、稲作地帯は水田が天然の堀になり、大軍を動かすのに向いていない。また稲は単位面積当たりの収穫量が多く、少ない面積で多くの人を養うことができる。連作障害がないことから、他の穀物に比べて作柄《さくがら》（農作物の生育状況）も安定している。稲を栽培している地域は人口密度が高く、かつ水田や用水路の維持に集団の結束が欠かせないことから、村の結束力が強くなる。そんな社会には強い王権は必要ない。東南アジアでは水稲が作られており、そこは父系と母系が両立する穏やかな社会になった。

一方、畑作では強い王権が必要になった。畑作地帯は草原に隣接しており、草原には略奪も辞さない騎馬民族がいた。中国は万里の長城を作って彼らの襲撃を防がなければならなかった。

中国の王朝は北部に首都を置く。秦の咸陽《かんよう》、漢、隋、唐の長安と洛陽、北宋の開封《かいほう》、元の大都（北京）、明、清の北京などはすべて北部にある。ちなみに南部に都を置いたのは南宋の臨安（臨時の都の意、現在の杭州）、明の初期と中華民国の南京だけである。明は当初、北部に元の勢力が残っていたために南京を首都にしたが、三代目の永楽帝の時に北京に遷都している。中華民国も蔣介石《しょうかいせき》の北伐が成功すれば北京に遷都したと思われる。南に首都を置いたのは、一時的な措置と考えられる。中国は長江以北が畑作地帯であり、以南がコメ作地帯である。中国は北の畑作地帯が南の稲作地帯を支配する構造になっている。だから首都は北部に置かなければならない。

ベトナムには「皇室」がなかった

ここで日本とベトナムの対比を述べておく。日本とベトナムは中華文明のそばにある稲作文明であり、よく似ている。ただ違う面もある。日本は島国であり、草原の騎馬民族に急襲される恐れがない。そして島国といってもそれなりに広く、強い王権が誕生する素地はあった。また東南アジアとは異なり、日本では水稲は1年に一作しかできない。冬季には水田に水がない。その時期、水田は堀の役目を果たさない。武力を行使して隣接する地域を支配することが容易である。

そんな日本はベトナムの紅河流域と同様に、ゆるい王権と強い王権が混ざり合った地域になった。ただベトナムと異なるのは、政権の正統性を担保するために、万世一系の天皇というシステムを考え出したことだ。これは日本のオリジナルな発明である。

平安中期になると、天皇は直接政治に関わらなくなった。それは鎌倉時代になって武家政権ができると一層顕著になった。天皇は政治の中心にいるものの政治には関わらない。英国が近世になって言い始めた「君臨すれども統治せず」を1000年前に実行している。そして万世一系の男系男子ということで、その正当性を担保してきた。

政権を簒奪した者は自らが率先して天皇の前で額《ぬか》ずく。一番強い自分が天皇に額ずくのであるから、その他は額ずいて当然であろう。命令は一番強い者が出すのではなく、天皇に出してもらう。人々は政権を簒奪した者に従うのは嫌だが、天皇の命令ならば仕方がない。戦前の軍部も全く同じことを行った。

これは、終戦直後に坂口安吾が『堕落論』で指摘したことである。坂口は敗戦直後だったから自嘲的、自虐的にこのことを書いたが、筆者はベトナム政治を見た後に、「万世一系の天皇」は政治の安定のための一大発明であったと考えている。その精神は現憲法にも引き継がれている。

ベトナムは天皇というシステムを作り出さなかった。その理由は、日本は中国と海を隔てており、中国の影響が間接的であったが、ベトナムは陸続きであり、その影響をもろに受けたからだろう。

中国の強い王権は乾燥した大地に適している。黄河と長江の間の広大な麦畑である中原を権力基盤にする強い王権であり、それは朱子学の正統性に関する議論などの援護を受けて安定する。強者による政権の独り占めである。

ベトナムは中国の王権を真似してみたが、国土は水田地帯であり、村社会の連合体のようなものである。そこに中国型の中央集権国家を作ろうとしたことに無理があった。ベトナムでは王が少しでも力を失うと、王とは異なる村を権力基盤にしている豪族が取って代わろうとした。そのために政権が安定しない。これがパターン②である。呉権や丁部領の時代から今日に続くベトナムの欠点である。

余談であるが、パターン①の逆と言ってよいが、中国に強い皇帝が出現することは、ベトナムの危機につながる。ベトナムを植民地にした漢の武帝、ハイバーチュンを鎮圧した後漢の光武帝、前期黎朝を攻めた北宋の太宗、後に語るが陳朝を滅ぼして再びベトナムを植民地にした明の永楽帝、黎愍帝《レマンデ》（昭統帝）の依頼を受けてハノイに進駐した清の乾隆帝《けんりゅうてい》、これらは中国の歴史において明君とされ、現在でも人々の尊敬を集めている強い君主である。

中国では国内を統一した初代皇帝とともに、外征に成功した皇帝が尊敬される。このことを知ると、習近平が台湾侵攻にこだわる理由が見えてくる。初代皇帝は毛沢東である。鄧小平、江沢民《こうたくみん》、胡錦濤、習近平は創業者ではない。習近平が尊敬されるためには、外征を成功させなければならない。

ベトナム人はこのことがよく分かるために、習近平の一挙手一投足に神経を尖らせている。ベトナム人は習近平が台湾に侵攻できない場合、代わりにベトナムを攻めてくるかもしれないと考えて心配している。日本人には分からない感覚であるが、それはベトナムと中国の2000年にわたる歴史が作り出したものと言ってよい。

第2節　元寇、明からの再独立、南北朝時代――ベトナムの中世

李朝を開いた李公蘊

１００５年に黎桓が死去すると、子供たちの中で相続争いが起きた。皇太子であった長男の黎龍鉞《レロンベト》が後を継いだが、わずか3日で弟の黎龍鋌《レロンディン》（９８６－１００９年）に殺害された。ただ、黎龍鋌が王であったのはわずかな期間であった。彼は父である黎桓の女婿《じょせい》である李公《リコン》蘊《ウアン》（廟号・李太祖《リタイト》、９７４－１０２８年）に殺害されて王位を奪われた。

李公蘊は１００９年に新たな王朝（李朝）を開いたが、その王朝は１２２５年まで２１６年間も続いた。李公蘊はベトナム政治のパターン②（有力豪族による政権簒奪）に打ち勝つ政権を作り上げた。彼は「ベトナムの徳川家康」と言ってよいだろう。ベトナム人は李公蘊を建国の父と考えている。首都ハノイの中心地にあるホアンキエム湖のほとりの一等地に彼の大きな像がある。ちなみに「ベトナムの織田信長」は呉権である。彼はベトナム人に人気がある。

李朝が編纂した歴史書では、黎龍鋌は酒色に溺れる暴君だったとされる。ただ19歳で王に

李朝初代皇帝の李公蘊（974～1028）（ハノイ、リ・タイ・ト公園）

なり23歳で殺された男がそのような人物であったかどうかは分からない。

黎龍鋌に対してこのような記述がなされたのは、中国の影響と考えられる。中国古代の王朝である殷の最後の王である紂王《ちゅうおう》は暴君だったとされる。それは殷を倒して周を打ち立てた周の武王の功績を讃えて、周の統治を正当化する意図があったためと考えられている。李朝の役人はこの中国の故事にならい、黎龍鋌を暴君に仕立てて李公蘊の功績を讃えたのであろう。

同様の手法は日本でも行われている。第25代武烈天皇である。日本書紀は彼を暴君としてその悪行を書いているが、それは次代の継体天皇の即位を正当化するためだったという説がある。継体天皇は謎の天皇である。彼は現在の福井県のあたりに勢力を持つ豪族であり、祖先は第21代応神天皇でその来孫《らいそん》とされる。それが真実であったとしても皇室の血脈からは遠い。そして即位の経緯もよく分からない。大和盆地に攻め込んで政権を奪取したのではなく大和の豪族たちから請われて天皇に即位したようなのだが、反対する者も多く、その即位に時間を要している。そんな天皇の正統性を示すために、前代の武烈天皇を暴君に仕立て上げたのではないだろうか。

李公蘊は黎龍鋌の父親の女婿であるから、彼らは義理の兄弟である。李公蘊が黎龍鋌を殺害して政権を奪取した過程には、後ろめたいことが多かったのかもしれない。

ベトナム史上唯一中国大陸へ攻め込んだ武将・李常傑

李朝を語る上では李常傑《リトウオンキエット》の事蹟を語る必要がある。李朝は科挙や官僚制の実施など、中国の政治スタイルをベトナムに導入して、ベトナムが国家らしくなる上で重要な役割を果たしたが、それについてベトナム人が熱く語ることはない。しかし、この時代の将軍である李常傑については皆が知っている。それはベトナム史上、ただ一人中国大陸に攻め入った将軍であるためだ。

ちなみに、同じく中国と陸で接している朝鮮は、一度も中国大陸に攻め入ったことがない。朝鮮で李朝を建国した李成桂《りせいけい》は、元に奪われた領土の奪還のために明と対立したが、明に攻め入ることはなかった。朝鮮半島に住む人々には、中国に攻め入ったとの記憶はない。この辺りのことは、朝鮮半島に住む人に比べて、ベトナム人の中国への対応がどこか反抗的である理由の一つになっていると思う。

ベトナムで李朝が建国されても、北宋とベトナムの国境線には曖昧な部分が多かった。そのような事態を改善しようと、歴史に名を残す大宰相である北宋の王安石《おうあんせき》はベトナム征伐を神宗に進言した。この情報をキャッチしたベトナムは、先手を打つために陸路と海路で北宋に攻め入った。李常傑は海路から侵攻した。１０７５年のことである。

彼は現在の広西チワン族自治区に侵入したが、長期間にわたり中国を占領したわけではない。短期間で引き上げている。その後に宋からの反撃もあり、ベトナム軍が一方的に勝利したと言うことはできない。だが、それでも中国に攻め込んだという事実は大きい。

このことは今でもベトナム人にとっては誇らしい記憶になっている。２０１９年にトランプ米大統領と北朝鮮の金正恩総書記が会談した際に、金正恩はハノイの中心地にあるメリアホテルに宿泊したが、メリアホテルの前の通りはリ・トゥオン・キエット（李常傑）通りである。

ベトナムの3度の元寇

地図２　13世紀の極東アジア

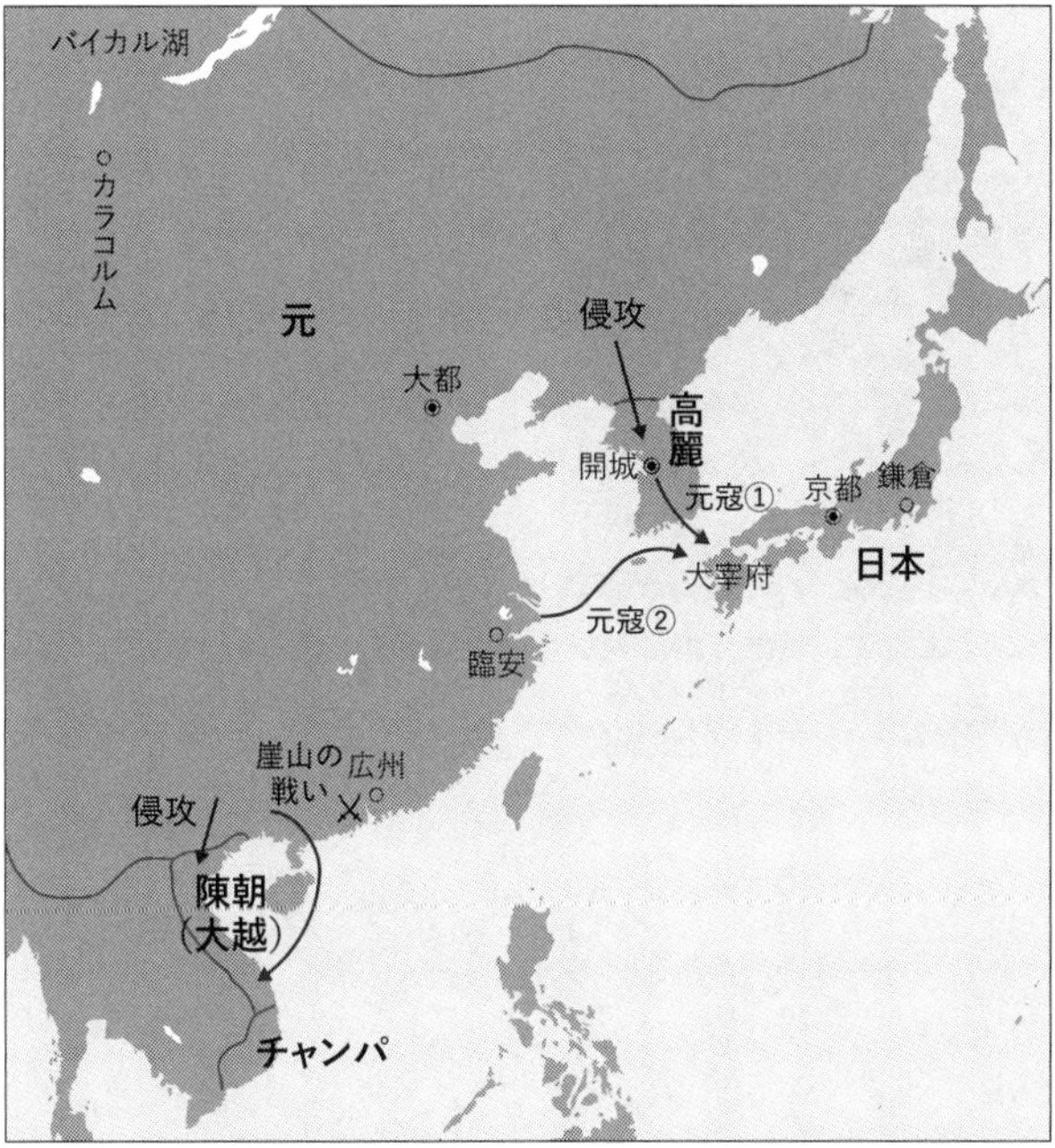

１２２５年に李朝が倒れて陳《チャン》朝が立つ。これは鎌倉幕府が倒れて室町幕府に移行するようなもので、その経過にはいろいろなドラマがあるが、我々外国人がそのドラマの詳細を知る必要はない。重要なことは陳氏がベトナムを統治している時代に元が攻めてきたことだ。これは日本の元寇と同じ時期であり、ベトナムでも歴史に記憶される国難であった。

モンゴル人が建国した元は、１２７１年から１３６８年まで中国大陸を統治した。

南宋は１２７９年に現在の深圳郊外で行われた崖山《がいざん》の戦いに敗れて滅亡した。

　モンゴル帝国並びに元は、１２５８年、１２８３年、１２８７年と3度にわたってベトナムに侵攻している。１２５８年の時は短期間攻撃しただけで引き上げていた。その後、モンゴルは南宋を滅ぼして元を建国した。当時、元の軍隊は世界最強と恐れられていた。日本の元寇は１２７４年（文永の役）と１２８１年（弘安の役）であるからほぼ同時期である。

　ちなみにモンゴルは、朝鮮半島には１２３１年から１２７３年にかけて9度侵攻している。当時の朝鮮半島にあった高麗王朝は、江華島に逃げ込み抵抗を続けたが、度重なる侵攻に屈して、１２７３年以降は半島全域が元の支配下に置かれることになった。モンゴルと南宋の戦争は１２３５年に始まるが、朝鮮半島にはその前に攻め込んだことになる。ベトナムと日本への侵攻は、元による東アジア征服の最終段階であった。

モンゴル軍を撃退した英雄の陳興道（チャン・ホン・ダオ）（1228～1300）（ホーチミン市メリン広場）

　このモンゴルとの戦いにおいて、ベトナムに英雄が出現する。それが陳興道《チャンホンダオ》（１２２８‐１３００年）である。陳興道を有名にしたのは

1282年に元から使者が来た時である。陳朝で廟議が行われたが、王である仁宗はとても敵わないので降伏したいと言い出した。その時に陳興道は、降伏するならこの首を刎ねてからにしろと仁宗に強く戦いを迫った。仁宗はその迫力に圧倒されて戦いを決意した。この廟堂のシーンは、今でもベトナム人の胸を熱くする。

これによって起こったのが1288年の白藤江の戦いである。その前年にモンゴル軍は大軍でベトナムに侵攻して、ハノイを占領した。ベトナム軍は清野作戦に出た。正面から戦ったのではとても敵わないので、ハノイの街から住民と共に食料を持って森に逃げ込んだ。モンゴル軍はハノイを占領したものの「もぬけの殻」であった。そして時折襲ってくる陳興道が率いるゲリラに悩まされた。

ハノイは亜熱帯であり四季がある。モンゴル軍は1287年の秋にハノイを占領したものの、清野作戦によって時間の経過と共に食料が尽き始めた。翌年の3月になると亜熱帯のハノイは早くも暑くなり始めたが、草原の民であるモンゴル軍は暑さに弱い。4月に入るとモンゴル軍は一度撤退して、体制を立て直すことにした。その際に陸路と海路の二手に分かれて撤退したが、主力は海路で撤退した。

モンゴル軍は船で白藤江を下った。その際に陳興道は938年の戦いと同じように、川床に杭を打ち込んで待ち伏せをした。あの時は遡ってくる南漢軍を待ち伏せたが、今後は下ってくるモンゴル軍を待ち伏せた。

あの時と同じように引き潮になって杭が出現して、大きな船の運行を妨げた。その時を狙って、前回と同様に小舟に乗ったベトナム兵が襲いかかった。今度も大勝利だった。この2度の白藤江の勝利は今でもベトナム人の誇りである。ベトナムはモンゴルの侵略を撃退した。陳興道の名前はその象徴である。

明による再植民地化

元の侵略を撃退した栄光ある陳朝も時代が下ると衰退する。この辺りは鎌倉幕府や室町幕府によく似ている。中世の政権は制度ではなく個人の力量に依存していた面が大きいために、幼帝や力量のない王が出現すると衰えることになる。陳朝はモンゴルを撃退してから約100年後に外戚である胡季犛《こきり》（1336‐1407年）によって簒奪された。パターン②の出現である。

胡季犛は政権簒奪に夢中になり、中国大陸の情勢を見ていなかったようだが、明に永楽帝（1360‐1424年）という強い皇帝が現れた。永楽帝は明を建国した洪武帝（朱元璋《しゅげんしょう》）の息子であり、甥である第二代皇帝の建文帝を殺して帝位についた。宦官である鄭和《ていわ》をアフリカにまで派遣したことで知られる英傑である。

父の洪武帝は、モンゴルの支配下で疲弊した民力の回復を基本方針として、農本主義的な内向き政策を行ったが、父より34年遅れて即位した永楽帝は積極的な外交を行った。彼の政策は拡張主義であり、国威発揚をめざした。

建国して一息つくと、中国は国威発揚に目が行く。父の洪武帝は毛沢東や鄧小平に相当するのだろう。毛沢東は建国したものの大躍進政策や文化大革命で国を疲弊させた。鄧小平は改革開放路線で経済を復興させた。そうであるなら習近平は積極的な外交を行い、国威発揚とともに対外拡張政策を行わなければならない。それが中国の皇帝の宿命である。

歴史的な視点に立てば、習近平は愚かではない。中国の歴史が習近平に一帯一路や戦狼外交を行わせている。豊かになった中国で、もし習近平が国威発揚を行わなければ、歴史の審判において暗君と言われるだけである。ただ永楽帝は対外政策で結果を出したが、習近平の対外拡張政策は不動産バブルが崩壊したこともあって、失敗に終わりそうである。彼に対する歴史の審判は厳しいものになろう。

１４０２年に即位した永楽帝は、ベトナムの内政に干渉した。陳氏の新帝として陳添平を擁立しようとした。これは大国が他国の政権を簒奪しようと考えた際の常套手段である。陳氏は胡季犛による政権の簒奪に不満を抱いていたから、すぐにこれに乗った。パターン③の出現である。

明は１４０６年に陳朝復興を大義名分にベトナムに侵攻した。政権簒奪者である胡季犛に味方するものは少なく、１４０７年に明は陳氏を政権の座に据えた。もちろん傀儡政権である。ベトナムはまたも中国の植民地になってしまった。

明軍を追い返した英雄・黎利と阮廌

この危機に対して１４１６年にタインホアの豪族である黎利《レロイ》（１３８５－１４３３年）が立ち上がった。しかし、明の支配は強力であり、黎利は長い間にわたり苦戦を強いられた。

明軍を追い返した英雄の黎利（レ・ロイ）（1385～1433）（タインホア市人民委員会本部前）

だが、１４２４年に永楽帝がモンゴル遠征中に崩御すると状況が変化した。

この時代の王朝の政策は、皇帝の意向に左右された。永楽帝の子である洪熙帝は即位１年で死去し、その子の宣徳帝が継いだが、宣徳帝は永楽帝の時代に広がりすぎた国土を縮小する方向で政策を進めた。これがベトナムに幸いした。黎利は挙兵から12年後の１４２８年に、明軍を追い返すことができた。黎利は黎朝（後期黎朝）

を開いた。

今も黎利は英雄である。黎利に関連して亀と学者の物語がある。黎利は神から授かった剣を用いて明に勝利したとされる。明に勝利した後に、黎利がハノイにあるホアンキエム湖の湖畔を散歩していると、亀が現れて剣を返してくれるように言った。黎利が亀に剣を渡すと亀は剣を咥えて湖底に消えたという。「ホアン・キエム」とはベトナム語で「還剣」を意味する。

この物語は今も広く信じられている。ハノイ観光では必ずと言っていいほど、ホアンキエム湖を訪れる。ガイドブックに書いてあるし、現地のガイドを頼んでも必ず連れて行ってくれる。湖というより大きな池であり、小島がある。小島に祠があり、その中にホアンキエム湖で捕獲された亀の剝製が置いてある。このような物語が生まれて今も語り継がれるほど、永楽帝による再植民地化はベトナム人にとって屈辱の出来事であった。そして独立を回復した黎利は誰もが認める英雄である。

もう一つが阮廌《グエンチャイ》（1380－1442年）に関わる物語である。阮廌は学者であり、黎利より5歳年上だが、黎利に従って明軍に立ち向かった。阮廌は科挙に合格した進士である。黎利の参謀として活躍するとともに、法令の文案を練るなど事務的な仕事に携わった。

阮廌は今でもベトナム人に広く敬愛されている。東南アジアの中でベトナムは唯一、科挙を行ってきた。科挙の合格者は官僚になるが、官僚が民衆から真の尊敬を集めることは稀である。そんな中国文化圏で独立戦争に従事した科挙の合格者（進士）は稀だろう。ベトナム人には先生を大切にする文化がある。休日ではないが「先生の日」があり、先生に花などの贈りものをするのが慣例になっている。この慣習には阮廌の物語も寄与していると思われる。

ただ、阮廌自身は悲劇的な最後を遂げた。黎利が亡くなり、二代皇帝である太宗の時代になった。太宗は暗君であったとされるが、阮廌は彼の家庭教師でもあった。彼は権力争いに巻き込まれることを避けるために隠居した。

そんな彼を１４３２年に太宗が訪問したが、太宗はその直後に死亡した。そのため阮廌は太宗を殺害した嫌疑がかけられて捕縛され、一族の多くも処刑された。後に聖宗の時代に名誉回復が行われていることからも、これは政敵による陰謀と考えられる。

黎利の参謀として活躍した阮廌（グエン・チャイ）（1380～1442）

このことからも分かるように、建国の功臣といえども政争に巻き込まれて殺される可能性がある。ベトナム政治では陰謀や裏切りは日常茶飯事である。現代のベトナムで生きてゆく上でも、この歴史の教訓は覚えておいた方がよい。これもパターン②と言える。

黎朝ではもう一人覚えておいた方がよい人物がいる。それは第五代皇帝の黎聖宗《レタイントン》（１４４２‐１４９７年、即位１４６０年）である。彼は黎利の孫に当たり、聡明な君主であった。彼の時代に黎朝は最盛期を迎え、南進も彼の時代に進捗した。ホーチミン市に日本料理屋などが立ち並ぶレ・タイントン通りがあるが、この通りの名前は彼に由来する。

ベトナムの南北朝時代

黎氏の政権は家臣の莫登庸《マックタンズン》（１４８３?‐１５４１年）によって簒奪された。日本は戦国時代であり、最近注目を集めているグローバルヒストリーでは、この時代を「長い16世紀」と呼んでいる。世界中で社会が激動した。「長い16世紀」を経て、歴史は中世から近世に移行する。

莫登庸は１５２７年に莫朝を開いた。ここでも、またしてもパターン③が出現した。それは黎氏が明に助けを求めたことである。これに対して莫登庸は明に使者を派遣して、黎氏は悪政によって民衆の離反を招いており、血統も断絶しているので、自分が新たな王朝を建てたと弁明した。

だが、明は密かにベトナムの状況を調べており、その報告は嘘だとして使者を痛罵した。

地図3　15～16世紀の極東アジア

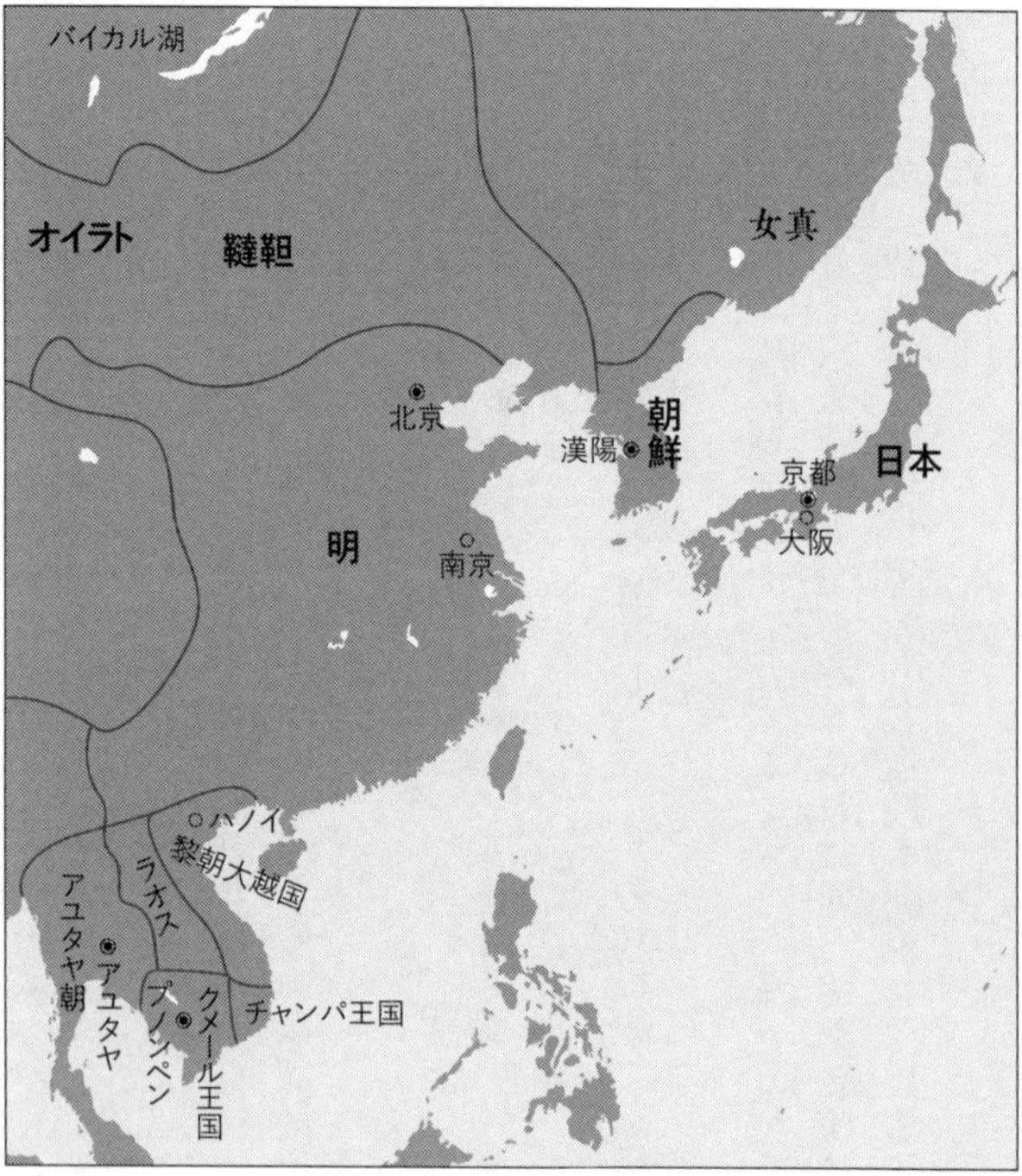

莫登庸はこれに驚いて、明に恭順の意を示すと共に領土を割譲し、また多額の財宝など金品を贈ることによって許しを乞うた。ベトナムでは、莫登庸は悪人とされている。

　このような経緯を辿って成立した莫朝は、安定しなかった。1533年に阮淦《グエンキム》が黎朝の末裔である黎寧《れいねい》を担いでラオス北部に逃げて、黎朝を復活させた。しかし、阮淦は莫朝の使者に毒殺されてしまう。その後を娘婿の鄭検《チンキエム》が継いだ。阮淦の息子である阮潢《グエンホアン》は軍権を義理の兄である鄭検に奪われてしまい、その配下になった。阮潢はハノイの周辺にいると命が危ないと考えて、鄭検の許しを得て1558年に現在のフエに移った。これはベトナムが南北に分かれて戦う出来事の端緒になった。この辺りの出来事は、日本の戦国絵巻を見ているようでもあり、時期もほぼ同じである。

この国が南北に分かれて争う混乱は、阮《グエン》朝が成立した1802年まで続く。日本では、1600年の関ヶ原の戦いで東軍の徳川家康が勝利して統一政権である徳川幕府を樹立するが、ベトナムにおいて統一政権が樹立されるのは、日本より約200年遅れた。

近世におけるこの200年の差は大きい。19世紀になると、西欧列強がアジアに進出し、アジアを植民地にしようと虎視眈々と狙っていた。ベトナムも日本もそれに対抗しなければならなかった。日本は独立を維持したが、ベトナムは幾多の戦いを経て、フランスの植民地になってしまった。この違いは、日本が1600年で戦国時代に終止符を打っていたのに対して、ベトナムではそれが1802年になってしまったことも大きい。

両国共に稲作文化が生んだ村社会であるが、島国であった日本は「和」の文化が根底にあり、敵対勢力との妥協が成立しやすい。談合体質であり、分権的でもある。幕藩体制は地方のボス（藩）のメンツを立てる体制であった。

一方、陸続きで中国文明の影響を強く受けたベトナムでは、稲作が育てた村社会であるにもかかわらず、皇帝が権力を独り占めする中国型のシステムを作りたがる。そのため、力のある創業者が没すると内紛が起きやすい。

先にも説明したが、中国大陸を統一した王朝の中心は、ほぼすべて長安、洛陽、北京など北部にあり、そこは麦畑である。また、草原地帯にも隣接していた。そこではいつでも軍を動かすことができる。王権に逆らうものはすぐに討伐できる。

一方、稲作社会には水路で囲まれた農村が点在する。稲作では水管理が重要になり、隣人との共同作業が欠かせない。そのために村の結束が強くなる。稲作を行う村は攻めにくい。だから地方の豪族の顔を立てる政権を作らなければならない。それにもかかわらず、ベトナムでは中国型の強い王朝を作ろうとした。これがベトナム政治の失敗の本質である。

ちなみに、日本の政権は現在でも弱い。自民党政権は派閥の連合体であり、首相の権限は弱い。時に米国の大統領制のような強い政権が必要だという議論も出るが、いつの間にか話題にならなくなってしまう。稲作文化が根底にある社会には、派閥政治が向いている。ベトナム政治を眺める際にこの視点を持っておくと、現代でもしばしば起こる政権内でのゴタゴタ（パターン②）が理解しやすくなる。

ベトナムはなかなか統一されなかった。阮淦が黎朝を復興させた１５３３年から阮福暎《グエンフックアイン》が阮朝を開いた１８０２年までの２７０年間を後期黎朝と呼ぶ。その前半は北部で黎の末裔を担ぐ鄭氏と莫朝が戦いを繰り返した時代であった。鄭氏が莫朝に勝利してハノイ周辺を平定したが、その後はハノイの鄭氏とフエの阮氏との争いになった。後期黎朝は日本の江戸時代のように平和な時代ではなく、内戦が繰り返された時代であった。

第3節　フランス植民地と日本の進駐――ベトナムの近世・近代

チャンパへの南進

人間というものは欲が深い。ベトナム人もその例外ではない。紅河流域で独立を達成した人々は、最初は独立を喜んでいた。だが、いつしか国土を拡張したいと思うようになった。ただ、ベトナムの北には中国という大国が控えており、北に拡張することはできない。そして東側は海であり、西側は山脈が連なり攻めていくことができない。だからベトナム人は、南進によって国土を拡張するしか方法がなかった。

呉権が北部で独立を果たした頃、中部や南部はチャンパと呼ばれる現在のカンボジアにつながる国家が支配していた。カンボジアのアンコールワットに関する情報が少ないように、チャンパに関する情報も少ない。東南アジアであってもベトナムの歴史に関して多くの情報を入手できるのは、中国大陸の王朝の文献に記載があるからだ。チャンパは中国大陸とは隣接していなかったので記録が少なく、その歴史について多くを知ることができない。チャンパ遺跡はベトナム中部に多く存在するが、それを見るとアンコールワットと同様にインド文明の影響を受けていることが分かる。中国大陸の影響を受けた北部の文明とは明らかに異なっている。

ベトナム人は建国以来、チャンパの人々と戦って領土を南に広げた。黎朝の黎聖宗の時代はベトナムでは例外と言っていいほど政権が安定しており、それによって国力が増大した。黎聖宗はその力を利用して南進した。先にも述べたように、黎聖宗は今日でも尊敬を集めているが、それは国土の拡張に成功したからに他ならない。彼の名前を冠した大通りはハノイではなくホーチミン市にある。ただ黎聖宗は南進に成功したと言っても、彼の時代にはホーチミン市周辺はカンボジアのものであった。そこがベトナムの領土になるのは18世紀になってからであり、ベトナムがほぼ現在と同じ形になるのは19世紀の阮朝からである。

ここに現在のベトナムとカンボジアの関係の原点がある。カンボジアはベトナムに領土を侵略され続けたと考えている。現在でも両国の間には国境線が確定していない地域がある。国境付近はベトナム系カンボジア人とカンボジア系ベトナム人が入り組んで住んでおり、アジア有数の観光地になったベトナム領のフーコック島についても、カンボジアは領有権を主張している。ホーチミン市周辺に住むベトナム人は、自分はキン族であるというアイデンティティを持っており北部と一体感があるが、カンボジアとは対立している。

このような歴史的な経緯があるために、ベトナム南部に住む人々は、北部に不満があっても北部からの独立を口にすることはない。

阮恵と阮福暎の戦い

ベトナムの近世を開いたのは二人の阮《グエン》である。阮恵《グエンフエ》（１７５３－９２年、在位１７８８－９２年）と阮福暎《グエンフックアイン》（１７６２－１８２０年、在位１８０２－２０年）。どちらもグエンであるが両者に血縁はない。阮恵はクイニョンのある南中部ビンディン省の西山《タイソン》の無名の一族に生まれ、一方の阮福暎は、南部を支配していた名門の阮氏の出身である。

阮恵には兄と弟があり、阮三兄弟と呼ばれる。この三兄弟は１７７１年に南部阮氏の悪政に対して反乱を起こした。南部阮氏の治世は退廃していた。阮三兄弟は反乱を起こしてから６年後の１７７７年に南部阮氏を滅ぼして南部をほぼ手中にした。

ただ、滅んだ阮氏の一族の中で阮福暎だけは生きて逃れることができた。阮三兄弟は新たな王朝を開き、一番上の兄が王位についた。これを西山朝と言う。

旧南ベトナムの200ドン札の肖像画になっていた
阮恵（グエンフエ）（1753～92）

南部阮氏の中で一人生き延びた阮福暎は、逃亡の途中でフランス人宣教師であるピニョー・ド・ベール（１７４１-９９年）に出会い、彼に助けを求めた。ベールは物心共に阮福暎を支えた。ベールは阮福暎が王位につけば、布教しやすくなると考えたのだろう。彼はフランスに戻って援軍を頼むなど献身的に阮福暎を支えた。ただ、フランスが援軍を送ることはなかった。

阮福暎はピニョーだけでなく、１７８２年に建国したばかりのシャム（ラーマ朝）にも助けを求めた。ラーマ朝を建国したのはラーマ一世（１７３７-１８０９年、在位１７８２-１８０９年）であるが、彼は阮福暎の求めに応じてベトナムに出兵している。

その結果、メコンデルタ地帯でシャム軍と阮恵率いる西山軍が戦うことになった。これを「ラックガム・ソアイムットの戦い」と言う。この戦いは軍事的天才であった阮恵が率いるベトナム軍が勝利している。ただ、外国の軍隊の常として、メコンデルタに侵入したシャム軍は略奪や放火などを行ったとされる。その記憶はベトナムに残っているようで、現在になってもベトナムとタイは仲が良くない。その真の理由は、ベトナムとタイが東南アジア大陸部の大国であるからなのだろう。互いにライバル意識を持っている。

清軍に快勝したドンダーの戦い

南部を平定した後に西山朝の軍勢は北上を開始した。北部を支配していた鄭氏を滅ぼすためである。鎌倉時代の北条氏がそうであったように、鄭氏は名目上の皇帝として黎氏を担いでいた。勢いのある西山朝の軍勢は、１７８６年に鄭氏を滅ぼすことに成功したが、その際に名目上の皇帝であった黎愍帝《レマンデ》（昭統帝、１７６５-９３年）は中越国境を超えて広西省に逃げ込んだ。そこで清朝に助けを求めた。

19世紀後半は清朝が最も勢いがあった時代である。清の皇帝であった乾隆帝はこの求めに応じて、１７８８年に大軍を派遣してハノイを占領した。黎愍帝は清の力で皇帝に復位することができた。

阮恵は首都であるフエにいたが、西山朝の皇帝となった兄と折り合いが悪くなっていた。清朝がハノイを占領したとの報告に接すると、阮恵は西山朝の正規軍を伴うことなく、少数

地図4　17～18世紀の極東アジア

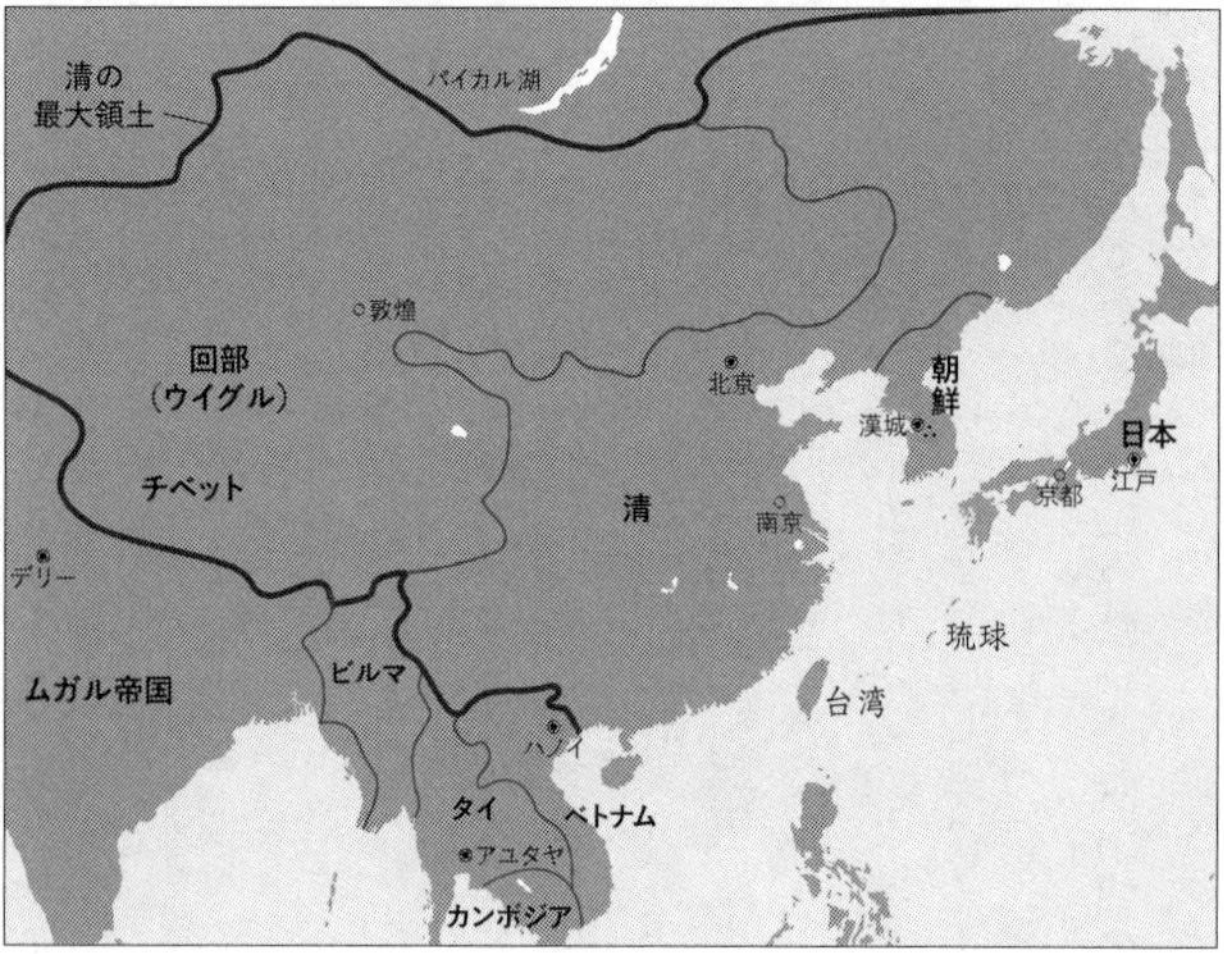

の近習《きんじゅう》を連れて北上した。阮恵は、現在のゲアンで兵を募ったが、多くの農民が阮恵の軍隊に加わった。それは阮恵の勇名が北部にまで伝わっていたこと、またハノイを清朝に占領されたことに多くのベトナム人が怒っていたためだろう。軍勢は10万にもなったと伝えられる。

　1789年の旧正月の直前、清軍はハノイ西部のドンダーに駐屯し、旧正月の準備をしていた。阮恵はそこに奇襲をかけた。この奇襲は成功して、清軍の多くの司令官が戦死した。ドンダーの戦いは、ベトナムが清に快勝した戦いとして知られる。ベトナム人の誇りであり、今でも旧正月には共産党政権の幹部を含めた多くの人が、ドンダーに作られた祠に参拝している。

黎愍帝は再び清に逃げて乾隆帝に再度派兵を要請した。しかし無視されて寂しく北京で客死した。シャムやフランスに助けを求めた阮福暎もそうだが、黎愍帝も清に助けを求めた。先に説明したパターン③である。特に黎愍帝はベトナム人が嫌う中国軍を招き入れたために、現在でもベトナム人から嫌われている。

この歴史は現在のベトナム政治を理解する上でも重要である。パターン③は、常にベトナム政治の底に横たわっている。

全国統一に成功し阮朝を開いた阮福暎

さて、もう一人の阮である阮福暎は、1802年フエで即位した。彼は年号を嘉隆としたことから嘉隆帝《ジャーロンデー》と呼ばれる。阮《グエン》朝は全国統一に成功して、首都をハノイやホーチミン市ではなく中部のフエに定めた。

阮朝はベトナムの統一に成功したが、現在、阮朝の評判は良くない。第一には、先に述べたように阮福暎がフランスやシャムの手を借りて王朝を作り上げたことがある。

阮福暎は幸運であった。それはドンダーの戦いの英雄である阮恵は戦いが終わってから3年後に脳卒中で急死したからだ（毒殺されたとも言われる）。もし彼が39歳という若さで急死しなければ、名称は同じ阮朝でも、阮恵が王朝を樹立したと思われる。阮恵は今でもベトナムの英雄であり、彼が王朝を樹立していれば、その後のベトナムの歴史は違ったものになっていたのではないかと言う人も多い。ホーチミン市のグエン・フエ通りは有名である。だが、ジャーロン・デー通りはない。

越南（ベトナム）の誕生

阮福暎はフランスの宣教師に助けを求めたが、これは悪手と言える。フランスの宣教師は、阮福暎が政権を樹立した時にキリスト教の布教を支援してくれると思ったから彼を応援した。そんなこともあって、ピニョー・ド・ベールは阮朝ができた時には死んでいたが、阮福暎が皇帝であった時代、阮朝はキリスト教の布教に寛容であった。

阮福暎は国号を決める際に、清にお伺いを立てている。国号を自分で決めたわけではない。阮福暎は南越《ナンベト》を望んだが、清朝はその昔に南越という国が海南島を含めた地域を領土としていたことを嫌い（**94ページ**参照）、越南《ベトナム》という国号を与えた。このことからも分かるように、阮福暎は清朝の冊封体制の中で生きることを自分から選んだ。

清朝は嘉慶《かけい》帝の時代になり、衰えが隠せなくなっていたが、それでも清朝は大きな力を有していた。阮福暎は時代を見通す目はなかった。西欧がアジア進出に力を注いでいた時代には、違った判断があってもよかった。清朝とのドンダーの戦いに勝利した阮恵が皇帝になっていたなら、違う判断をしたかもしれない。

余談になるが、習近平が「中国の夢」を語る際に、理想としているのは乾隆帝の時代である。清朝は漢民族の国ではないから、習近平が理想としているのは漢の武帝の時代だとの指摘もあるが、武帝の時代の領土は小さかった。習近平は領土にこだわるから、中国大陸の王朝が最大の領土を獲得した乾隆帝の時代がその理想だろう。当時、清朝は東アジアに隠然たる力を誇示していた。

乾隆帝の時代、沿海州はロシアではなく清の領土であった。沿海州が中国の領土であれば、中国は直接日本海に出ることができる。その面積も広く、中国にとって沿海州の領有問題は潜在的には台湾問題より重要かもしれない。沿海州がロシアのものになったのは19世紀のことである。

習近平が「中国の夢」を語ることに、もっとも神経を尖らせているのは実はロシアである。プーチンは面白くない。朝鮮半島に住む人々も、厳しい管理下に置かれた清朝を思い出して、よい気持ちはしない。チベットやウイグルが征服されたのは、康熙帝、雍正帝、乾隆帝と三代にわたる清朝の隆盛期であった。チベットやウイグルに住む人々も、「中国の夢」は失敗した方がいいと考えている。

それに対して日本は、中国が乾隆帝の時代に戻っても、現在とさほど変わることはない。「中国の夢」という言葉に対して、チベットやウイグルの人々や、中国の少数民族、ベトナムなどの近隣国の人々は、日本人とは違う感情を持っている。

ベトナムがフランスの植民地になった理由

1820年に即位した第二代皇帝の明命《ミンマン》帝（1791-1841年、在位1820-41年）は、キリスト教の布教を厳しく禁じた。フランスにしてみれば、それは話が違うというところだろう。明命帝は儒教的規律を重んじた。阮朝の建国にはフランス人宣教師が深く関わったのに、王朝ができると儒教を重んじて、キリスト教を迫害した。明命帝はヨーロッパから派遣された宣教師7人を処刑した。これは16世紀から17世紀初頭、豊臣政権や徳川時代初期ならば国を揺るがす事態に発展することはなかったが、それから200年が経過した19世紀になってヨーロッパの大国を怒らせたことは高くついた。フランスはベトナムを植民地にしようと画策し始めた。

明命帝から子の紹《テイエウ》治《チ》帝（1807-47年、在位1841-47年）、孫の嗣徳《トゥドゥック》帝（1829-83年、在位1847-83年）へと引き継がれたが、フランスは嗣徳帝の時代になるとベトナムへの進出を本格化させた。

ベトナムは阮朝の1883年にフランスの保護領になった。日本の元号で言えば明治16年である。フランスの植民地になった後も阮朝は存続して、歴代の皇帝が存在するが、そこに政治の実権はなく、ただのお飾りに過ぎなかった。

フランスとベトナムの対立が激化すると、阮朝は西太后が支配する清朝に助けを求めた。それによって清仏戦争（１８８４-８５年）になったが、その戦争で清がフランスに敗北したことから、ベトナムはフランスの侵略を阻止することができなくなってしまった。この辺りの歴史をベトナム人は悔しく思うようで、多くのベトナム人が「阮朝の王様はバカばかり」と言って憚らない。

ベトナムが植民地になったことと比較すると、日本が西欧の植民地にならなかった理由が見えてくる。日本とベトナムは次の点で異なっていた。

まず、日本には強力な軍隊が存在した。日本は薩英戦争、下関戦争で西欧と戦った。英国は勝利したが、軍艦の大砲を使って陸上を砲撃しただけであり、兵士を上陸させて鹿児島や下関の街を占領することはなかった。ましてや日本の中心である江戸を占領していない。

日本を占領しようとすれば、約30万人いた日本の武士と戦う必要があった。当時の英国は東洋に１０００名程度の兵員しか派遣できなかった。また補給能力も劣っていた。その兵力と補給能力では、海岸線から遠く離れた地域を長く占領することは無理であった。１０００名程度の兵士では、例え日本の武士が持つ兵器が火縄銃や弓、刀槍だけだったとしても、

30万人にも及ぶ武士から繰り返し攻撃を受ければ持ち堪えることはできない。

それに対して、阮朝は１０００名程度のフランス軍にサイゴン（現ホーチミン市）やハノイの占領を許している。それは、阮朝は兵士の数が少なく、かつ士気が低かったためである。

第二に、日本は日本人だけで西欧に対抗しようとしたことである。外国の援軍を頼まなかった。ベトナムは清に援軍を頼んだ。頼まれた清は政府軍だけでなく、黒旗軍と称する南部の軍閥までも介入させている。阮朝の軍隊、清の政府軍、黒旗軍がフランス軍と戦ったが、最も勇敢に戦ったのは黒旗軍であったとされる。これでは戦争に勝てるはずもない。

第三には、政権内部で権力抗争が激しく、政権が安定しなかったことである。嗣徳帝が崩御すると、短い間に育徳《ズクドウック》帝、協和《ヒエップホア》帝、建福《キエンフック》帝と次々に皇帝が変わった。権臣と皇太后が組んで皇帝を暗殺するなど、帝室は乱脈を極めた。

そして、ベトナムが植民地になり日本が植民地にならなかった最大の理由は、日本が17世紀初頭に徳川幕府という安定政権を作り上げたことにある。「大平の眠り」と揶揄される時代でもあるが、徳川時代に国力が増大した。江戸時代の最初の１００年間でコメ生産量は2倍になった。人口も2倍になった。平和が続いたことで民度も高まり、識字率も上がった。独自の文化が花開き、鎖国していたとは言っても、蘭学と称して西欧の知識は流入しており、その応用も行われていた。

その結果として、1853年にペリーが来航して以降、紆余曲折はありながらも急速に西洋化することができた。幕末には国内で洋式大砲を作り、外国から鉄製の軍艦を輸入して日本人が運用している。一方、ベトナムではそのようなことは一切行われていない。

尊王攘夷を旗印にしていた反幕府勢力は、政権を奪取すると一気に西洋化を推し進めた。尊王攘夷は政治スローガンに過ぎなかった。日本の指導者は政権をとった場合に何をすれば良いか分かっていた。

明治政府の主要人物は下級武士出身が多かった。彼らは漢詩を書くことができるなど、中国から伝来した教養を持った人物であったが、中国や朝鮮半島の指導者のように朱子学を振り回すことはなかった。新政府の指導者はリアリストであった。その結果、ベトナムがフランスの植民地になった明治16年には、西欧がどうあがいても日本を植民地にすることはできなくなっていた。

同時代のベトナムには教養を持った人物は少なく、その少ないインテリも科挙の合格をめざして勉強してきたものばかりであった。彼らの頭は朱子学で凝り固まっており、大義名分論を振りかざすしか能がなかった。また、儒教を学んだものの常として、実学をバカにして兵士を下賤な連中と見ていた。それが阮朝に兵士が少なく、かつ士気が低かった最大の原因である。

以上のような条件が重なり、ベトナムはフランスの植民地になり、日本が植民地になることはなかった。

ベトナム人のフランス嫌い

フランスは1887年にインドシナ総督府を設置し、ベトナムはフランスの植民地になった。フランスは英国に比べて植民地の統治が下手だった。その統治は今でもベトナム人の強い反発を招いている。インドは英国の植民地だった。インドはガンジーに代表される人々の抵抗運動の結果、第二次世界対戦後にベトナムと同様に独立を果たしたが、独立後の英国に対する感情はそれほど悪いものではない。インドのエリートの多くがケンブリッジやオックスフォード大学に留学している。インドは英連邦の一員であり、また英語は今でも広く使われている。

同じく英国の植民地であったミャンマーでも、英国に対する感情は概して悪くない。日本でも有名なアウンサンスーチーは、若い時にケンブリッジ大学に留学している。英国は世界情勢をよく見極めて、第二次世界大戦終了直後にインドやミャンマーを独立させた。また、植民地時代も、インドやミャンマーの部族や民族間の争いを巧みに利用して、英国が直接の悪者にならないような方法で統治していた。そんなこともあって、インドやミャンマーの人々は、独立した後に英国をそれほど憎んではいない。

一方、ベトナム人は今もフランスを憎み、かつ嫌っている。その第一の理由は、フランスはホー・チ・ミンが独立を宣言した後に舞い戻って来て、１９５４年まで戦いを続けたことにあろう。フランスがベトナムをなかなか手放さなかったことが、米軍がベトナムに介入する原因になってしまった。フランスはアルジェリアの独立においても泥沼戦争を行い、その結果としてフランスに多くのアルジェリア人が暮らすことになり、かつ現在になってもアルジェリアとの関係は円滑とは言い難い状態にある。フランスは世界史の流れを見据えることが苦手である。

植民地時代にはフランス語を話すベトナム人もいたが、現在は全くと言ってよいほどフランス語は話されていない。よく旅行ガイドブックなどに、ベトナムはフランスの植民地だったので料理が美味しいなどと書かれているが、それは浅薄な見方である。ベトナム料理の多くは伝統的な味付けで、そこにフランスの影響を見ることはできない。バインミーというパンに野菜などを挟んだ名物があるが、食材としてパンを使用しているだけで、その味はベトナム料理と変わるところはない。高級ホテルを除けば、フランス料理を出すレストランも少ない。

付言すれば、ベトナムには中華料理店も少ない。台湾や香港料理の店は存在するが、その数も多くはない。ベトナム人にとって、フランスと中国はその料理を食べるのも嫌なのだろう。

フランスに留学するベトナム人もほとんどいない。フランスからの投資も少なく、貿易も少ない。ベトナム人はヨーロッパに留学する際に、主に英国とドイツを選んでいる。それほどまでにフランスを嫌っている。アフリカでフランスの植民地だった国々では今でもフランス語が話されており、フランスが政治・経済の両面で大きな影響力を持っているケースがあるが、ベトナムに関する限り、フランスの影響力はゼロと考えてよい。

ファン・ボイ・チャウと東遊運動

フランスからの独立運動に関連して、日本人ならファン・ボイ・チャウ（潘文珊、1867－1940年）と東遊《ドンズー》運動について知っておく必要がある。チャウは阮朝の皇族クォン・デ（彊柢）を担いで独立運動を行った活動家として知られる。

彼は1905年に支援を求めて日本にやってきた。日露戦争は1904－05年にかけて戦われたが、日露戦争に勝った日本はアジアの光だった。

ファン・ボイ・チャウは日本の篤志家の援助を得て、科挙に合格した優秀な若者を日本に留学させた。その数は200人以上である。この動きを警戒したフランス政府は、日本政府

フランスからの独立運動を指揮したファン・ボイ・チャウ（潘文珊）（1867〜1940）

に対して留学生を国外に追放するよう要請した。そして日本政府はその要請に従っている。日露戦争に勝利したとはいえ、当時の日本の国力を考えると仕方がない措置であったのかもしれない。ただ、その後に日本がアジア解放を旗印に大東亜共栄圏を言い出しても、ベトナム人がそれを素直に信じることができなかった理由の一つになっている。

もう一つ付け加えたい。それはファン・ボイ・チャウの位置付けである。東遊運動は失敗したとはいえ、チャウは民族の誇りを取り戻すべく活躍した英雄である。その認識は正しいと思う。ただ、現在のベトナム共産党は素直にそのように思っていない。それは独立に際して主導権争いがあったためである。ホー・チ・ミン（胡志明、１８９０-１９６９年）率いる共産勢力が独立を成し遂げたが、ファン・ボイ・チャウの流れを汲む独立勢力も存在した。ホー・チ・ミンはそれらを抑えて共産党政権を樹立したのだが、その経緯は現在でもほとんど明らかになっていない。独立運動とコミンテルンの関係は、現在のベトナムではタブーのようである。

それが原因と思われるが、現在、グエン・フー・チョン政権はファン・ボイ・チャウの顕彰に及び腰である。彼は独立運動家で日本と関係が深い。祖国の偉人であることに変わりないが、それを顕彰することはホー・チ・ミンが行った独立運動を否定することにつながる可能性もあると考えるようだ。

今の上皇陛下が天皇だった2017（平成29）年に、古都フエにあるファン・ボイ・チャウの記念館を訪れて、チャウの子孫と語り合ったことがある。それに先だってグエン・タン・ズン首相が日本を訪問しているが、その際に陛下と面会して、ホイアンの街の話が出たことがきっかけになった。ズンは南部の出身でベトナム共産党員ではあるが、グエン・フー・チョン書記長など北部の共産党員とは微妙に考えが異なる。グエン・タン・ズンとグエン・フー・チョンの違いについては**第1章**で触れたが、ファン・ボイ・チャウを語る場合には、このような認識を持った上で語る必要がある。歴史の中の偉人として無邪気に語ることは、必ずしも現政府との友好の醸成につながらない。

日本の北部仏印進駐

ベトナムの独立は、第二次世界大戦があったからと言ってよい。日本が東南アジアに進攻したことが独立のきっかけになった。だからと言って、日本がベトナムの独立を助けたわけではない。右派論壇やネットでよく言われる「アジアから感謝される日本」のような見方をしていると、ベトナム人の信頼を勝ち得ることはできない。事実の流れをしっかり抑えておく必要がある。

日本は１９４０年に北部仏印に進駐した。この目的はベトナムをフランスから解放することではなかった。当時の日本は中華民国と、日本が「日華事変」と呼んだ戦争を行っていた。華北では延安を拠点にした共産軍と戦うこともあったが、主敵は首都を南京から重慶に移した蔣介石であった。

米国のアジア戦略はいつも同じだ。アジアに強国ができることを嫌う。それは米国がアジアを支配したいからに他ならない。戦前のアジアにおける強国は日本だったので、米国は中国を使って日本の勢いを減じようとした。米国は英国と組んで、重慶に逃げ込んだ蔣介石政府を支援することにした。

ちなみに共産中国ができると米国は安保条約を結んで日本を支援した。それが日本の戦後復興を助けたが、１９８０年代になって日本が経済大国として強い力を持ち始めると、米国は日本を叩き始めた。中国を支援して日本の成長を抑えようとした。

その後１９９０年にバブルが崩壊すると、日本は失われた20年とも30年とも呼ばれる時代になり、すっかり国力を落としてしまった。一方、米国と組んだ中国は奇跡の経済成長を遂

地図5　援蔣ルート

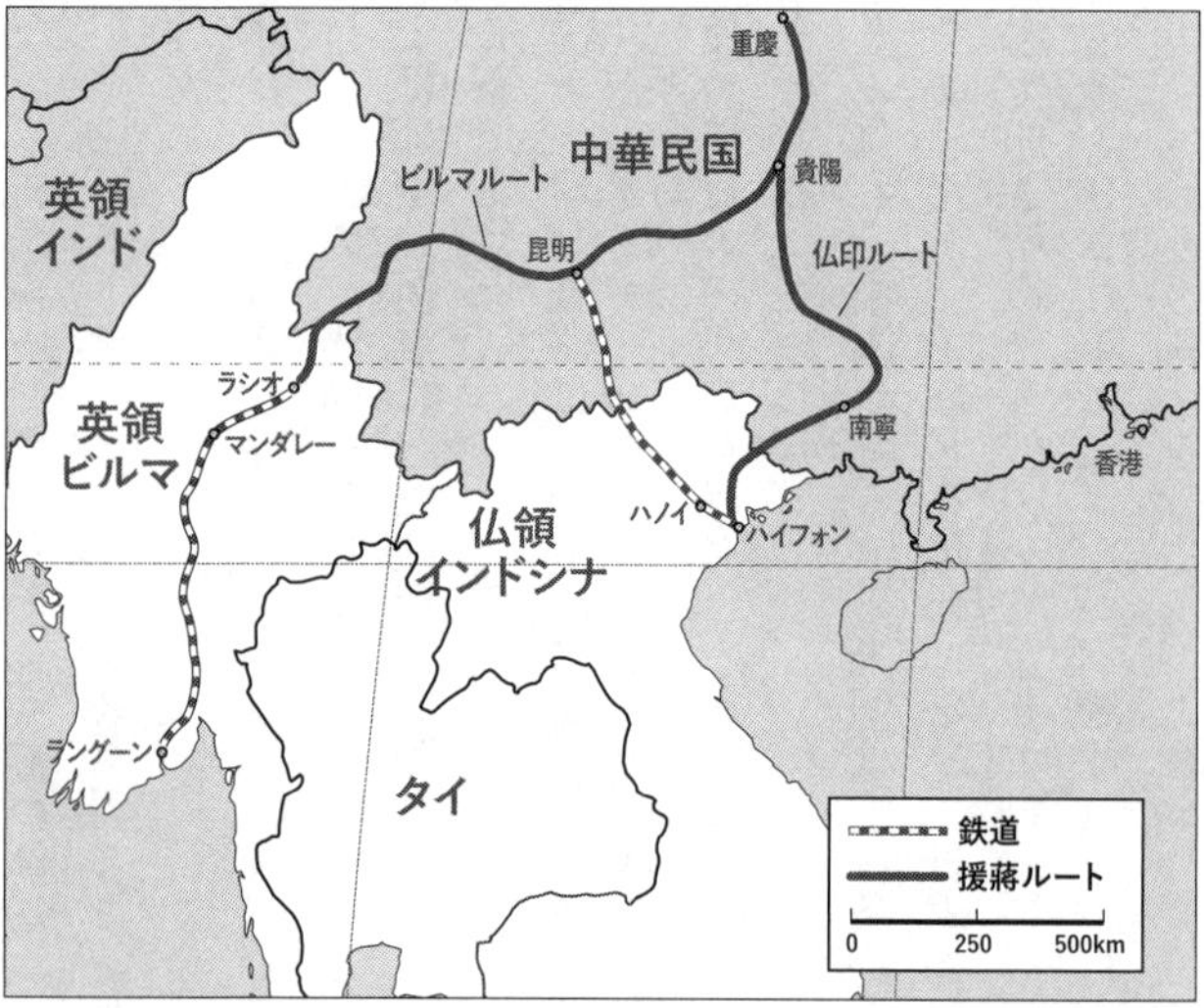

げて、世界第2位の経済大国になった。そうなると米国が中国を見る目が変わった。米国は中国を警戒し、その成長を押し留めようとし始めた。

その動きは2016年にトランプが大統領になると顕在化した。米国は再び日本と組んで中国と対抗する戦略に転じた。その結果として日米関係は良好になり、それに連れて日本経済も回復し始めた。

米国が日本を明確なライバルと認識し、その追い落としを考え始めたのは1980年頃であろう。円高の原因となったプラザ合意は1985年である。それから5年が経過した1990年に日本の不動産バブルが崩壊した。米国はトランプが大統領になった２０１６年頃から本気で中国を敵視し始めた。それから6年が経った２０２２年に不動産バブルが崩壊し始めた。日本と中国は米国の手のひらの上で踊っている。

話を元に戻す。重慶に援助物資を運ぶルートは二つあり、一つは英国領だったインド東部やミャンマーから雲南省を山道で運ぶルート。もう一つはベトナムのハイフォン港から広西チワン族自治区経由で重慶に運ぶルートである。当時も今も物資を山道で運ぶのは大変であり、多くの物資はハイフォン経由で重慶に運ばれた。

日本はその遮断に躍起になった。中国南部、現在の広西チワン族自治区の省都である南寧を占領してみたものの、広い大陸に入ってしまえば援助物資の遮断は困難だった。

そんな日本に朗報が届いた。１９４０年6月にドイツの攻撃によってフランスの首都パリが陥落したのだ。当時、日本とドイツはまだ三国同盟を締結していなかったが、防共協定は存在した。三国同盟の締結は１９４０年9月である。

6月にフランスとドイツとの間に休戦協定が結ばれて、フランスにドイツの傀儡であるヴィシー政府ができた。そのような情勢下で、日本はヴィシー政府に仏印ルートの閉鎖を要求した。それに止まらずに、北部仏印に進駐して重慶に対する援助物資の流れを完全に止めようとした。

日本政府はヴィシー政府との間で交渉を進めて、平和裡に進駐することで合意した。しかし、ベトナムにいるフランスの官僚たちはヴィシー政府を素直に認める気持ちにはなれなかったので、日本軍の進駐に関する交渉は難航し、長引いた。

そのことに参謀本部から派遣されていた富永恭次少将が怒り、現地軍の責任者である西原一策少将を差し置いて、現地軍に軍事行動を促す行動に出た。富永には現地軍を指揮する権限はなかったが、この頃の陸軍では強硬な意見の方が通りやすかった。

このような富永の勝手な行動に怒って、西原が陸軍次官当てに「統帥乱レテ信ヲ中外ニ失ウ」との電文を打ったことは有名である。

ちなみにこのような情勢の中で、7月に三国同盟に反対していた米内光政《よないみつまさ》内閣が倒れて、近衛文麿《このえふみまろ》内閣が成立し、ナチスドイツがヨーロッパ大陸を席巻したことを受けて、「バスに乗り遅れるな」との掛け声と共に三国同盟に突き進んだ。それが米国と戦う原因になってしまったのだが、それには遠くでベトナムも関係している。

富永の行動は天皇の外交大権を侵す行為と見なされて左遷された。しかし彼はその後、陸軍次官に栄転した。これには強行派を好む東條英機の人事だったとされる。富永は、1944年の夏に東條が首相を退くと、フィリピンの航空軍司令官に転出した。富永は、フィリピンに米軍が近づくと多くの特攻機を出撃させたが、その際に富永は特攻隊員に向かって、自分も後から行くからと言って激励して回った。しかし、実際に米軍が迫ってくると、飛行機で台湾に逃げた。このことから悪名が高い。

ベトナムとは直接関係のないエピソードを長々書いたが、どのような人間が出世しやすいか、知っておいて損のないエピソードであろう。

第二次世界大戦下のベトナム

日本は1941年の夏に、東南アジアの資源を確保することを目的に南部仏印進駐を行った。だが、南部仏印にこれといった資源はない。南部仏印進駐の目的は、そこに基地を作り、インドネシアやマレーシアの石油が出る地域を攻略する準備であることは見え見えであった。

それは米国の世論を強く刺激した。日本の行動を放置できないとして、米国は日本に対する石油の禁輸に踏み切った。南部仏印進駐は、あの戦争の導火線になった。

1943年11月に東京で大東亜会議が開催された。これは日本が大東亜共栄圏を喧伝するために開催したものである。東南アジアからはフィリピン、タイ、ビルマの代表が招待された。だが、ベトナムの代表は招待されていない。それは、日本がベトナムをフランスと共同統治していたからである。日本はベトナムを日本の植民地と考えていた。インドネシアとマレーシアの代表も呼んでいない。日本は石油が出るインドネシアとマレーシアを直接統治していた。

日本人なら、あの戦争とベトナムに関連して、もう一つ知っておきたい事実がある。それは、1945年に行われた明号作戦である。

日本はナチスの傀儡であるヴィシー政府と共同でベトナムを統治していたが、ヴィシー政権は1944年6月にノルマンディーに上陸した米軍が8月にパリを開放すると、崩壊してしまった。

1945年になると、ヒトラー率いるナチスの崩壊は誰の目にも明らかになった。日本は新たに作られるフランスの政権と交渉しなければならないが、新しい政権が日本と対立することは明らかであった。そのような情勢の中で、日本は先手を打ってベトナムにいるフランス植民地軍を武装解除させると共に、阮朝の皇帝であったバオ・ダイ（保大、1913-97年）を担いで傀儡政権を樹立した。バオ・ダイは3月11日に独立を宣言した。これまでバオ・ダイはフランスと日本の保護国の王であったが、ここで晴れて独立国の皇帝になった。

ナチスが崩壊して日本も不利な状況になった中で、日本はベトナムに対して大東亜解放を謳って、その心を引き留めるつもりだった。

だが、独立を認める相手を間違ったようだ。既にベトナムの民衆の心は阮朝から離れており、ホー・チ・ミン率いるベトミン（ベトナム独立同盟）が力をつけていた。ベトミンは地下でベトナムを実効支配するようになっていた。戦争末期であり、日本にはとてもそんな余裕はなかったのかもしれないが、本当にベトナム人の心をつかむためであれば、バオ・ダイを象徴的な君主として、ベトミンが実効支配する政権を樹立させるなどの努力をすべきだったのかもしれない。

日本が負けた後に、バオ・ダイは立憲君主制を模索したが成功しなかった。ホー・チ・ミンは共産化を推し進めた。だが、もし日本が明号作戦やバオ・ダイ工作をもっと上手に行っていたなら、戦後の情勢は変わっていたかもしれない。1944年8月にパリが解放された辺りでヴィシー政府の植民地軍を武装解除して、ベトナムを独立させる道はあったと思う。同盟国であるドイツは自国のことで手一杯であり、日本に文句を言う余裕はなかっただろう。

結局、日本が東京湾に浮かぶ戦艦ミズーリの艦上で降伏文書に調印した1945年9月2日にホー・チ・ミンが独立を宣言し、バオ・ダイのベトナム帝国はあっけなく崩壊した。

1945年の夏、ベトナム北部は飢饉に襲われた。その最大の原因は北部の天候不順と考えられる。当時、北部は平年作でもコメが不足し、南部で生産されるコメを船で運んできて食べていた。しかし、1945年になると日本軍は南シナ海の制海権を失い、南部から北部にコメを運ぶことができなくなってしまった。

また、日本軍は米軍がベトナムに上陸してくる可能性に備えて、戦闘用にコメの備蓄を始めた。これらのことが重なり、北部で飢饉が発生した。正確な人数は分かっていないが、50万人から100万人が死亡したとされる。

ベトミンは人心を掌握するために、この飢饉は日本軍とバオ・ダイによる支配が原因と宣伝した。日本軍が飢餓を招いたとする記述は、現在でもベトナムの歴史の教科書に載っている。ベトナム人はその教科書で歴史を習っているから、日本人が知らないところで、日本人に不信感を抱く原因になっている。この事実は知っておいた方がよい。

ただ、ベトナムは中国や韓国とは異なり反日教育を行っていないので、教師がこの部分をことさら強調して教えることはないようだ。そのため、日本でも同じだと思うが、多くの人は歴史教科書の細かい記述など覚えていないので、ベトナム人が1945年の飢饉を話題にすることはまずない。

ただ、勉強のよくできたベトナム人（大人になってそれなりの地位にいる）は、教科書の内容をよく覚えている。何かのきっかけでこの話題が出た際には、事実に基づいた歴史を正確に話す必要がある。謝る必要はない。ベトナムのインテリは中国人や韓国人とは異なる。事実関係を正確に話すことができれば、あなたはベトナム人の信頼を勝ち得ることができる。

第4節　第一次インドシナ戦争とベトナム戦争

歴史の闇に消えた日本兵たち

日本が北部仏印進駐を行った1940年に、ホー・チ・ミンはベトミン（ベトナム独立同盟）を結成し、独立を求めてヴィシー政府や日本と戦うことになった。ベトミンは日本によって独立したベトナム帝国も日本の傀儡政権であり、打倒すべきものとした。1945年8月に日本が降伏すると、バオ・ダイは自主的に退位したが、ベトミンが左傾化すると身の危険を感じてベトナムを去った。ホー・チ・ミンは日本が正式に降伏した日である1945年9月2日に独立を宣言した。

日本軍がベトナムで降伏した際に日本軍の武装解除を行ったのは、ベトミンではない。ポツダム宣言を発した戦勝国たる米英ソ支4か国が日本の武装解除を行った。ベトナムの北部は中華民国軍（蒋介石軍）がベトナムに侵攻して、戦勝国として日本軍の武装解除を行った。ベトナム人は中国軍がハノイに迅速に侵入したことに驚き、それは今でも脅威として語り継がれている。なお南部はイギリス軍が武装解除を行った。

その際に600名から800名の日本兵が、ベトナムの独立を助けるとしてベトミンに加わったとされる。インドネシアの独立に参加した日本兵の話は有名であり、初代大統領スカルノの鎮魂の辞が刻まれた顕彰碑が東京都港区の青松寺にある。スカルノは大の日本びいきとして知られ、何度も日本を訪問し、その際に出会った赤坂の高級クラブのホステスであった日本人女性を第3夫人として迎えた。彼女は今も存命で、「デヴィ夫人」という名前で活躍している。しかし、ベトナム独立に参加した日本兵は、歴史の闇に消えてしまった。

彼らの多くは、1954年のフランス軍との「ディエンビエンフー（奠邊府）の戦い」が終わった後にひっそりと日本に帰国したとされる。これはベトナム労働党（1976年に共産党と改称）が、ベトナムの独立はベトナム人が成し遂げたとの思いから、外国人である日本人の協力があったことを認めたくなかったためとされる。ここにスカルノとベトナム共産党の違いを見る思いがする。

第一次インドシナ戦争の「赤いナポレオン」

日本の降伏後、ベトミンがベトナムを掌握した形になったが、宗主国であったフランスはそれを認めずにベトナムに派兵した。ここに第一次インドシナ戦争が始まった。

第二次世界大戦中にベトミンは中華民国や米国から武器の援助を得ていた。米国は第二次世界大戦が終わるまでは日本に対抗する勢力としてベトミンを支援していたが、戦争が終わるとフランスを援助した、それは、ベトミンが共産勢力であると認識したためである。国際政治とはそのようなものである。

ベトミンとフランス軍との戦いが始まった。フランス軍は都市を掌握したが、ベトミンは農村部に浸透してゲリラ戦を行い、容易に決着がつかなかった。その戦いは１９４５年から１９５４年まで９年間も続いた。

この戦いはヴォー・グエン・ザップ（武源甲、１９１１-２０１３年）という英雄を生み出した。彼は歴史の教師をしていたが、独立運動に身を投じた。彼の妻と従姉妹はフランスによって逮捕されて獄死したとされ、彼は生涯フランスを憎んでいたと言われる。彼は孫子の兵法などを独学で勉強して、素人集団のベトミンの中において特異な存在になった。ザップは特にゲリラ戦の指導に優れており、フランス軍から「赤いナポレオン」と恐れられた。

独立戦争の総司令官ホー・チ・ミン（胡志明、1890〜1969）（右）と参謀長ヴォー・グエン・ザップ（武源甲、1911〜2013）

総司令官ホー・チ・ミンと参謀長ヴォー・グエン・ザップのコンビを有名にしたのは、1954年に行われた「ディエンビエンフーの戦い」である。紅河デルタでのゲリラ戦に疲れたフランス軍は、いったんラオス国境の山岳地帯に逃れて戦線を立て直そうとした。ディエンビエンフーの盆地であり、旧日本軍が作った飛行場があった。それを利用すれば、制空権を有するフランス軍は補給に困らない。そう考えての戦略的撤退だった。

フランス軍は周辺の山が天然の要害になると考えて、盆地であるディエンビエンフーを選んだ。だが、ザップはそれを逆用した。大砲を分解して弾薬と共に山に担ぎ上げることを考えた。素足に近いベトミン軍兵士がそれに従事したが、彼らの士気は高く、その困難な任務を完遂した。それはフランス軍の想像を超えていた。

1954年3月に総攻撃が始まったが、盆地を囲む山に大砲を据えたベトミン軍は強かった。フランス軍の陣地は次々と奪われて、最後は飛行場を使用することもできなくなってしまった。補給を断たれたフランス軍は5月に降伏した。これが契機になって、フランスはベトナムと和平交渉に応じることにした。7月にジュネーブ協定が結ばれて、第一次インドシナ戦争が終結した。

南ベトナムの政治情勢

ジュネーブ協定の結果、ベトナムは暫定的に北緯17度線で分断された。北はベトミンが統治したが、南には阮朝のバオ・ダイを皇帝に据えた実質は米国の傀儡政権が作られた。ジュネーブ協定では協定発行から2年以内にベトナム全土で選挙を行い、その結果を受けて南北を統一することになっていたが、南側はそれを守らなかった。選挙をすれば全国的なヒーローになっていたホー・チ・ミン率いる北側が勝利すると考えたからだ。

米国は南側の指導者にゴ・ディン・ジェムを選んだ。ジェムは阮朝の名門の出身であり、ジェム自身も一時バオ・ダイに仕えていた時がある。その後、日本の統治下で政府の要職に留まることを嫌い、海外で生活していた。彼はキリスト教徒であった。

ベトナム共和国初代大統領ゴ・ディン・ジェム（1900～63）

ゴ・ディン・ジェムは就任2年後に国民投票を行って、帝政から共和政に変えた。そして自身が大統領になった。1956年、バオ・ダイはフランスに亡命した。これで名実共に阮朝が終焉した。

それにしてもバオ・ダイは数奇な人生を生きた。フランスの植民地の傀儡皇帝として即位し、その後、フランスと日本の共同統治下でも皇帝、第二次世界大戦末期には日本軍に引っ張り出されてべトナム帝国の皇帝に据えられた。その後、ベトミンが来ると海外に逃亡し、戦後、帰国すると、また米国に引っ張り出されて南ベトナムの皇帝になった。そして最後は国民投票の結果としてフランスへの亡命を余儀なくされた。

全国統一選挙を拒否したゴ・ディン・ジェム政権は安定しなかった。南ベトナムの人々がジェムを米国の傀儡と見たからだ。汚職も絶えなかった。誰もジェムを信頼しなかった。ジェムの写真を見ると、「ホーおじさん」と呼ばれて清貧を売り物にしていたホー・チ・ミンとの違いがよく分かる。名門の出身で外国暮らしが長かった男は、事業で成功したビジネスマンのように見える。貧しかった当時のベトナムで、このような男に人望が集まるわけはない。

南で反政府運動が盛んになった。ゴ・ディン・ジェム政権はそれを武力で弾圧した。弾圧を担当した秘密警察の長官は、彼の弟のゴ・ディン・ヌーだった。1960年に「南ベトナム解放民族戦線（ベトナムコンサンダン＝通称ベトコン）」が結成されたが、ベトコンは武力で政府に抵抗した。南は戦場になった。

そのような状況に対して1963年6月に仏教僧が焼身自殺をして抗議する事件が発生した。その映像は世界に大きな衝撃を与えた。その時に、秘密警察長官の妻であるマダム・ヌーが「あんなのは坊主のバーベキューよ」とテレビで発言した。それは広く世界に報道されて反感を招いた。多くのベトナム人の憤激を誘った。

それ以前から米国はゴ・ディン・ジェムの統治能力に疑問を抱いていたが、これがきっかけになってジェムを抹殺することに決めた。1963年11月に南ベトナムで軍事クーデターが起きた。ジェムと弟は殺害された。マダム・ヌーは危ういところを逃れて、その後パリに亡命して、2000年に亡くなった。

ベトナム戦争とケネディ大統領暗殺をめぐる噂

このことに関連して、ケネディ大統領について書かなければならないことがある。彼は米国だけでなく日本でも人気があり、彼の娘が日本大使になった時には大いに話題になったものである。

ベトナム戦争を始めたのは明らかにケネディである。彼は前任者であるアイゼンハワーの対外政策を引き継いだ。それは「ドミノ理論」とも言われ、東南アジアで1国が共産化すると、周辺国もドミノ倒しのように共産化するというものであった。ケネディの時代にはキューバ危機があり、冷戦から熱い戦争に発展するかもしれないと思われるほど、米ソの対立は激化していた。

ケネディ政権は、南ベトナムに送る軍事顧問の数を飛躍的に増やした。一方で、ケネディがベトナム戦争の出口を模索していたのも確かだったとされる。

だが、ゴ・ディン・ジェムの殺害から3週間後にケネディも暗殺されてしまった。ケネディの後を継いだジョンソン大統領の時に、ベトナム戦争はエスカレートした。そして泥沼化した。そのためケネディ神話が作られることになった。それは次のようなストーリーになっている。

……ケネディは、これ以上ベトナムに介入しても無駄と思い始めていた。そのためにまず民衆の反感を買っているジェム政権を打倒して、もっと民衆から支持される政権を作る。その政権に北と交渉させて、米国の軍事顧問団を平和裡にベトナムから撤退させる。

しかし、それでは米国の軍産複合体は武器が売れなくなってしまう。そこで彼らは、ケネディを暗殺して副大統領のジョンソンを大統領にすることを考えた。ジョンソンは大統領に就任すると軍産複合体の意を汲んで、ベトナム戦争を拡大させた。ジョンソンはケネディを暗殺したグループの一味だった。だから彼の下で行われた暗殺の真相解明は、中途半端なものにならざるを得なかった……。

これは、今でもそれなりに信じられているストーリーである。陰謀論の一つと言ってよい。たしかにジョンソン大統領になってベトナム戦争が一層拡大したので、この話は一定の説得力を持つ。ケネディが生きていれば違った選択になったはずだと、多くの人々が思う気持ちも理解できなくもない。

この話が本当かどうかは、今となっては米国版の「千載不決の議」であろう。ただ、ケネディがベトナム戦争を始めたことは事実である。その一方で、ケネディがジェムの殺害後に軍事顧問団の引き上げを考えていたかどうかは分からない。

その当時、ソ連の力は強く、また西側でも「スチューデント・パワー」と言われた左翼的な学生紛争が多くの国で起こっていた。左翼が強い時代であった。そのような状況の中で、米国が「ドミノ理論」に傾倒し、ベトナムが共産化すれば東南アジア全域が共産化してしまうとの危機感を持っていたことは理解できる。それはケネディの意思を超えていた。

ケネディ自身も、キューバ危機で戦争をも辞さない強硬な姿勢を貫いたように、共産主義が世界に広がることに危機感を抱いていた。歴史においてＩＦを話してもあまり意味はないが、ケネディが暗殺されなくても歴史は同じような道を辿った可能性が高い。

マクナマラ米国防長官の誤算

ベトナム戦争については数多くの本が出版されており、ここでその詳細を述べることはないが、トンキン湾事件についてだけは述べておく。トンキン湾事件とは、１９６４年８月、ベトナム北部のトンキン湾で、米国の駆逐艦マードックが北ベトナムの魚雷艇から攻撃を受けたとされる事件である。

この事件の真相はいまだに不明である。そもそもマードックは攻撃を受けていないにもかかわらず、攻撃を受けたと報告したとする説すら存在する。

だが、事の本質はそこではない。この事件を受けて、米国議会がベトナム戦争への本格的な介入を決めたことに本質がある。

米国は明らかにベトナムに介入したがっていた。それが冷戦下の米国の民意だった。この種の軍による挑発や偶発事故は戦争の端緒になるが、多くの国民がそれを望んでいない時は、このような方法で軍が導火線に火をつけても、それはすぐに消されてしまう。これを契機にベトナム戦争がエスカレーションしたのは、多くの米国民がベトナム戦争を拡大したいと思っていたからに他ならない。

ケネディが大統領であったら、戦争はここまで拡大しなかったとの説が米国で根強いとしたが、筆者はベトナム戦争が悲惨な結果に終わったために、ケネディ神話が語られているに過ぎないと思っている。

ベトナム戦争を泥沼に導いた張本人としてマクナマラの名前が上がる。彼はケネディ大統領とジョンソン大統領の下で国防長官を務めた。マクナマラはフォード自動車が倒産しかけた際に同社の業績を数学的手法(現在ＭＢＡコースで教えられているような手法)で立て直して、創業者一族以外で初めて社長に抜擢された人物である。その才能を買われてケネディ政権に国防長官として迎えられた。就任時はケネディより1歳年上の44歳だった。

筆者は、マクナマラの経営学的な手法はベトナムに通用しなかったと考えている。マクナマラは経営学でベトナムの問題を解こうとした。彼はベトコン１人を殺すのにいくらかかるか計算して、そのコストの低減に心を砕いたそうである。

このような人物を国防長官に抜擢したのはケネディである。このような経緯を考えても、ケネディだったらベトナム戦争を泥沼化させなかったとは言い切れないと思う。当時の米国人はベトナムの歴史やそこに住む人々の心には関心がなかった。ただ冷戦の最前線、共産主義拡張を押しとどめる砦としてベトナムを見ていたに過ぎない。米国は戦争が泥沼化して、初めて失敗に気がついた。

米国の心を折ったテト攻勢

ベトナムでは旧正月を「テト」と呼ぶ。テトはベトナム人にとって重要なイベントであり、人々は長期休暇を取って故郷に帰り、親族と共に新しい年を迎える。人々はテトを心待ちにしている。

１９６８年のテトに共産勢力は大攻勢をかけた。これを「テト攻勢」と呼ぶ。テト攻勢は旧暦の元日である１月30日の未明から始まった。サイゴンでは米国大使館が長時間にわたって共産ゲリラに占拠された。その後、占拠した共産側兵士は全員が戦死したとされる。

日本における「あの戦争」の沖縄戦の際に、日本軍の兵士が爆撃機に乗って沖縄の米軍飛行場に突っ込み強行着陸して機外で戦い、空港を混乱に陥れた後に全員が玉砕した義烈空挺隊を思わせるものがある。決死隊である。共産側兵士の士気はそれほど高かった。

米国大使館での戦闘シーンはニュースとして全世界に配信された。米国民は大きなショックを受けた。ジョンソン政権はベトナムに兵士を増派し続けて、北爆も行っていた。エスカレーションである。マスコミが発達した米国であるから、米国人はいろいろな情報ソースからベトナム戦争が政府の発表ほど上手くいっていないことは知ってはいた。それでも人々は政府にそれなりの信頼を置いていた。しかし、テト攻勢の映像が流れると、政府の発表が嘘であることが白日の下に晒された。

ジョンソン大統領は次の大統領選挙に出馬しないことを表明した。筆者はその時に中学生であり、テレビで米国大使館周辺における戦闘のシーンを見た記憶がある。ジョンソンが次の大統領選挙に出馬しないというニュースを聞いた時に、筆者の父親は筆者に次のようなことを話した。それは今でもよく覚えている。

「米国もジョンソン大統領も偉い」

テト攻勢を受けて、ウェストモーランド（ベトナム派遣軍総司令官）がもっと兵士を送ってほしいと言った時に、ジョンソンは「増派はしない。あなたはクビだ。そして私も辞める」と言った。なかなか言えることではない。

日本は米国と戦う前に、昭和12（1937）年から中国と戦っていた。その戦いは泥沼になり、日本は増派につぐ増派を行い、最終的には100万人もの兵士を中国に送った。だが中国は広い。あの戦いは100年間やっても勝てなかっただろう。それでも日本の指導者たちは責任を取りたくないから、中国からの撤兵を最後まで言わなかった。

その父の言葉は今でも覚えている。父はあの戦争において、中国戦線で兵士として4年間戦った。

中国へのキッシンジャー外交の真の目的

次の大統領はリチャード・ニクソンになった。彼の任務はベトナムからの撤退である。ニクソンはキッシンジャーを国家安全保障担当の大統領補佐官に任命した。キッシンジャーはニクソン大統領の下で、ベトナムから名誉ある撤退をするための戦略を立案して大統領に助言した。日本ではキッシンジャーは稀代の戦略家と考えられており、彼に対する評価は高い。だが、ベトナムでは彼は嫌われ者である。

ベトナム戦争を終結させるために、キッシンジャーは中国をベトナムから切り離すことを考えた。ベトナム戦争は東西冷戦における代理戦争であり、ソ連、中国などの共産陣営と米国を中心とした西側がベトナムで火花を散らす。そんな位置付けだった。

歴史的に中国とソ連は仲が悪い。その原因の一つが清朝と帝政ロシアと結んだアイグン条約（1858年）や北京条約（1860年）にある。これらの条約によって沿海州はロシアのものになってしまった。だが、中国は今でも心の中で沿海州は中国のものだと思っている。中国はロシアの南下政策によって領土を掠め取られてしまったとの思いが強い。このことは「中国の夢」について述べた部分にも書いた（**137ページ**参照）。

両国は共に社会主義国（現在ロシアは社会主義国ではないが、権威主義的な体制であることは同じ）ということで、傍からは仲が良いように見えるが、それは皮相な見方である。毛沢東は1949年12月にスターリンの70歳の誕生日を祝うためにソ連を訪問したが、その頃から中国とソ連の中には亀裂が生じていた。ソ連は中華人民共和国ができるまでは中国を支援していたが、統一されると中国を危険なライバルと見るようになっていた。それは長い国境線を有する国同士の地政学的な宿命であろう。その後、両国の関係は、1969年3月に珍宝島（ダマンスキー島）において銃火を交えるまでに険悪化していた。

キッシンジャーは1971年にニクソン大統領の密使として中国を訪問して、米中和解への道筋をつけた。当時、日本では米中国交回復が大きな話題になり、またもや三国同盟の時のように「バスに乗り遅れるな」とばかりに日中国交回復への機運が高まり、翌年には日中の国交が回復された。日本中がパンダ外交に沸いた。

米中の国交が正常化したのは1979年だから、日本がキッシンジャー訪中を受けて、いかに迅速に国交を回復したかが分かる。それが米国とキッシンジャーの機嫌を損ねたことは確かなようだ。米国は田中角栄を危険人物と見るようになった。それが後のロッキード事件につながったという見方もある。この辺りのことについては陰謀論の域を出ない部分も多い。だが、より大きな視点に立って考えてみると、歴史的に米国は日本と中国が仲良くなることを望んでいない。パンダに沸いた日本はそれに気づかなかった。日本で常に繰り返される「国際感覚」の欠如である。

キッシンジャーは中国と和解することが目的ではなかった。ベトナム戦争を終わらせることが目的だった。中国と北ベトナムを切り離したかっただけだ。本書に書いたように中国とベトナムは仲が悪い。マクナマラは中国と北ベトナムは同じ共産主義国で仲が良いと思っていたが、キッシンジャーは、両国は仲が悪く、米国が上手く立ち回れば両者を切り離すことができると考えた。

キッシンジャー訪中後に中国から北ベトナムに対する支援は減った。北ベトナムは中国に対して不信感を強めた。中国共産党は世界革命のために北ベトナムを支援するはずだ。北べトナムの共産主義者はそのように考えていたが、そんな北ベトナムの共産主義者は青臭い。歴史が証明しているように、中国はベトナムを仲間とは考えていない。中国にとってベトナムは下僕であり、国際戦略においては駒でしかなかった。北ベトナムの共産主義者が現実を思い知らされた瞬間だった。

今でもベトナムはソ連（ロシア）に恩義を感じている。それは中国がキッシンジャー戦略にまんまと乗ってベトナムを裏切った後でも、ソ連が支援してくれたからだ。困った時の友が真の友である。

ウクライナ戦争に関して、ベトナムはウクライナにもロシアにも恩義があるので中立を守っているが、その一方でロシアを非難する宣言には賛成していない。またウクライナ戦争でロシアの武器が役に立たなかったことを知っても、武器の購入先をロシアから他国に移そうとはしていない。もちろん、水面下ではいろいろな話を聞くが、表立ってロシアを蔑ろにする行動には出ていない。

キッシンジャーの活躍によって中国という後ろ盾を失ったベトナムは、１９７３年にパリ講和を受け入れた。その交渉の最中に、米国は交渉を有利に運ぶためにハノイを猛烈に爆撃した。これは日本人として記憶しておくべきことであろう。パリで交渉をしている最中にハノイを爆撃して、北ベトナムから譲歩を引き出そうとしたのだ。米国のやり方は野蛮である。

広島・長崎に原爆を落として降伏を迫ったのと同じ発想である。ただ、日本とは異なり、北ベトナムは猛烈に反撃した。北ベトナムはこのような米国のやり方を予期していたようで、ソ連から新型の対空ミサイルを大量に導入していた。

米軍はタイとグアムからB52爆撃機を飛ばしてハノイを爆撃したが、北ベトナムはミサイルで迎撃した。米軍は北ベトナムの迎撃を舐めていた。ソ連製のSAMミサイルは強力だった。ミサイルによって多くのB52が撃墜された。ベトナム側発表と米軍の発表が異なるために、何機撃墜されたのかいまだに不明であるが、あまりに撃墜される爆撃機が多いので、米軍の搭乗員が出撃を嫌がったなどといった報道があったくらいである。これをベトナムは「空のディエンビエンフー」と呼んでおり、今も誇らしい記憶になっている。

米軍の撤退とベトナム戦争の終結

パリ講和では北ベトナムと南ベトナムの国境線は、1954年のジュネーブ協定を遵守すると謳われた。それだけ決めて、米軍はそそくさとベトナムから撤退した。ニクソン大統領が言う「名誉ある撤退」である。

米軍が去った後、ジュネーブ協定が定めるように南ベトナム政府と北ベトナム政府が共同で総選挙を行うことになったが、今回もそんな約束は紙に書いておいただけである。そもそも南ベトナム政府はパリ協定に反対だったので、米軍が撤退した後も南ベトナム政府軍とベトコンの戦闘は散発的に行われていた。

その2年後の1975年3月10日、北ベトナム軍は突如南に侵攻した。これはパリ講和違反とも言える行為だが、そもそもパリ講和は、米軍が撤退中に背後から撃たれることを避けるためのものだったから、米国は米軍が撤退した後のことはどうでもよかった。米国はいずれ北が侵攻してくると考えていたが、それはそれで仕方がないと思っていた。

北の南への侵攻は大激論の結果だった。侵攻すれば米軍が戻って来るかもしれないからだ。しかし地上軍が戻って来る可能性は低いと判断した。米軍の爆撃によって大きな被害を被るものの、地上軍が戻って来ないのであれば統一は可能と考えた。北は決死の覚悟で南に侵攻した。

それはあっけなく成功した。北が本格的に侵攻し始めると、国境付近の街はすぐに北ベトナム軍の手に落ちた。南のグエン・バン・チュー大統領は必死で米国に援軍を依頼したが、米国はゼロ回答だった。爆撃もしなかった。そのことが分かると南ベトナム軍は総崩れになった。

その戦いの末期のエピソードは、現在の南と北の関係を知る上で重要である。北ベトナム軍がサイゴンに迫ると、チュー大統領は4月21日に辞職して米国に亡命した。チャン・バン・

ホンが次の大統領になるが、北は彼を認めなかったので、ズオン・バン・ミン将軍が最後の大統領になった。彼は良識派の将軍としてベトナム人にそれなりの人気があった。

4月30日にミン将軍は大統領官邸にいた。そこに先兵隊の戦車が大統領府の門を倒して侵入してきた。これはサイゴン陥落を象徴するシーンであるが、今日見ることができる映像は、後に撮り直したものとされる。

先兵隊の隊長らはミン将軍がいる大統領執務室に乱入した。ミン将軍は、

「政権をお渡しするために、お待ちしていた」

と静かに告げたが、先兵隊の隊長（おそらくは大尉程度と思われる若者）は、

「あなたは政権など持っていない。したがって渡されるものなど何もない」

と言い放ったそうだ。

ミン将軍は北ベトナムが作成したミン自身を「アメリカの傀儡大統領」とする屈辱的な降伏声明をラジオで読み上げさせられた。ここに長かったベトナム戦争が終わりを告げた。そして、北によるサイゴンの高圧的な占領が始まった。

ここに書いたことは、今日の南北関係を理解する上で、欠かせないエピソードである。

第5節　カンボジア侵攻と中越戦争

西沙諸島の戦い

南シナ海の領有に関する問題はいろいろなメディアで語られているので、ここでは概略に留める。重要なことは、この問題を中国共産党や習近平の問題とすることができないことである。それは中華民族の意志に基づく問題であり、根が深い。南シナ海を中国の領海とする考えは1947年に中華民国が打ち出しており、中華人民共和国ではない。このことから分かるように、中国共産党が政権の座から降りても、この問題は続くことになる。

日本は中国と海を隔てており、その間に朝鮮半島があったために、歴史的に中国との付き合いが薄い。だから、日本人は常に中国を見誤る。

日本では中国が好きか嫌いか、アンケート調査が行われることがあるが、ベトナムでそのようなことが行われたことはないだろう。常に中国を嫌っているからだ。時によって変化することはない。それはベトナム以外の東南アジアの大陸部に住む人々も同じであると思う。長く中国と国境を接してきた国々は、少々のことで中国に対する感情は変わらない。恐れると共に嫌っている。ミャンマーなどには多くの華僑が住むが、東南アジアの人々は華僑も嫌いである。そんな気持ちを抱きながら共存している。

中国人は東南アジアに住む人々を「南蛮」と呼んで、太古の昔から蔑んできた。最近、日本では言葉狩りが流行っているが、「南蛮」も言葉狩りの対象にすべきだと思う。日本人を意味する「東夷」もそうだ。

中華民国が南シナ海の大部分を領海としたことは、その頃になって中華民族が近代的な感覚に目覚めて、領土だけでなく領海も重要だと考え始めたからだろう。南シナ海は中国に近い。それならそこは南蛮のものではなく中国のものである。そんな発想から「牛の舌」などと呼ばれて、明らかに無理筋に思える海域でも、中国の領海としたのだと思う。そこには東南アジアに対する蔑視がある。

一方、東南アジアの人々は「牛の舌」の形状から、中華民族が自分たちを蔑視してきた歴史を思い出すために余計に腹が立つ。だから民族感情がぶつかり合う。話し合いによって解決できる問題ではない。

ベトナムに関連して、次の二つについてのみ触れる。

一つには１９７４年に中国と南ベトナムとの間で起きた西沙（パラセル）諸島の領有をめぐる問題である。そこでは中国軍と南ベトナム軍が戦った。その結果として、中国が西沙諸島を実効支配することになった。当時、北ベトナムと南ベトナムはパリ講和の結果として休戦中であり、既に米軍は南ベトナムから撤退していた。その間隙をついて中国軍が西沙諸島の実効支配を狙った。

キッシンジャー外交の結果として、中国と北ベトナムの間には隙間風が吹いていたが、それでも北ベトナムは、米国と対峙する上で中国はソ連と並ぶ重要な後ろ盾だと思っていた。北ベトナムにしてみれば、南北統一の前に中国が西沙諸島を実効支配したことは裏切り以外の何ものでもない。それは1979年の中越戦争を予感させる出来事と言える。

もう一つは、1988年に起きた南沙（スプラトリー）諸島を巡るスプラトリー海戦である。ベトナム海軍が南沙諸島のジョンソン南礁の測量を行っていた際に、中国のフリゲート艦が環礁に近づき、測量を行っていた工兵に発砲した。この戦いで、ベトナム人32名が亡くなり、3人が捕虜になった。ベトナムは測量をしていただけなのに一方的に攻撃を受けた。これはベトナム側の主張である。

スプラトリー海戦については、中国側もベトナム側も自国に都合のよい発表しか行っておらず、かつ情報の量も少ないために、その真相は闇の中である。ただ、負けたベトナム側は、ニャチャンにこの事件を記憶するための博物館を建設して、今も怒り続けている。

中国は西沙諸島とは異なり、南沙諸島のすべてを実効支配しているわけではない。ベトナムだけではなく、フィリピン、マレーシア、インドネシアもいくつかの島を実効支配している。そのためにこの問題は複雑である。南沙諸島周辺の海域には良質なガス田や油田があるとされ、このことも中国と東南アジア諸国が南沙諸島の領有に対して一歩も引けない理由になっている。

南沙諸島では、ベトナムは中国に一方的にやられているわけではない。その一部で埋め立て工事を行っている。これは軍事機密であり詳細は不明だが、海底油田の探査も行っているようだ。このような状況にあるために、南沙諸島は今後もその領有を巡って問題が発生し続けることになろう。

ボートピープル

さて、北ベトナムはサイゴンを占領すると、南ベトナム政府に協力した人々を弾圧した。弾圧を逃れるために120万人とも言われる人々がベトナムを去った。その多くがボートで近隣諸国に逃れたために「ボートピープル」と呼ばれた。サイゴンのチョロン地区には南ベトナム統治下において華僑が90万人ほど住んでいたとされるが、1980年ごろにはその人口は10万人程度にまで減少してしまった。

「はじめに」でも書いたが、ボートピープルと次に述べるカンボジア侵攻は、日本において

「ベトナム戦争は米国が起こした帝国主義戦争である」と考えていた人々に大きな衝撃を与えた。

ベトナム戦争が行われていた時代に、「ベトナムに平和を!市民連合（ベ平連）」は広く市民の共感を集めていた。その中心的な指導者であった小田実氏は時代の寵児だった。しかし、ポル・ポト派のカンボジア侵攻が始まると、日本の左翼陣営は混乱した。米帝と戦ったベトナムも、また民族主義者であり帝国主義的であったからだ。

筆者は小田実氏やベトナム戦争に反対した人々を非難する気にはなれない。それが時代の雰囲気だったからだ。ただ今日になってみると、彼らの歴史に対する理解は浅薄であったと思う。マルクス主義や進歩史観だけで世界を語ることはできない。

いつしか日本の言論界では、ベトナム戦争に言及することはタブーになってしまった。それが日本人のベトナムに対する関心の低下につながった。大学でベトナムについて研究しようと思う若者が減った。その結果として研究者の層が著しく薄くなってしまった。

近年、ベトナムからの労働研修生などが増え、また「チャイナ・プラス・ワン」などという言葉と共に企業の進出先として注目を集めるようになっても、参考になる図書が著しく不足している。ベトナム戦争中は多くのジャーナリストがベトナム報告などを書いていたが、今は学術界だけでなくジャーナリズムの関心も低下している。筆者がこの本を執筆しようと考えた理由である。

ポル・ポトの大虐殺とカンボジア侵攻

ベトナム戦争も遠い過去の出来事に思える。しかし、これから述べる中越戦争は過去の話ではない。それはベトナム人の心の中で今も続いている。中越戦争を語るには、まずカンボジア侵攻について語る必要がある。

第3節で述べたように、ベトナムはカンボジアと近い文明を持っていたチャンパ王国を滅ぼして南進した。そんな歴史があるので、ベトナムとカンボジアは仲が悪い。アンコールワットを作ったクメール王朝はチャンパとは別だが、現在のカンボジアの源流にあたり、アンコールワットの遺跡はカンボジアの紙幣のデザインにも取り入れられている。クメール王朝は東南アジア大陸部の多くを支配下に置いていたが、今のカンボジアは東南アジアの中で経済開発が遅れた国になってしまった。

その理由の一つはポル・ポト政権が行った言語に絶する蛮行にある。それを語るにまずノドム・シアヌーク（1922‐2012年）について語らなければならない。

シアヌークはカンボジアの王族であり、1941年にカンボジア王に即位した。シアヌークは王様でありながら左翼思想に理解を示す、ちょっと変わった人物だった。経済だけでなく文化・文明の点でも遅れていたカンボジアでは、そのような変わった王様の存在が許されたのかもしれない。ベトナム戦争が行われている最中も、シアヌークは共産勢力に同情的だった。

米国はそんなシアヌークを見限って、1970年にロン・ノル将軍にクーデターを起こさせた。シアヌークは国外に追放され、文化大革命の真最中の北京に亡命した。

しかし、ロン・ノル政権は長く続かなかった。米国がベトナム戦争を遂行するために作った政権であったからだ。ベトナム戦争が終われば必要ない。米国はカンボジアに興味はなかった。1975年にサイゴンが陥落すると、ロン・ノル政権はすぐに崩壊した。

その後をポル・ポト率いるクメール・ルージュが武力で掌握した。ロン・ノルはかろうじて逃げることができたが、政権を支えていた多くの人々がクメール・ルージュによって殺害されてしまった。

その後のポル・ポトは、カンボジアを原始共産社会に戻そうとして、むちゃくちゃな政策を行った。当時のカンボジアの人口は約700万人だったが、クメール・ルージュによってその約4分の1の170万人から200万人が虐殺されたとされる。

カンボジアにはベトナム系カンボジア人も多く暮らしていた。彼らはベトナムと交易を行うなどして、一般のカンボジア人（クメール人）よりも豊かな暮らしをしていた。ベトナム系カンボジア人が経営する企業で働くクメール人も多かった。そんな経緯もあってクメール人はベトナム人に良い感情を持っていなかった。

ベトナム系カンボジア人はクメール・ルージュの虐殺の格好のターゲットになった。ポル・ポトはクメール人が持つベトナム人に対する劣等感を煽って、ベトナム人を真っ先に虐殺した。

ベトナム政府はベトナム系カンボジア人の救済を名目にカンボジアに侵攻した。1978年12月のことである。その真の目的は、名分如何に粉飾するといえども、ベトナムの帝国主義的な野心にあったと言ってよいだろう。ベトナムはカンボジアを支配したいと考えていた。それは歴史の中で南進を続けたキン族の気持ちであった。

ベトナム、カンボジア、ラオスがフランスの植民地であった時代に、フランスはこの感情を巧みに利用してベトナム人を使ってカンボジアを統治した。そんなこともあって、ベトナム人はカンボジア人に対して優越的な感情を持っていた。

ベトナム軍は首都プノンペンを陥落させて、カンボジアにヘン・サムリン政権を樹立した。その侵攻に27歳の青年が救国民族青年協会の会長として参加していた。後のフン・セン首相である。現在はその息子であるフン・マネットがカンボジアの首相になっている。フン・センとその息子は中国からの援助で政権を維持しているが、大本を辿ればベトナムの後押しで政権を樹立した。

それまでもベトナムはポートピープルに関連して国際社会から非難を受けていたが、このカンボジア侵攻はその非難を決定的なものにしてしまった。ベトナムは国際社会から孤立した。

中越戦争

中国はポル・ポト政権を支持していたが、ベトナムがポル・ポト政権を崩壊させてベトナムの意のままになる傀儡政権を樹立した。それに中国は怒った。ベトナムはまた中国の動きを見誤った。歴史は繰り返されたと言ってよい。

1979年2月17日、中国軍約30万人が中越国境からベトナムに侵攻した。レ・ズアン共産党書記を中心としたベトナム指導部は、中国軍が攻めて来るとは思っていなかった。

当時ベトナム軍は主力をカンボジアに派遣しており、北部は手薄だった。ベトナムの指導部は、1978年に鄧小平が実権を握ったことを軽視していた。この本をここまで読んだ人は分かると思うが、強い皇帝が現れた時に中国はベトナムに侵攻する。そして鄧小平は強い皇帝であった。

一般的には、中国のベトナムへの侵攻は、ベトナムのカンボジア侵攻を止めさせるためと解釈されている。しかし、現在ベトナムの知識人は、鄧小平が軍権も含めて全権を掌握したことを、中国の民衆に周知させるために行った行為と考えている。皇帝は自らが強い皇帝であることを民衆に知らしめる必要がある。そのためには大軍を動かして、近隣を征服してみせることが手っ取り早い。

漢の武帝、後漢の光武帝、北宋の大宰相王安石、明の永楽帝、清の乾隆帝、これら中国史の偉大な皇帝や宰相は、自身が軍権を掌握していることを示すためにベトナムに攻め込んでいる（王安石は攻め込もうとした）。中国にとって南蛮の小国であるベトナムなどどうでもよい存在であるが、そこに大軍を出すことによって、自身が軍権を完全に掌握していることを民衆に示すことができる。

鄧小平は、毛沢東の遺言で後継者になった華国鋒《かこくほう》を追い落として実権を手に入れた。だから、実権を握ったことを国民に周知させる必要があった。その格好の口実がベトナムのカンボジア侵攻であった。現在、ベトナムの知識人たちは、鄧小平の思惑に考えが及ばなかった当時の指導者は迂闊であったと考えている。

中国軍はハノイをめざして侵攻した。ベトナムと中国との国境はハノイの約２００㎞北にある。おそらく鄧小平は、長くても１か月程度でハノイを陥落できると考えていたようだ。

歴史を振り返れば、乾隆帝、永楽帝、そしてモンゴル軍も侵攻して、それほど時間を置くことなくハノイを陥落させている。鄧小平はハノイを陥落させても長く占領するつもりはなかった。ハノイを占領したという実績を示して、ベトナム指導部に譲歩を迫るつもりだった。

しかし、中国軍はベトナム軍に阻まれて、国境から数十キロの地点までしか進軍できなかった。中国が攻めてきたとの報告を受けて、ベトナムは軍の主力をカンボジアから北部に転戦させた。しかし、重火器の移動には時間がかかる。そのために当初、中国軍と戦ったのは北部に残っていた残留部隊と、緊急に招集した予備役だったとされる。

それでも中国軍は苦戦した。ベトナム兵は予備役と言っても、直前までベトナム戦争を戦っていた熟練した兵士であり、また祖国防衛戦争ということもあって士気が高かった。実戦経験豊富なベトナム兵は、特に下級将校や下士官が優れており、戦闘が起こった際にすばやく戦術上の要衝を抑えたとされる。

一方、長い文革の間、訓練をまともに行っていなかった中国軍は練度が低く、どこが戦術上の要衝であるかを理解することができずに苦戦した。

1か月が経過してもハノイへの道のりの半分にも到達しなかった。鄧小平は焦った。戦死者が増えると国内が動揺する。自分が軍権を掌握したことを民衆に知らせるために起こした戦争で、かえって自身の立場が危うくなる。そう考えた。

鄧小平は敏腕政治家であり、戦前の日本の指導者たちのようにメンツのために泥沼戦争を行うほど愚かではなかった。鄧小平は、「いたずらをする子供に十分にお仕置きをした」と言って中国軍をすべて撤退させた。ハノイは占領できなかったが、自分が軍権をも含めた全権を掌握していることを国民に知らせることができたので、目的は果たしたと判断したのだろう。

撤退する際に、中国軍は勝利できなかった腹いせに、国境付近のベトナム人を虐殺したとされる。ベトナム側はその人数を10万人と主張している。実際には5万人程度との推定もあるが、虐殺が行われたことは事実のようだ。ただベトナム側が中越関係を考慮して、それを騒ぎ立てないので我々が知らないだけである。

付言すれば、ベトナムのある知識人は、中国が南京大虐殺を繰り返し口にして日本に謝罪を求めていることについて、「中国もベトナムに対して同じことを行ったのに、よくもそんなことが言えるな」と言っていた。ベトナム人には「戦争に虐殺は付きもの」という感覚がある。

鄧小平は、この戦争が上手く行かなかったことがよほど悔しかったとみえて、中国軍幹部を叱り、復讐を誓わせた。中越戦争から4年が経った1984年、中国軍は突如、ベトナム国境の二つの峰を占領した。この峰からはベトナム側の道路が見える。戦術的要衝である。

中越戦争が始まった際に、中国軍はそのことに気が付かなかった。ベトナム側は早い段階でその峰を確保したために、以後の戦闘を優位に進めることができたとされる。ベトナム側は戦後もその峰を確保し続けた。

それが悔しかったようで、突如、中国は大軍を繰り出して二つの峰を占領した。ベトナム側は驚くとともに大いに怒った。当然のこととして、その奪還を試みた。しかし、大砲や重機関銃などで武装して峰に陣取る中国軍をベトナム軍は追い出すことができなかった。決死隊を編成して山を登らせたが、山頂からの攻撃で多くの犠牲者を出した。ベトナム版の203高地(日露戦争の激戦地)である。多大な犠牲を払った結果、203高地は日本軍の手に落ちたが、中越国境の二つの峰は現在も中国軍が占領している。

この話をするベトナム人はほとんどいない。それは悔しい記憶であるからだろう。しかし、なにかの拍子に、中国は現在も中越国境を不法占拠しているなどと言い出すことがある。

もう少し話を聞くと、ベトナムは経済を発展させて、力を付けたら必ず二つの峰を取り戻すと言う。「海南島はベトナムのものだ」と言う国家意識と同じところから出て来る感情のようだ。多くの人がそう思っているようなので、中越関係は表面上平穏を保っているようだが、死火山ではない。何かの拍子に噴火する休火山である。

第3章 GDPと人口動態から読み解くベトナム経済

第1節　GDPから読み解くベトナム経済

本章ではベトナムの経済について、同じ東南アジアの国であるインドネシア、マレーシア、フィリピン、タイの4か国と比較しながら論じる。この4か国は、東南アジアにおいてそれなりの人口を抱えており、かつ政情も安定しているから、その比較はベトナムの現状を客観的に捉える上で有効である。

1人当たりGDPが2010年以降に増加

最初に1人当たりGDP（国内総生産）について見てみよう。1人当たりのGDPはその国の発展段階を知る上で有効である。本書が検討の対象とした5か国の1人当たりGDPの変遷を**図1**に示す。

ベトナムの2022年の1人当たりGDPは4164ドルであった。これはここで比較の対象とした5か国の中で下から2番目に低い。最も高いのはマレーシアの1万1972ドル、それにタイの6909ドルが続く。3番目がインドネシアの4788ドルだが、3番目のインドネシア、4番目のベトナム、5番目のフィリピンの差はわずかである。

図1　東南アジア主要国の1人当たりGDPの推移

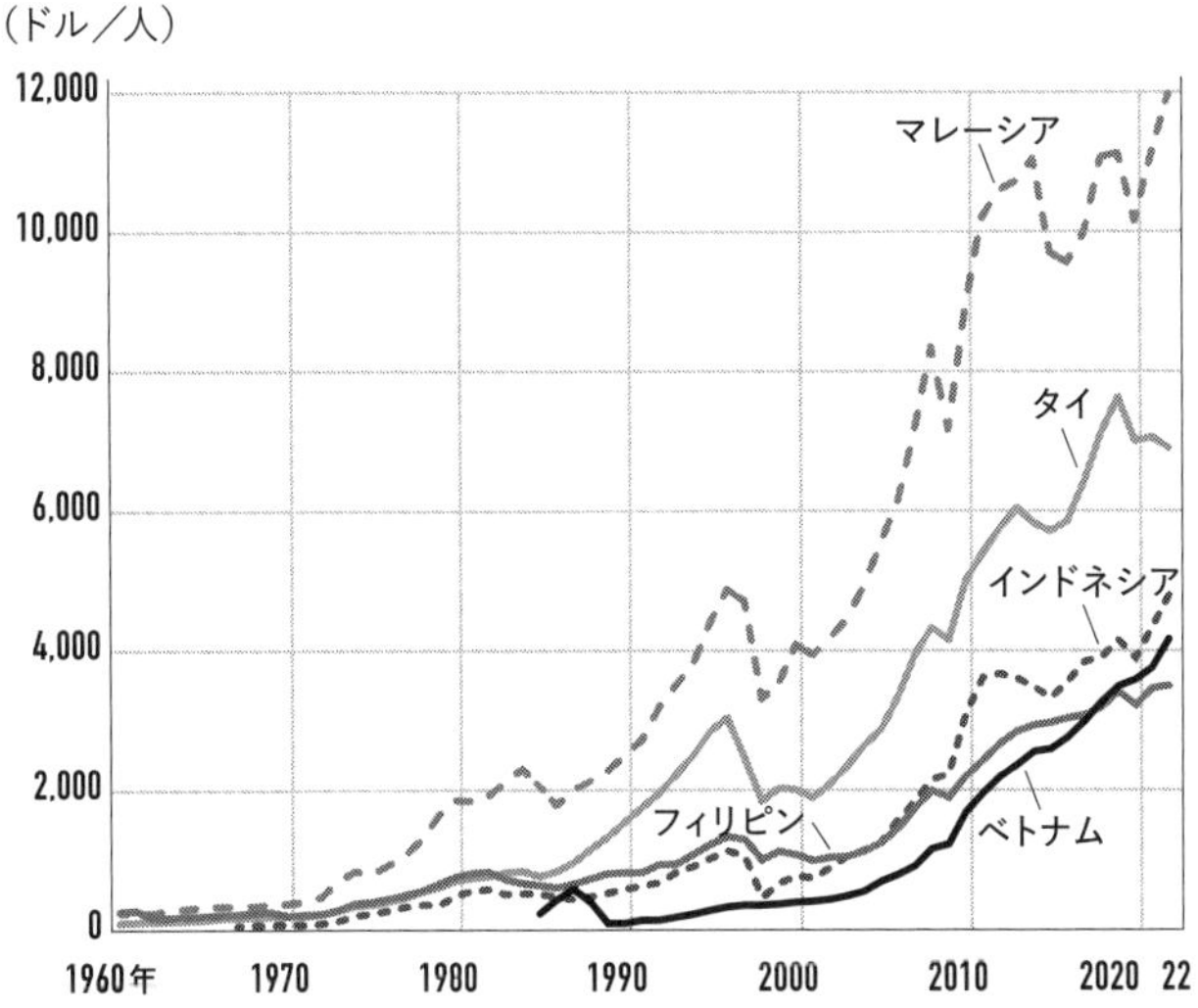

［出典：世界銀行］

ベトナムのGDPは２０１０年以降に急速に増加している。２０１０年のベトナムの1人当たりGDPは１６８４ドルと最下位であったが２０１９年にフィリピンを上回り、この5か国の中で4番目になった。

この5か国は二つのグループに分けることができる。一つはマレーシアとタイである。両国はまさに中進国と言ってよい。もう一つはインドネシア、ベトナム、フィリピンであり、これらは開発途上国を卒業して、現在、中進国の入り口にいる。

途上国の経済成長を考える上で、１９９０年は大きな節目になっている。その前後で、世界情勢が大きく変化したからだ。1989年にソ連が崩壊し、1990年には日本のバブル経済が崩壊した。また、中国では1992年の旧正月に鄧小平が広東省の深圳《しんせん》などを訪ねて、いわゆる南巡講話を行った。これは中国において、政治は共産党独裁、経済は資本主義とする今日に続く体制の実質的なスタートになった。

その節目となる1990年頃に、ベトナム経済は成長軌道に乗った。ベトナムは1986年に、「ドイモイ」(ベトナム語で「刷新」)と呼ばれる、中国の改革開放政策とほぼ同じ路線に舵を切った。当初、急激な路線転換によって混乱が生じたが、1990年頃になると混乱も収まり、経済は成長軌道に乗った。

1990年のベトナムの1人当たりのGDPは97ドルでしかなかった。中高年は今もその時代を記憶している。明日のコメにも困る貧しい時代であった。当時、ベトナムでは都市部でも庭で鶏を飼う家庭が多かったが、その鶏を食べるのは月に1回だけだった。毎日餌をやりながら、家族で1羽の鶏を食べる日を指折り数えて待っていたなどという話を聞かされることがある。

そのような状況はこの30年で大きく変化した。もはや明日のコメに困る時代ではない。ハノイやホーチミン市には多くの飲食店が立ち並び、人々が外食を楽しんでいる。それどころか子供の肥満と糖尿病が問題となる時代になった。ベトナムの食料事情は急速に改善した。

１９９０年以降、日本はバブル崩壊に苦しみ、失われた20年とも30年とも呼ばれる時期を過ごしたが、その間にベトナムは急成長した。２０２２年の１人当たりＧＤＰは先ほど書いたように４１６４ドルだから、１９９０年からの32年間で42・9倍になったことになる。これは年率に換算すると名目成長率が約12・5％にもなる。これが「チャイナ・プラス・ワン」の有力国として、ベトナムが注目される所以である。

「中進国の罠」

ベトナムのＧＤＰは急速に増大した。この調子で行けば、そう遠くない将来にベトナムも先進国の仲間入りをすると考えてしまいそうだが、そう簡単なことではない。

図2に東南アジア５か国とＧ７の１人当たりＧＤＰの推移を同時に示す。これを見ると、東南アジア５か国とＧ７の間に明確な差異があることが分かる。東南アジア５か国の中で１人当たりＧＤＰが最も高いのはマレーシアであるが、そのマレーシアもＧ７の遥か下方に位置する。

ちなみに日本ではバブル崩壊後は悲観的なことばかりが語られるが、Ｇ７の国々と比較してみた時、それほど悲観すべきものでもないことが分かる。円安であったために２０２２年の値は急速に低下しているが、それを除けば日本の１人当たりＧＤＰは英国、フランス、ド

図2　G7と東南アジアの1人当たりGDPの推移

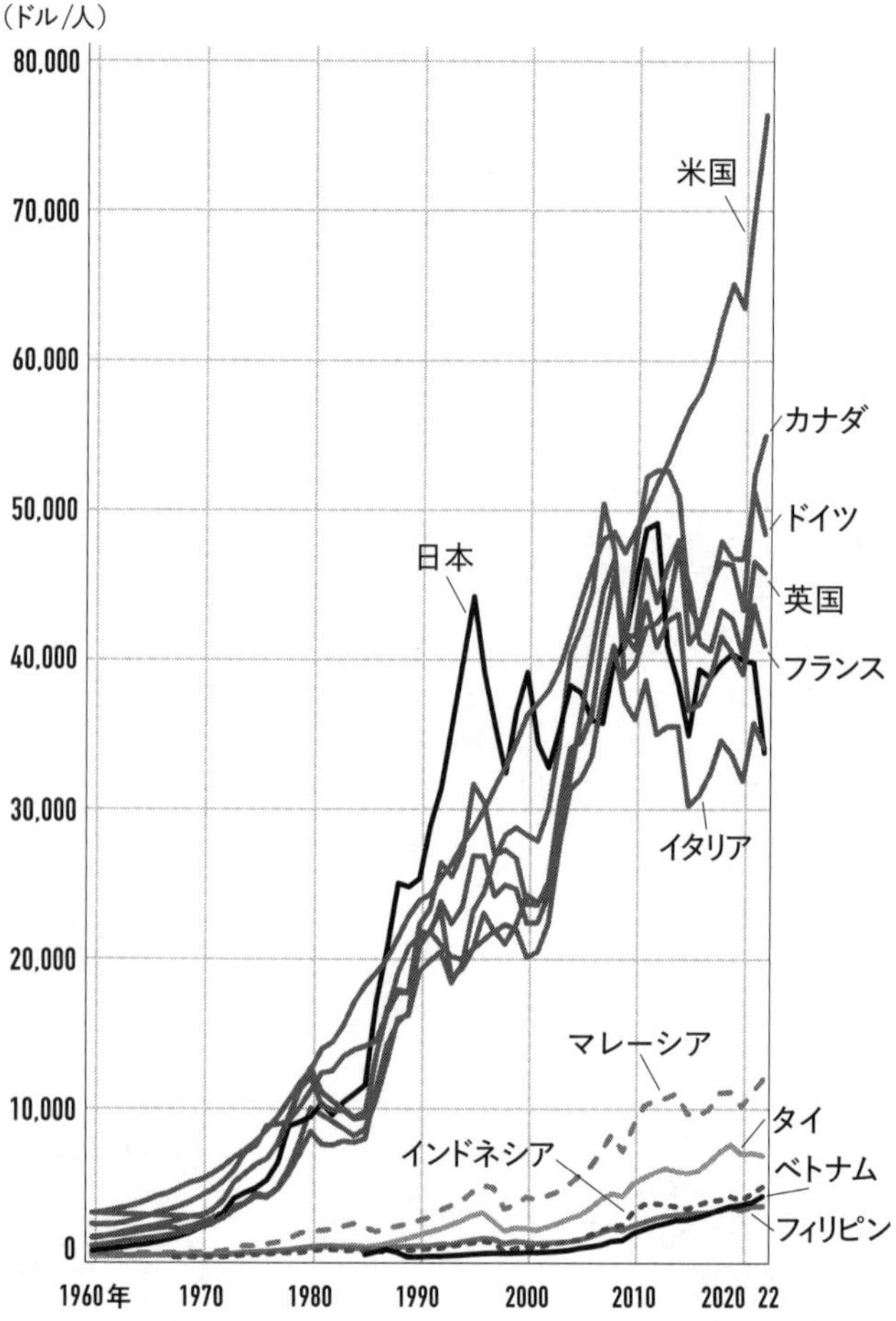

［出典：世界銀行］

イツ、カナダとほぼ同じと言ってよく、イタリアを少々上回っている。日本はここ10年ほどデフレ脱却を目的に極端な金融緩和政策を続けているために、円安が定着してドルベースのＧＤＰは低くなってしまったが、それでも先進国の一員でなくなったわけではない。東南アジア５か国との間には明確な差異がある。

２０１０年頃から米国だけが順調に成長している。これは米国にＧＡＦＡＭと呼ばれる巨大ＩＴ企業が存在し、それが経済を牽引しているからだ。だが米国以外の先進国もそれなりに成長している。そのために東南アジア５か国が成長しても、その差は縮まってはいない。より深刻なことは、マレーシアやタイの成長が勢いを失っているように見えることである。マレーシアとタイは２０１５年頃からほとんど成長していない。ドルに換算した値は為替の影響を受けるために上がる年もあれば下がる年もあるが、その傾向を見れば成長が鈍化していることは明らかである。

多くの開発途上国は、１人当たりＧＤＰが１万ドル近辺に達すると成長率が著しく低くなる。これは「中進国の罠」と呼ばれる現象である。

図3に東南アジア５か国の他に、中進国と言われるブラジル、メキシコ、トルコ、そして参考のために中国も加えて、１人当たりＧＤＰの変遷を示した。この図を見るとマレーシアの１人当たりＧＤＰの推移がブラジル、メキシコ、トルコによく似ていることが分かる。ど

図3　中進国と東南アジアの1人当たりGDPの推移

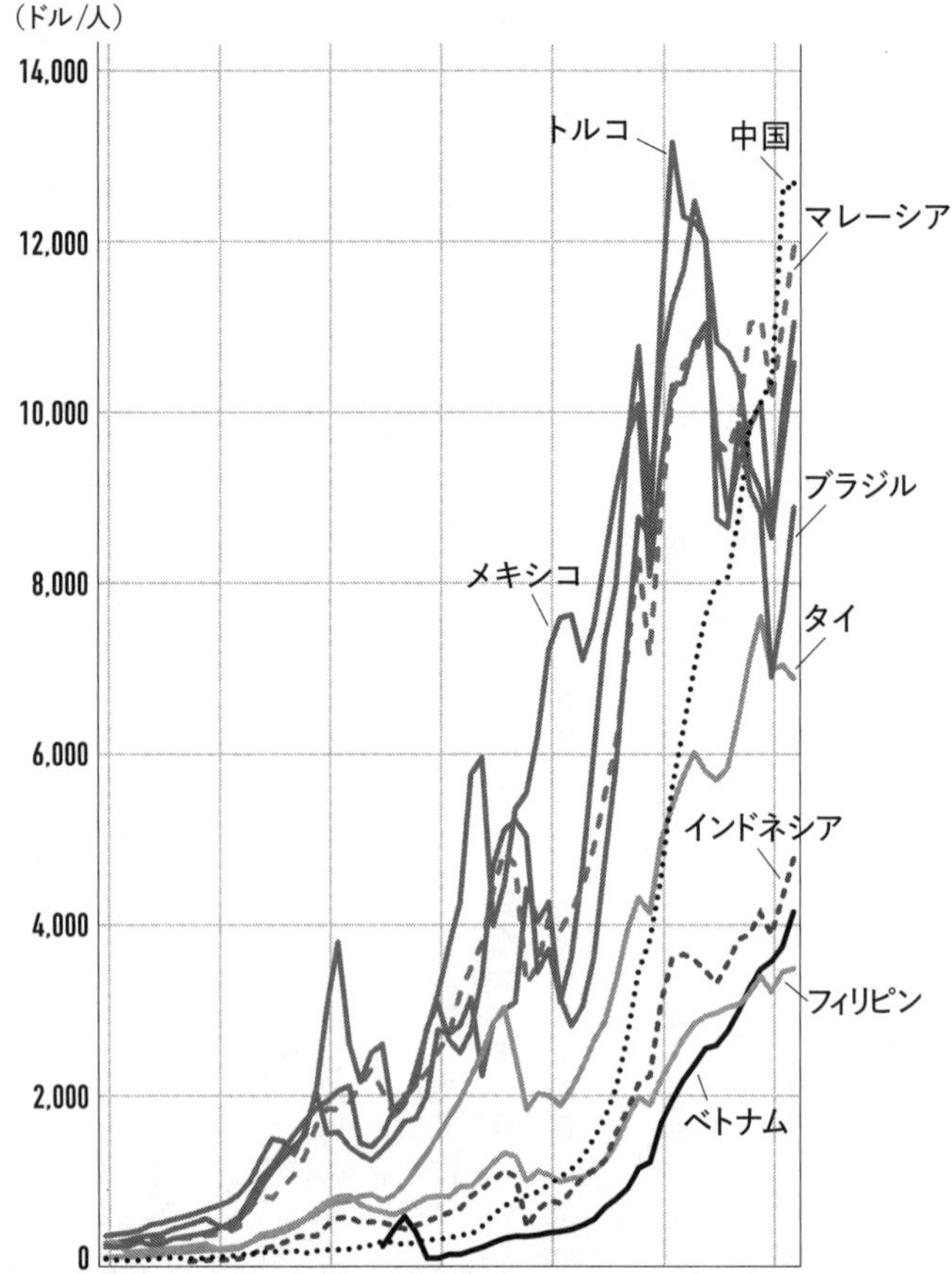

［出典：世界銀行］

の国も1人当たりGDPが1万ドルを超えた辺りから、1人当たりGDPが増加しなくなる。1万ドル付近に天井があるように見えることは確かである。

なぜ「中進国の罠」にハマるのであろうか。ここでは、この問題を考える一助として中国の1人当たりGDPについて考えてみたい。中国の1人当たりGDPは21世紀に入ったころから急速に増加した。2000年の値は959ドルであったが、2022年は1万2720ドル。22年間で13・3倍の増加である。年率換算で名目の1人当たりGDPの増加率は約12・5%にもなる。驚異的な成長と言ってよい。

そんな中国の1人当たりGDPが伸び悩んでいる。2022年の値は2021年の値と比べて1%しか増加していない。中国の2023年のGDP成長率は5・2%と発表されたが、不動産バブルの崩壊が深刻化する中でこれほどの成長率を達成したとは考え難い。中国政府は虚偽の成長率を発表したのであろう。中国のGDPが驚異的に増加する時代は終わった。不動産バブル崩壊を契機にして、中国もブラジルやトルコのように「中進国の罠」にハマったと考えてよい。

国際機関が公表するデータを疑うべき理由

図3では世界銀行のデータを引用しているが、世界銀行は基本的には中国政府が公表する

データを踏襲している。これは国際機関一般に言えることだが、国連やＩＭＦ（国際通貨基金）、世界銀行が公表するデータをそのまま信用することは危険だ。

特に中国については危険である。中国は米国に次ぐ世界第二の経済大国であり、国際機関に多額の資金を提供している。多額の資金を提供する国は、その機関に多くの人を送り込むことができる。今日、すべての国際機関において多くの中国人が働いており、それのみならずＦＡＯ（国連食糧農業機関）などでは中国人が組織のトップになっている。

中国が国際機関に送り込んでくる人材は、すべてが共産党員と考えてよい。そして彼らは共産党の中でもエリートである。そんな彼らは、国際機関が独自で調査を行い、中国政府が発表するデータと異なるデータを発表しようとすると、全力で阻止する。そんなわけでＩＭＦや世界銀行が、中国政府の公表するデータに疑念を持ったとしても、それに近い値を発表せざるを得なくなる。

中国のＧＤＰは多分に粉飾されている。人工衛星から夜に地表を見ると、山岳や森林は暗く都市は明るく見える。発展している都市であればあるほど明るく見える。このことを利用して各国のＧＤＰを推計した研究*がある。夜の明るさから推計したＧＤＰと政府が公表するＧＤＰの間には差異がある。権威的な政権ほど自国のＧＤＰを多めに公表する傾向があり、中国もその例外ではなかった。

その研究によると、中国の実際のGDPは公表されている値より40％ほど少ないという。中国のGDPは40％ほど水増しされている。中国のGDPについてはこれまでも水増しが指摘されてきたが、人工衛星が撮影した画像という客観的なデータによってそれが裏付けられたと言えよう。

世界銀行のデータでは、2022年の中国の1人当たりGDPは1万2720ドルとされるが、実際は7600ドル程度と思われる。これはマレーシアとタイの中間に位置する。北京や上海、広東、深圳などの大都会を除けば、多くの地域、特に中国の人口の約半分以上が住む農村部がそれほど発展していないことを考えると、中国のGDPはその程度なのであろう。

＊ A study of lights at night suggests dictators lie about economic growth Satellite data hints at the scale of their deception, *The Economist*, Sep 29th 2022.

中国が急速に経済発展できたカラクリ

日本人は中国の内情を米国やヨーロッパの人々に比べてよく知っており、「中進国の罠」を考える上で中国は格好の題材になる。中国では1976年に毛沢東が死去し、1978年に鄧小平が実権を掌握して改革開放路線に舵を切った。その後の中国の経済成長については、ここに触れる必要はないであろう。

経済を発展させるためには、まずインフラの整備が重要である。道路、橋、港湾などを整備しなければならない。インフラを整備するためにはお金が必要になる。開発途上国では多くの国民が農業部門で働いている。最初に彼らを工業部門で働かせる。工業部門は農業部門より生産性が高いから、より多くの税金を徴収できる。最初は設備があまり必要でない家内工業のようなものが中心になる。

中国もその例外ではなかった。改革開放路線に転じた1978年から1990年代にかけて、中国では「郷鎮《ごうちん》企業」なる言葉をよく耳にした。ここで「郷」は農村を意味し、「鎮」は農村部にある小さな街を意味する。郷鎮企業とは農村部にある小さな町工場である。ここで家具などの木材加工品、衣料品、革製品、子供のおもちゃなどさまざまな日用品を作って、それを輸出した。労賃が安いことを利用した産業育成である。現在では中国の工場は海岸部の都市に集中しているが、初期の段階では農村の小さな工場が同じような役割を果たしていた。

軽工業で儲けた資金を利用して製鉄など重工業を発展させる。これが典型的な経済発展の経路である。ただ、中国が経済発展を始めた1980年代の状況は、典型的な経路とは異なっていた。それは世界中で国境を越えた資本移動が行われるようになったからだ。

米国は1971年に金とドルの交換を停止した。これはベトナム戦争によって悪化した米国の財政が原因とされるが、世界経済が金本位制から離脱する契機になった。金に紐付けされていないお金はいくらでも作ることができる。中央銀行がお札を刷る輪転機を回せばよい。現代では輪転機も回さなくなっている。コンピューター画面に表示される数値の末尾にゼロを書き加えるだけでよい。それだけでお金が作れる。そのお金を利用して、米国は貿易の自由化だけでなく資本移動の自由化も推し進めた。

この頃から米国は自国で多くの工業製品を作らなくなってしまった。労働賃金の安い国に資本を投下して工業製品を作らせる。その方が工業製品を安く作ることができるからだ。米国はそのような生産様式に最も適した国として中国を選んだ。1990年頃になると「チャイメリカ」なる言葉が使われるようになった。米国経済と中国経済は一体であることを示す言葉である。

余談になるが、チャイメリカが進化する過程で最も被害を受けたのは日本である。日本は明治以来、自分の努力によって営々と資本を蓄えて、それによって工業部門を発展させてきた。1960年代になると、そんな日本の工場で作った製品を米国に輸出して儲けた。日本の工場の資本は日本のものだから、製品を輸出して儲けたお金はすべて日本のものになる。日本

日本の製品は安くて性能が良いために米国民は喜んで日本の製品を買う。その結果として米国は日本に大幅な貿易赤字を計上することになってしまった。それが貿易戦争を引き起こした。１９８０年代は日米貿易戦争の時代であった。

そんな米国は中国に資本を投下して、中国人に工業製品を作らせることを考えた。この方式でも中国との間で貿易赤字を計上することになるが、資本を投下しているために米国は配当を受け取ることができる。その配当は米国の資本家、つまりお金持ちの懐に入る。米中の間に膨大な貿易不均衡があるのに米国がそれほど怒らないのは、これが理由である。米国の消費者は中国から安い製品を買って喜び、米国の資本家の懐は暖かくなる。

どの国でも、世論を操作することができるのはお金持ち、つまり資本家だ。米国が工業製品を日本からではなく中国から買うことにしたことが、日本がバブル崩壊以降に失われた20年とも30年とも言われる時代に突入した真の原因である。中国は自分が蓄えた資本の他に米国から投下された資本を利用して、経済を成長させた。その結果として、中国は日本の高度成長期を上回る速度で成長することができた。

経済成長に伴い、どの国でもバブルが発生する。バブルは経済成長への期待が作り上げるものである。中国では２０００年頃から上海の土地バブルが言われるようになっていた。中国政府はバブルを潰すことなく、土地バブルによって生じた資金を効率よく利用することを考えた。それは、地方政府が農民から取り上げた土地の売却益をインフラ建設に投入するシステムであった。

普通の国では農地の売却益は農民の懐に入る。ところが、社会主義国である中国では農地は公有制になっており、農民は農地売却益を得ることができなかった。売却益は地方政府の懐に入った。農民は立退料として、わずかなお金しか貰うことができなかった。このことは、現在でも中国の農民が貧しい原因になっている。

農地売却によって大量の資金が地方政府に流入した。地方政府はその資金をインフラの整備に使用したが、都市周辺の鉄道、道路、橋が整備されると、郊外の農地も住宅地になる。そこを開発すれば、地方政府はさらに大きな資金を得ることができる。地方政府の土地ビジネスは、ネズミ講のように拡大していった。中国のインフラが短時間で整備された理由が理解できよう。

しかしネズミ講のようなビジネスは、いつかは行き詰まる。2010年頃になると開発に適した農地はなくなってしまった。それを補うために地方政府は「融資平台」と称する日本の第三セクターに相当する組織をつくり、民間から資金を集めてインフラへの投資を続けることにした。

地方政府の役人は、インフラを整備すればするほど中央から褒められて出世する。また、資金をインフラに投資する際には、汚職が常態化しているために、多くの資金が地方役人の懐に入った。これが、明らかに無理筋でありながら、民間から高利で集めた資金をインフラに投資することが際限なく行われた理由である。

最初の頃はインフラを整備すると、産業が成長して税収も増えた。しかし、そんなことは長くは続かない。そもそもインフラに投資しても融資平台に配当は入らない。これは最初から無理なスキームなのだ。案の定、現在、融資平台の膨大な債務は大問題になっている。

ただ、中国でインフラの整備がものすごいスピードで進んだことは事実である。多くの人は、これを経済発展の成果と見間違えているが、中国のインフラは借金の塊であり、そのほとんどは借金返済の目処が立っていない。徒花《あだばな》と言ってよい。中国の奇跡の成長が終わったことは、誰の目にも明らかである。

海外から資本を投入して工業部門を発展させることはやさしい。そしてインフラの整備は目に見える発展であり、誰もが成長を実感できる。借金によるインフラ整備によって、中国人は成長を実感していた。

先進国にあって中進国に足りないもの

その一方で、先進国の人々のように振る舞う「人間」を一朝一夕で作り上げることは難しい。筆者は、多くの開発途上国が「中進国の罠」にハマる理由は、国民に近代社会の倫理観を教え込むのに時間がかかるためと考えている。途上国の都市にビルが林立して、見かけは先進国と変わらないようになる。しかし、人々の精神面が追いつかない。インフラの整備は外面の成長であり、人間の中身の成長は別である。開発途上国に学校を作り、国民に「読み書き」を教えることはできても、倫理を教えることは難しい。

冷静に観察していると、開発途上国の人々は家族、親族、また村社会との結びつきを大切にしている。それはその国が古代から長い時間をかけて育んだ倫理観であり、それを責めることはできない。

しかし、西欧先進国、そして日本に住む人々には、それに加えて公平な社会や国家を作り上げたいとの思いがある。公平な社会や国を作りたいと思う人々は、汚職を悪いものと考える。だが、多くの開発途上国では、人々は先進国に住む人々ほど汚職を悪いこととは思っていない。もちろん制度面の不備もあるが、汚職を悪いことと思う倫理観が育っていない。

多くの人々は、親族や知り合いを優先して何が悪いと思っている。自分の家族や親族、そして同じ村の人のために隣の村から物や土地を奪うことがあっても、それが正義と考えている。そのような状態では内戦や、内戦とまではいかなくても地域間の争いは絶えない。

「公共」という概念は、そんなに簡単には育たない。開発途上国の人々は、公平な税制や透明性のある行政システムの構築が苦手である。たとえ先進国の援助によって公平な税制や透明性のある行政システムが作られたとしても、それを公平に運用することができない。

それに加えて貧富の差に対する感性がある。貧富の差は世界中に存在するが、先進国ではそれは悪とされて、さまざまな議論が行われて対策が実施される。ただし、米国を見れば分かるように、議論しても格差は縮小しないばかりか拡大傾向にあるが、それでも先進国は格差を問題と認識して対策を考える。

これは筆者の主観かも知れないが、開発途上国の人々は格差があることを問題にしない。多くの人は、自分が豊かになればよいと考える。そして、国全体の格差を是正するようなシステムを議論することを好まない。健康保険制度や年金システムが国を挙げての議論になることもない。どうしたら自分や自分の親族が豊かになれるかばかりを考えている。これが約35年間にわたって中国やベトナムの農村を訪ね歩いた筆者の結論である。

多くの人々がそのように考える社会では、富は一部の人々が独占してしまう。その一方で多くの人が貧しいままに据え置かれる。その結果として内需が不足する。一部の富裕層と多数の貧乏人が同居する社会は安定しない。南米など選挙がある国々では、極端なポピュリストが政権の座に付くことが多くなり、政治が混乱する。また中国など権威主義国家では、国家が厳しく統制することによって政治や社会を安定させようとするが、このような不自由な社会ではさらなる経済発展を望むことはできない。少々独断が過ぎるようにも思うが、筆者は「中進国の罠」にハマる理由を以上のように考えている。

日本に迫る東南アジア5か国のGDPの合計

さて、ベトナム経済の話に戻るが、**図4**に東南アジア5か国のGDPの変遷を示す。この値を人口で割ると**図1**になる。人口が多いためにインドネシアの値はその他の国に比べて大きくなっている。2022年のインドネシアのGDPは1兆3191億ドルであり、それにタイの4953億ドルが続く。その他の3か国はベトナムが4088億ドル、マレーシアが4063億ドル、フィリピンが4042億ドルと拮抗している。

この5か国の2022年のGDPの合計は3兆338億ドルになり、同年の日本のGDPが4兆3211億ドルだから、5か国の合計は日本の約7割に相当する。**図4**を見ればその増勢は明らかである。日本のGDPは年率2%程度しか伸びていないので、近い将来に5か国の合計額は日本を追い抜くことになろう。東南アジアの経済力は日本にとって無視できないものになっている。

図4をよく見ると、1998年の値が1997年に比べて大きく落ち込んでいることが分かる。これはアジア経済危機の影響である。それに比べると、2009年に起きたリーマン

図4　東南アジア5か国の GDP の推移

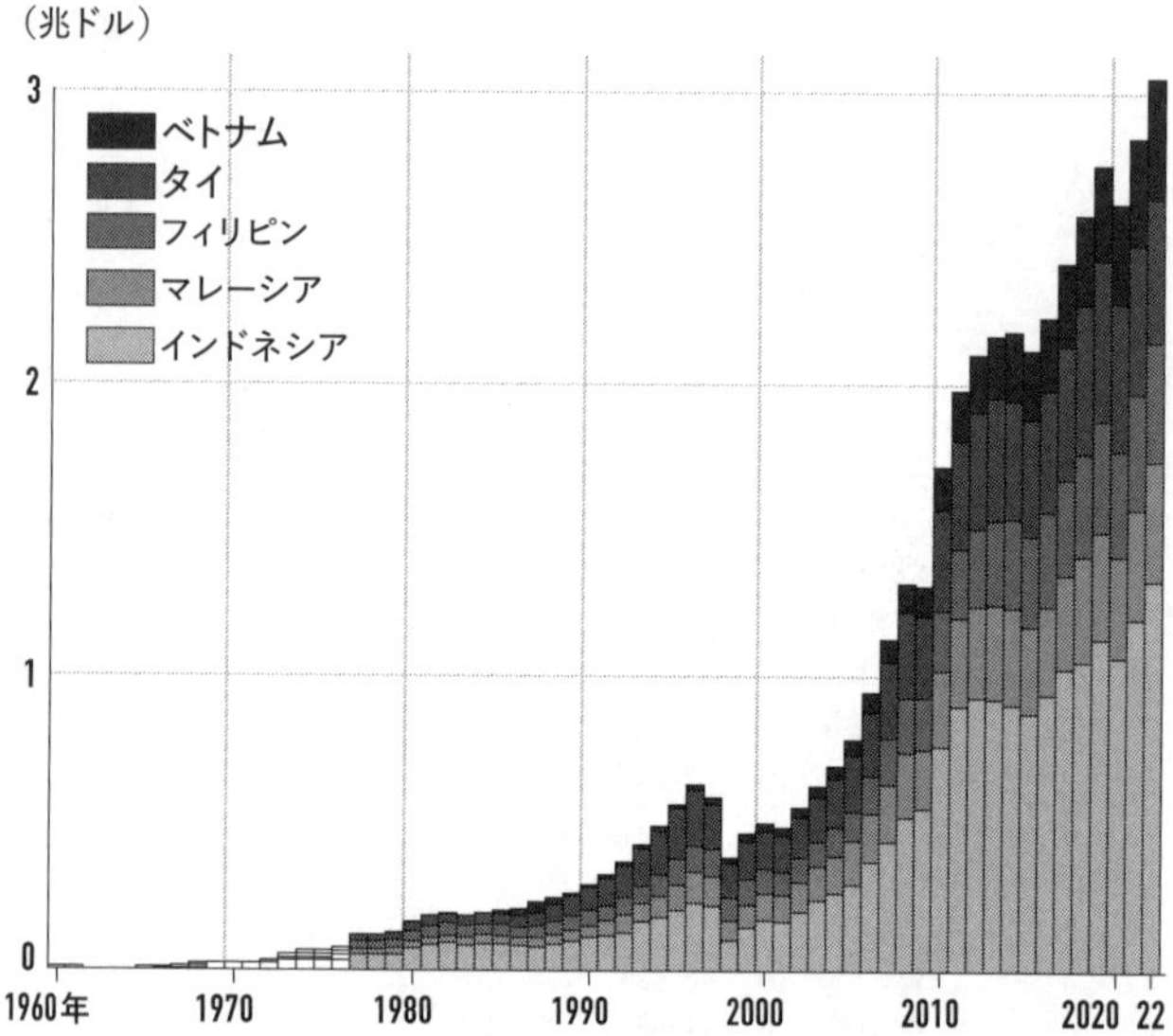

［出典：世界銀行］

ショックは東南アジアにそれほどの影響は与えていない。２００９年の値は２００８年に比べてわずかに低下しただけである。

近年、ベトナムのＧＤＰは順調に増加しており、わずかではあるが２０２２年に停滞気味のマレーシアを追い抜いた。この勢いが続けばタイを追い越す日も近いだろう。ちなみにベトナムの人口は約１億人、タイは約７０００万人だから、１人当たりＧＤＰがタイの７割程度になればタイを抜くことができる。このように順調にＧＤＰが増加していることが「チャイナ・プラス・ワン」としてベトナムが注目される所以である。

農業生産額がGDPに占める割合の低下

次に部門別に経済発展を見てみよう。それによってベトナムの経済発展の段階がよく見えてくる。

ベトナムはコメ作りが盛んである。そんな国だから、経済が発展するに従って農業も発展するだろうと考えてしまうのだが、それは間違っている。端的に言えば、開発途上国における経済発展とは、産業の中心が農業から工業やサービス部門に移ることである。その結果として、経済全体に占める農業の割合は低下する。

図5に東南アジア5か国とG7において、農業の生産額がGDPに占める割合を示す。東南アジア諸国とG7では農業の割合に大きな違いある。G7ではどの国でも農業の割合は小さい。そして、その割合は低下している。フランスの割合は1960年には10・5%であったが、2022年は1・8%になってしまった。

東南アジア5か国でも農業の割合は低下している。ベトナムの割合は1990年には38・7%であったが、2022年には11・9%になった。ベトナムの1990年の農業生産額は25・1億ドルで、2022年には486億ドルに増加したが、他の部門がより大きく成長し

図5　農業生産額が GDP に占める割合の推移

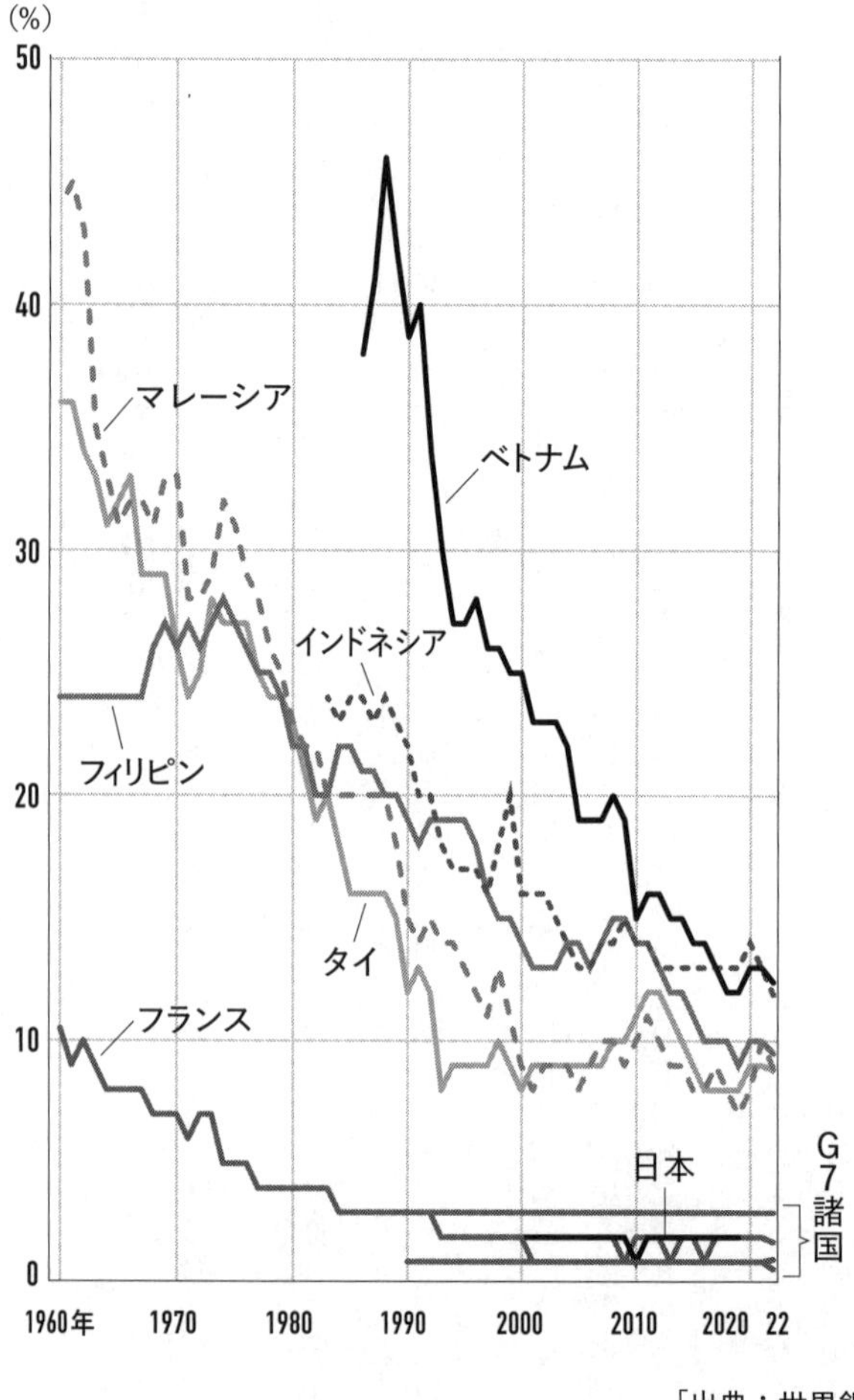

［出典：世界銀行］

たために、相対的にその割合が低下してしまった。

経済発展が始まると工業部門やサービス部門が勢いよく発展する。農業部門の発展はそれに追いつかない。その結果として、農業を行っていても豊かになれないので、農村から都市へ人口が流出する。これはどの国も経験することである。日本でこの現象が顕著に見られたのは昭和30年代から40年代にかけてであった。

高度経済成長期の日本には「出稼ぎ」なる言葉が存在した。これは農閑期に農民が都市に働きに出ることを言う。また地方で中学を出た若者が、卒業と同時に先生に引率されて東京などに就職する「集団就職」なるものも存在した。現在のベトナムに「集団就職」はないが、その状況は高度経済成長期の日本にそっくりである。

ここでタイ、マレーシアについて見てみよう。両国の農業部門の割合は２０００年頃まで順調に低下していたが、２０００年前後から低下しなくなってしまった。10％を割り込んだ辺りで横ばいになっており、先進国の水準にまで低下していない。これは両国が「中進国の罠」にハマり込んだことと無縁ではない。

タイは王政が残る世界でも数少ない国である。立憲君主制になっているが、日本や英国に比べてタイ王室は大きな力を持っている。タイの王様は世界の王様の中で一番のお金持ちとされる。それは財力だけではない。タイ王室は政治にも大きな影響力を有している。現在でもタイには不敬罪が存在する。その廃止は2023年に行われた総選挙の争点になっていたが、廃止を公約に掲げた政党は選挙で第一党になったにもかかわらず、過半数に達しなかったために政権を取ることができなかった。

タイではバンコクに住む既得権益層と東部や東北部の農民との間の争いが続いている。既得権益層には王室の縁者も多く、王室のカラーである黄色をシンボルにしている。一方、東部や東北部の農民は赤をシンボルカラーにしている。21世紀に入った頃から、黄色シャツと赤シャツの対立が続いており、これがタイ政治の底流を形成しているが、それはタイが格差社会であることを示している。

そんなタイは先に述べたが「中進国の罠」にハマり込んでしまった。その原因の一つは農村部が経済発展から取り残されてしまったことにある。タイの政治は格差是正に取り組むことができない。先にも述べたが、このような政治を行っていたのでは「中進国の罠」から抜け出すことはできない。

マレーシアで農業の割合が低下しない理由はタイほど明確ではない。マレーシアではパーム椰子やゴムの栽培が盛んであり、それは農業部門のGDPの増加に貢献している。これは農業の割合が低下しない理由にもなっているが、農業が盛んなフランスでも農業の割合は2%を下回っていることから、マレーシアで割合が低下しない理由は、工業部門やサービス部門が勢いよく発展しないためとも言える。農業生産額がＧＤＰに占める割合を見ても、マレーシアが近い将来に先進国入りすることは無理なような気がする。

ベトナムではこれまでのところＧＤＰに占める農業の割合は順調に低下してきた。ただ、タイやマレーシアと同様に、その割合が10％に近づいた辺りから勢いよく低下しなくなっている。ベトナムは本気で格差是正や公平な行政システムの構築に取り組まないと「中進国の罠」にハマる可能性が高い。ベトナムがＧ７のようになるには、まだまだ長い年月が必要であろう。

中進国でも経済の中心は工業からサービス業へ

経済発展とは農業国が工業国になること、20世紀にはそのような図式で理解することも可能であった。だが21世紀になると、そのような図式は存在しない。**図6**に工業部門がＧＤＰに占める割合を示す。農業の場合と同様に東南アジア５か国とＧ７について示した。ここに示した期間中において、Ｇ７諸国ではほぼ一貫して工業の割合は低下している。ただ、よく見ると２０１０年代の中頃から低下傾向に歯止めがかかっており、日本とドイツでは若干上向いている。この図から考えるに、Ｇ７の国々では工業の割合が20％を大きく割り込むことはなさそうである。今後は横ばいで推移することになろう。

図6　工業生産額がGDPに占める割合の推移

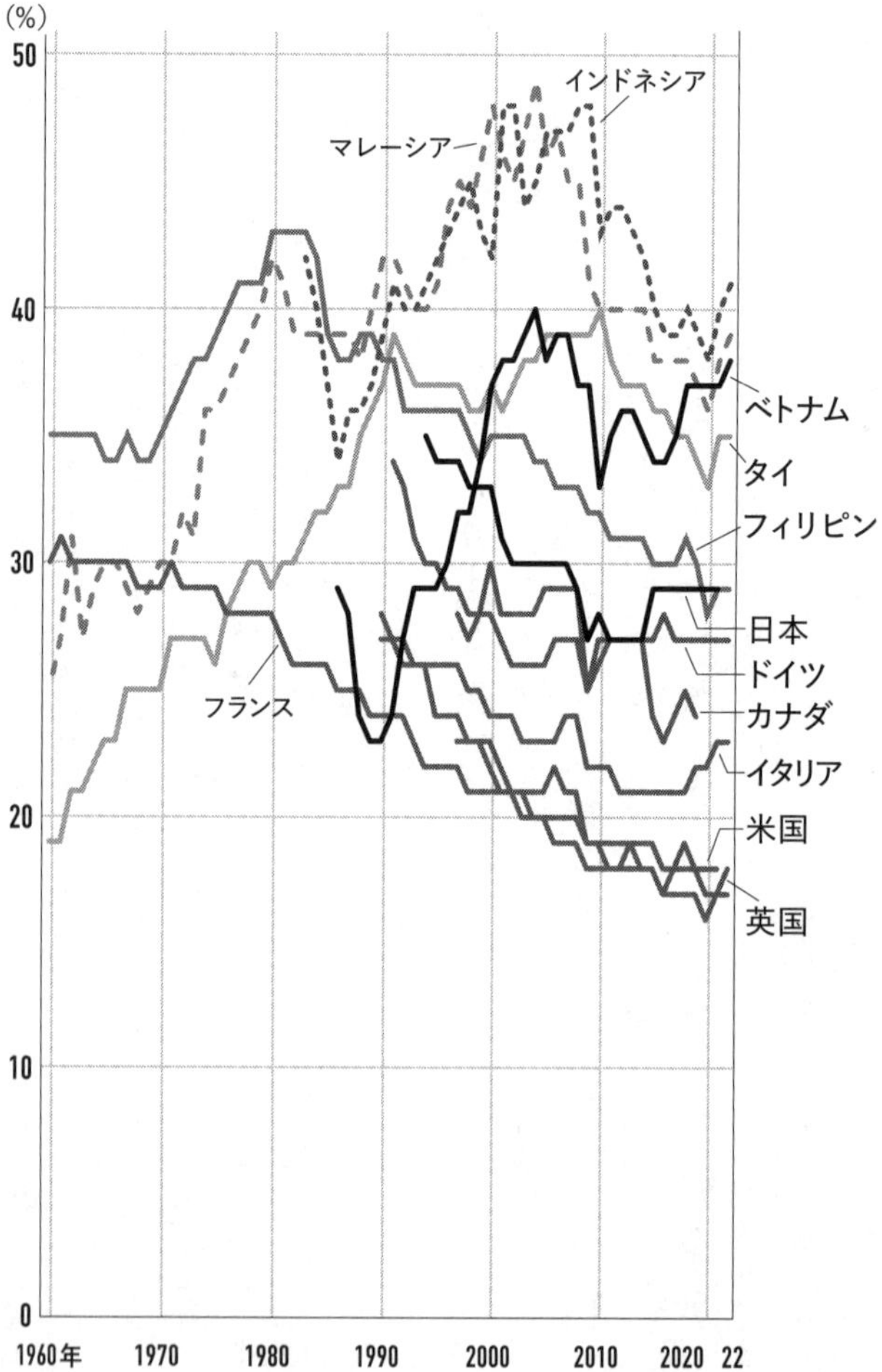

［出典：世界銀行］

東南アジア5か国は20世紀には増加傾向にあったが、21世紀に入るとG7と同様に低下し始めた。特にフィリピンにおいて工業の割合の低下が著しい。フィリピンは1980年代初頭から低下し始めていたが、21世紀に入っても低下が止まらない。ベトナムの割合は1990年から2004年まで一貫して上昇していたが、その後は一進一退が続いており、昨今は横ばいとしてよいだろう。ベトナムの工業生産額がGDPに占める割合は4割弱である。

開発途上国が経済発展を始めて中進国の入り口付近に達するまで、工業が経済を支えることになる。しかし中進国になると工業は経済の中心ではなくなる。日本人は1955年頃から始まる高度成長期に工業が経済を支えた記憶が鮮明であるために、東南アジアにおいても工業が経済に大きな寄与をしていると思いがちである。だが、中進国になると工業の重要性は低下する。中進国でも経済の中心はサービス業になる。

図7にサービス業の生産額がGDPに占める割合を示す。この図でもG7と東南アジアの間には明確な差異があるが、その割合は東南アジア5か国もG7も一貫して上昇している。

G7の中で日本は一貫して低い割合になっている。日本に次いで低いのはドイツであるが、両国では現在も工業部門が経済において重要な役割を果たしている。一方、フランス、米国、英国の3国はサービス部門の比率が高くなっている。2021年は英国が82・0%、フラン

図7　サービス業の生産額がGDPに占める割合の推移

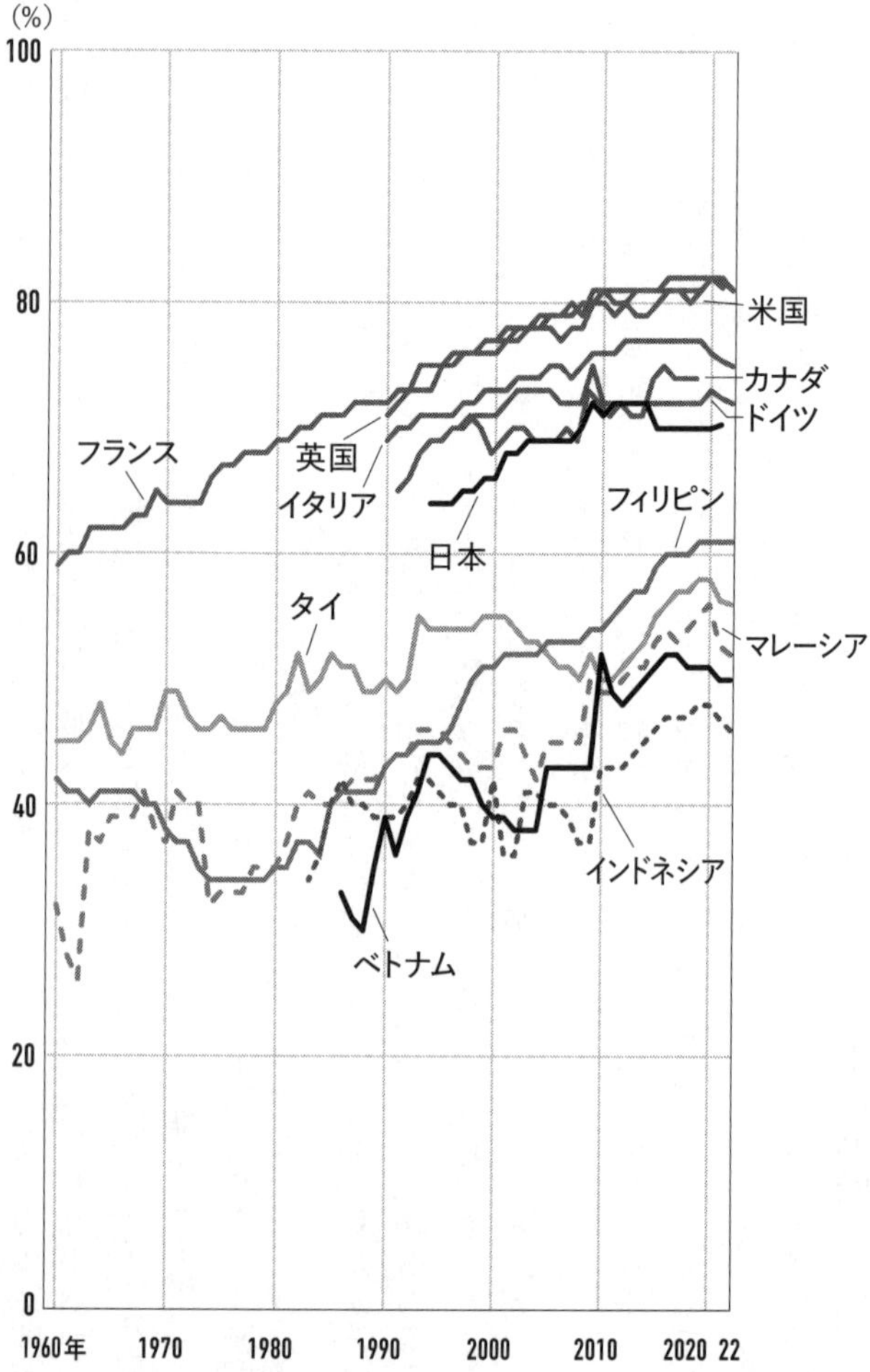

［出典：世界銀行］

スが81・7%、米国が81・2%である。もはや先進国の主な産業はサービス業と言ってよい。

ベトナムのサービス部門がGDPに占める割合は、東南アジア5か国の中でインドネシアの次に低い。マレーシアとタイは先進国の水準には達しないものの、中進国であるからサービス部門の割合が高いことは理解できる。

ただフィリピンの割合が高いことは理解に苦しむ。日本人は経済を発展させるにはまず工業に力を注ぐべきだと考えるが、フィリピンの人々はそのようには思わないようである。そんなフィリピンであるが、1人当たりGDPは**図1**で見たようにベトナムと変わらない水準にある。このことは工業を発展させなくても、国を発展させることが可能であることを示している。

フィリピンは東南アジアの中でも異質な国である。スペインの植民地であった時代が長かったために、カトリック系住民が国民の大半を占めており、アジアで唯一ラテン文化が根付いた国である。ベトナムは工業に力を入れているが、フィリピンは工業には力を注がない。それでも1人当たりGDPにおいてベトナムとフィリピンはほぼ同じ水準にある。このことは、21世紀における経済発展戦略を考える際に留意すべきことである。

ベトナム人の思考の底には、日本人と同じように儒教がある。儒教に由来する生真面目さがあるために、ベトナム人は国を発展させるためには工業を発達させなければならないと考えるようだ。しかし、ラテン文化が思考の底にあるフィリピン人はそのようには考えない。この違いは、海外に進出しようと考える日本人や日本企業が頭に入れておくべきことである。

工業製品の輸出により経済成長

次に貿易について見てみよう。輸出額がＧＤＰに占める割合を**図8**に示す。この図も東南アジア5か国とＧ7について示した。この図の中で米国の割合は常に低くなっている。２０２１年の割合は10・9％でしかない。日本は米国に次いで低く、２０２１年の割合は18・2％である。

ヨーロッパの国々は米国や日本よりも高い。これは隣国と陸路で接し、英国もドーバー海峡はあるもののその幅は狭く、大陸と交易しやすいためと思われる。またヨーロッパ諸国は自由貿易圏であるＥＵを作るなど、交易が容易になるシステムを作ってきた。それが**図8**に表れている。Ｇ7に属するヨーロッパ諸国の中で、輸出額がＧＤＰに占める割合が最も高いのはドイツである。その割合は２０２２年には50・3％にもなっている。

Ｇ7諸国に比べてマレーシアの割合は著しく高い。１９９９年にはその割合は１２１％にもなっていた。ＧＤＰよりも輸出額の方が大きい。同年の輸入額がＧＤＰに占める割合は96％であり、その差額である貿易黒字はＧＤＰの25％にもなっていた。マレーシアは貿易に

図8　輸出額がGDPに占める割合の推移

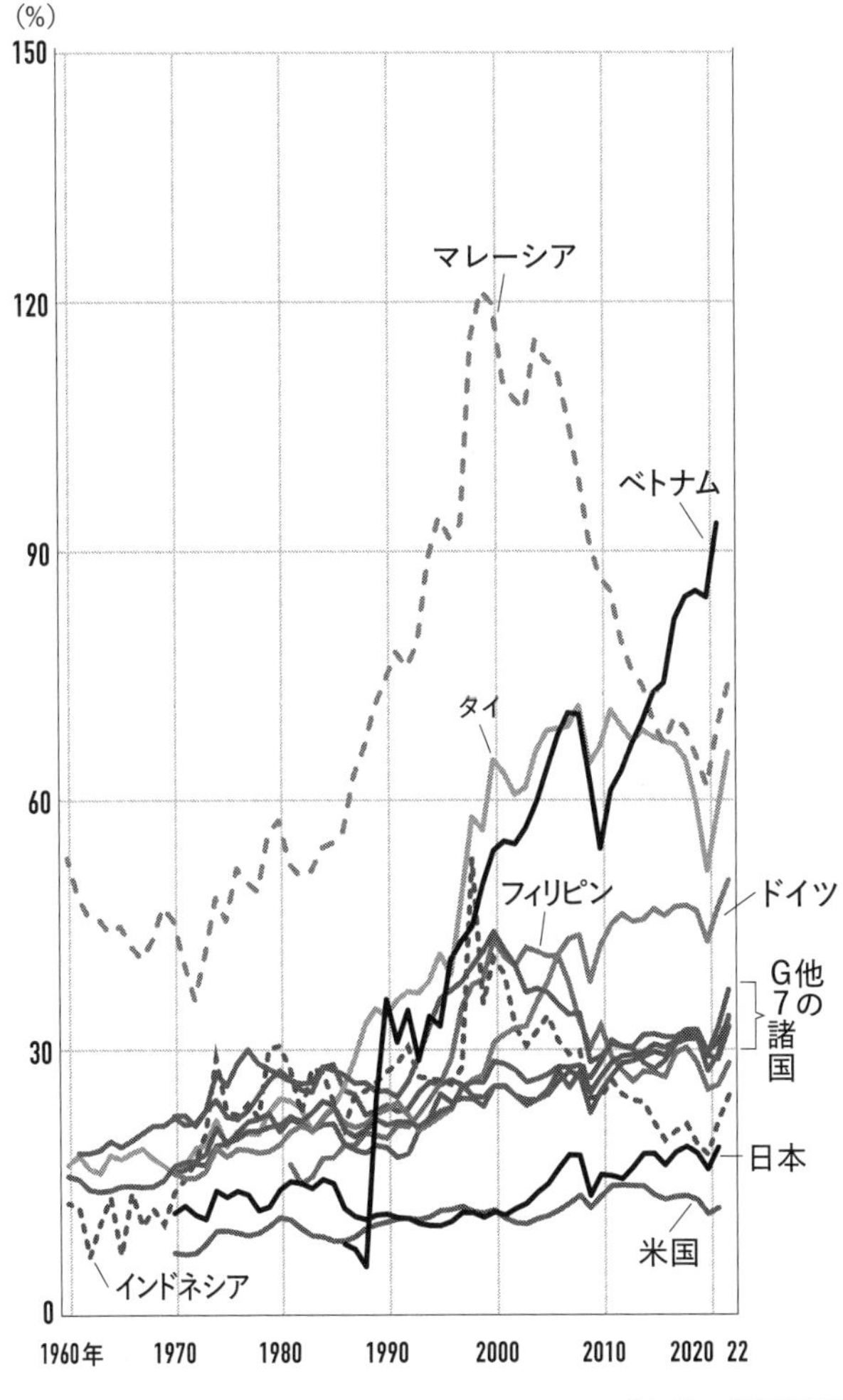

［出典：世界銀行］

よって栄えたと言ってよい。同様の現象はタイにも見られる。

両国が東南アジアの中でいち早く中進国になった理由の一端を**図8**から窺うことができる。後に紹介するが、両国は石油などのエネルギーや農産物を輸出しているわけではない。工業製品を輸出している。海外から工場を誘致し、それに安い労働力を組み合わせる、中国を語る際によく言及される方式で経済発展を遂げた。

一方、インドネシアとフィリピンの割合は低くなっているが、両国はマレーシアやタイが行った発展方式に乗り遅れたとも言える。ただフィリピンについては、先にラテン気質であることを述べたが、最初から海外からの工場の誘致には乗り気でなかったのかもしれない。

ベトナムの経済成長は、輸出に依存している。それは東南アジア4か国の貿易額を示した**図9**を見るとよく分かる。インドネシアは人口規模がこの4か国と大きく異なるために、ここでは除いた。ベトナムがドイモイを始めた1986年の輸出額は17・4億ドルに過ぎなかった。しかし、その後は順調に増加し、2021年の金額はマレーシアやタイを上回っている。ベトナムが貿易によって経済発展を遂げたことがよく分かる。

一方、フィリピンの1人当たりGDPはベトナムとほぼ同じ水準にあるが、輸出額は伸びていない。ベトナムとフィリピンの経済構造の違いがよく分かる。

今後を占う上で重要なことがある。それはマレーシアやタイにおいて輸出が伸び悩んでい

図9　東南アジア4か国の貿易額の推移

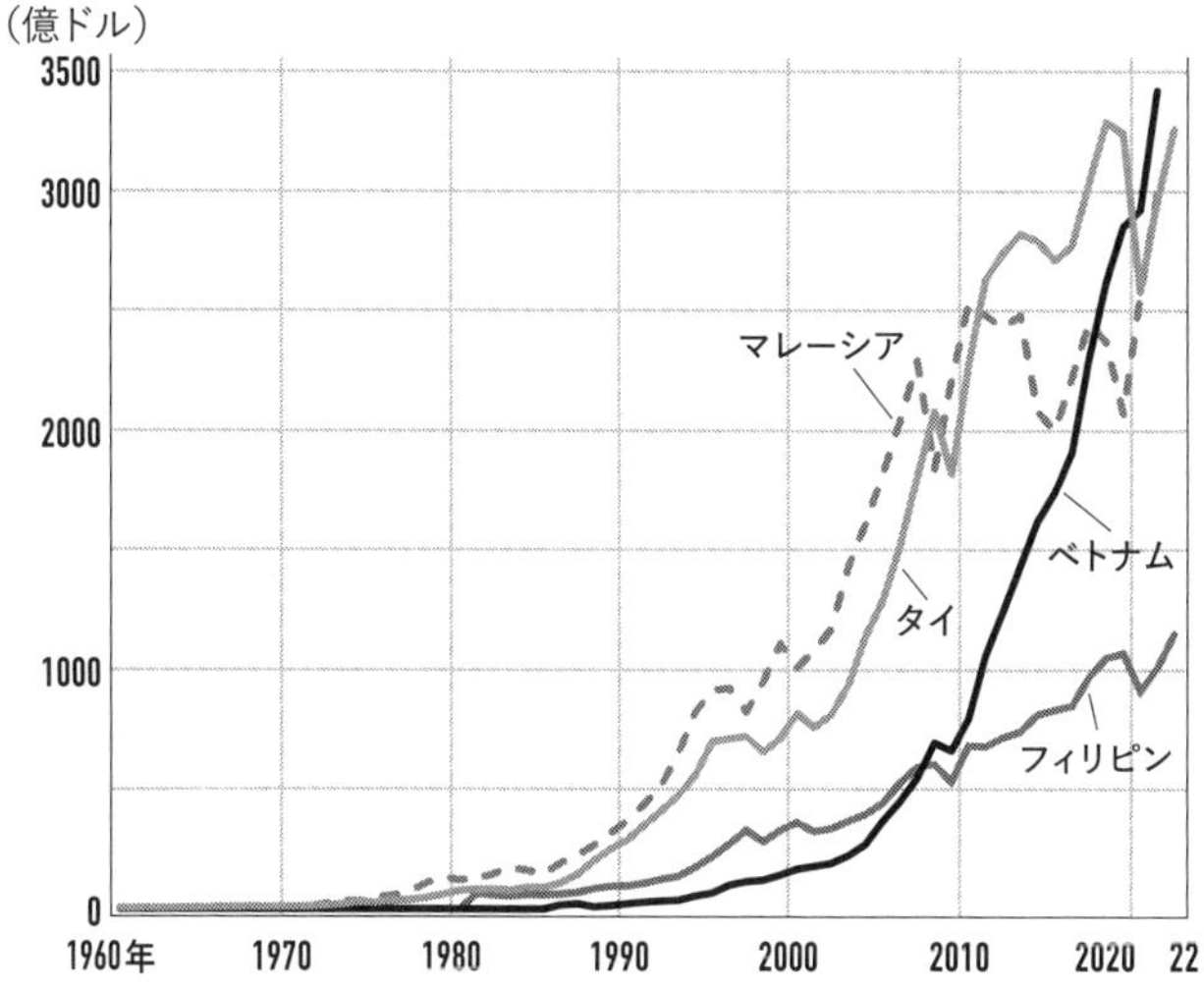

［出典：世界銀行］

ることである。これは世界の変化に対応している。これまで世界の貿易額は順調に増加してきたが、２０１０年頃から明らかに伸び悩み始めた。それでも２０１０年代はＧＡＦＡＭと呼ばれる米国のＩＴ企業が急成長した時代であり、それに伴いパソコンや携帯電話などＩＴ関連製品の貿易額が増加した。それによって世界の貿易額も増加した。

しかし、ＧＡＦＡＭの成長が一段落した現在、次の成長セクターが見つからない。パソコンや携帯電話は広く世界に行き渡った。これ以上は増産する必要はない。それが世界の貿易額が伸び悩み始めた理由であろう。

このことはアジアの途上国の経済成長モデルに影響を与え始めた。海外から輸出産業を招き入れて安い労働力と組み合わせるだけでは、これ以上の発展は難しい。ベトナムの1人当たりGDPは4000ドル程度であるために、今後、しばらくは現在の戦略で経済成長を続けることができると思うが、そう遠くない将来にタイやマレーシアのように限界に達すると思う。このことはベトナム経済を考える上で、ぜひ頭に入れておきたいことである。

中国より10年遅れたベトナムの「改革開放路線」

図10にベトナム、日本、中国の貿易収支を示す。日本の貿易収支は1970年から今日に至るまでGDPの4%以内に収まっており、1970年から2010年までほぼ黒字であった。1970年から1980年代初頭にかけて2度赤字になったことがあったが、両方ともに石油ショックによるものである。2010年以降に赤字になった原因も、東日本大震災によって福島第一原子力発電所が事故を起こした結果として、原子力発電の安全性に疑念が生じ、多くの原子力発電所が停止したためである。それにより化石燃料の輸入量が増加して、貿易赤字に転落した。

日本の貿易収支は石油の価格によって大きく変動しているものの、概ね黒字で推移してい

図10　貿易収支（GDPに対する割合）の推移

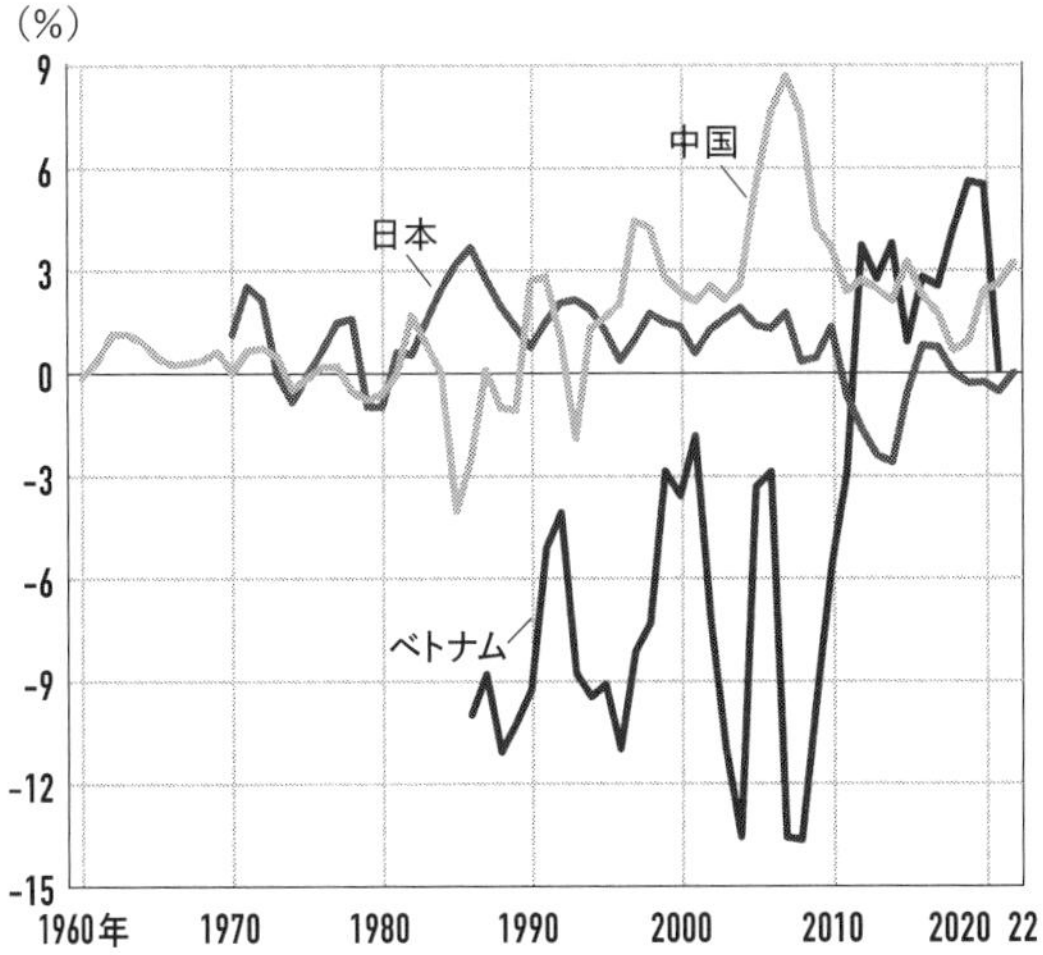

［出典：世界銀行］

る。バブル崩壊後は失われた20年とも30年とも言われてきたが、貿易収支から見る時に日本経済は健全と言ってよい。

一方、ベトナムの貿易収支は大きく揺れ動いている。世界銀行のデータはベトナムがドイモイに舵を切った1986年から始まっているが、それ以降、2011年まで貿易収支はずっと赤字であった。その時期の貿易赤字はGDP比で見た時、日本が石油ショックを経験した時よりもずっと大きい。

このことはベトナムの為替や財政政策に大きな影響を与えている。ベトナムはドイモイに転じた後に経済が混乱して、1980年代後半から1990

年代前半かけてハイパーインフレに襲われた。現在、ベトナムの通貨はその表記を1000分の1にして、後ろにKを付けることが習慣になっている。それほどまでに通貨価値が下落した。

このハイパーインフレは庶民を苦しめた。この時の苦い記憶から、ベトナム政府はインフレを極度に恐れている。ベトナムは長い期間にわたり貿易赤字を抱えていた。貿易赤字は通貨安につながり、それは輸入物価の高騰を招く。インフレを恐れるベトナム政府にとって、通貨ドンとドルとの交換レートを安定させることは至上命題であり、そのために政府の負債総額をGDPの60%以下にするように定めている。日本のように無制限に赤字国債を出すことはない。

ベトナムの財政に関する感性は、第一次世界大戦後にハイパーインフレに襲われたドイツに似ている。ドイツも財政規律を極端に重視している。だが、それは景気後退局面で財政出動ができないことを意味する。ベトナム政府は2022年の秋に始まった不動産バブルの崩壊に対して、有効な政策を何一つ打ち出していない。

ただ、**図10**より分かるように、ベトナムの貿易収支は2012年より大幅に改善した。これはハノイの東のバクニン省にサムソンの携帯電話工場ができたためである。ベトナム人は、ベトナム戦争時に米国の要請に応じてベトナムに派兵した韓国に対して複雑な感情を有しているが、貿易赤字を黒字に転換してくれたことに対しては感謝している。ベトナム人の韓国人に対する感情については後述したい。

中国が改革開放に舵を切ったのは1978年だったが、ベトナムがドイモイに転じたのはその8年後の1986年である。ドイモイを始めた後も内部の意見調整に手間取り、個別の農家が経営の主体になることを認めたのは1988年とされる。ベトナムの改革開放路線は中国より約10年遅れてしまった。

何事にも先行者の利益があるが、この10年の遅れはベトナム経済にとって大きなハンディキャップになった。それは、輸出によって経済を発展させようとしたが、北の大国（中国）が10年も早く同じ路線に転じていたためである。後発のベトナムは不利な条件での戦いを強いられた。中国は1990年代に入ると貿易黒字体質が定着して、2007年にはその割合は8・7％にまでなった。一方、ベトナムはサムソンの工場が稼働を始める2010年代になるまで貿易が黒字になることはなかった。

第2節　人口動態が示すベトナム経済の行方

ベトナムの人口はいつ1億人を超えたのか

ベトナムは若い国で、人口増によって労働力人口が増加して経済成長が促進される「人口ボーナス期」にあり、少子高齢化が深刻な日本とは大きく異なる。日本にはベトナムに対するそのような認識があると思う。だが、我々はそんな認識を改めなければならない時期に差し掛かっている。

国連人口局はベトナムの人口が1億人を超えるのは2026年と予想していたが、ベトナム政府は2023年に1億人を超えたとしている。ベトナム政府は人口が1億人を超えたことを祝してイベントを開催する予定だったが、公安省と統計総局の見解が一致しなかったために、イベントが開催されることはなかった。

統計総局によると、2023年4月に1億人目の国民が誕生する予定だったが、公安省は海外で働くベトナム人を加えると4月の時点で人口は既に1億400万人に達していたと主張したのだ。ベトナムの公安省は省庁の中でも強い権限を有している。

ＧＤＰの推計の際にも述べたが、国連など国際機関が発表する値を鵜呑みにするのは危険である。国連が発表するからといって信頼できるわけではない。国連は多くの場合、各国が発表するデータをそのまま公表している。ベトナムに関する国際機関のデータも、その信頼性はベトナム政府が公表しているものと同じと考えてよい。

ベトナム外務省は海外で働いているベトナム人を約５００万人としているが、公安省は４００万人としており、その数字にも違いが見られる。このようなことは公表する前に政府の中で調整すべきものであり、公表してからで争うべきものではないだろう。

ここで一言付け加えると、ベトナムに関する国連のデータは、中国ほどバイアスがかかっていないと思う。お金がないので国際機関にお金や人材をほとんど供給していない。その結果、ベトナムの国際機関に対する影響力は弱く、データを大きく変えるほどの力は持っていない。

ベトナムの統計が信頼に欠ける原因の一つは、ここで見たように統計総局、公安省、外務省などがそれぞれ別個に統計をとっているが、その結果について議論し、正しいデータを作ろうと努力しないためだ。ベトナムの行政機関は縦割り主義であり、横の連携が悪い。このことはベトナムを考える場合に、常に頭に入れておかなければならない。ベトナムのデータが日本と同等の信頼性を持つと思ってはいけない。

ベトナムももうすぐ人口減少に転じる

図11に国連人口局による1950年から2100年までのベトナムの人口の推移を示す。この図の2022年以降は予測値である。国連人口局は将来人口の予測値として、①人口が大きく増加する高位推計、②高位と低位の中間である中位推計、③人口がそれほど増加しない低位推計の3種を公表している。マスコミは中位推計を用いることが多いが、ここではその是非を含めて、ベトナムの将来人口について考えてみたい。

図11には高位推計を示していない。高位推計は高い出生率が続くことを想定しているが、後に述べるように過去の傾向を見ると、そのようなことは起こり得ないと考えるからだ。国連の推計によると2021年のベトナムの人口は9709万人であった。予測値は中位推計と低位推計で異なる。その違いは主に今後のTFR（Total Fertility Rate＝合計特殊出生率：1人の女性が生涯に出産する子供の数）をどのように設定するかによる。

ベトナムの人口は今後もしばらく増加して、中位推計によると、2051年に1億702万人でピークに達する。現在の人口は約1億人であるから、中位推計でも人口のピークは現在よりも7％多くなるだけである。低位推計では、2035年に1億116万人に達した後に減少に転じる。**図11**を見るとその減少は急である。

図11　ベトナムの人口の推移と将来人口推計

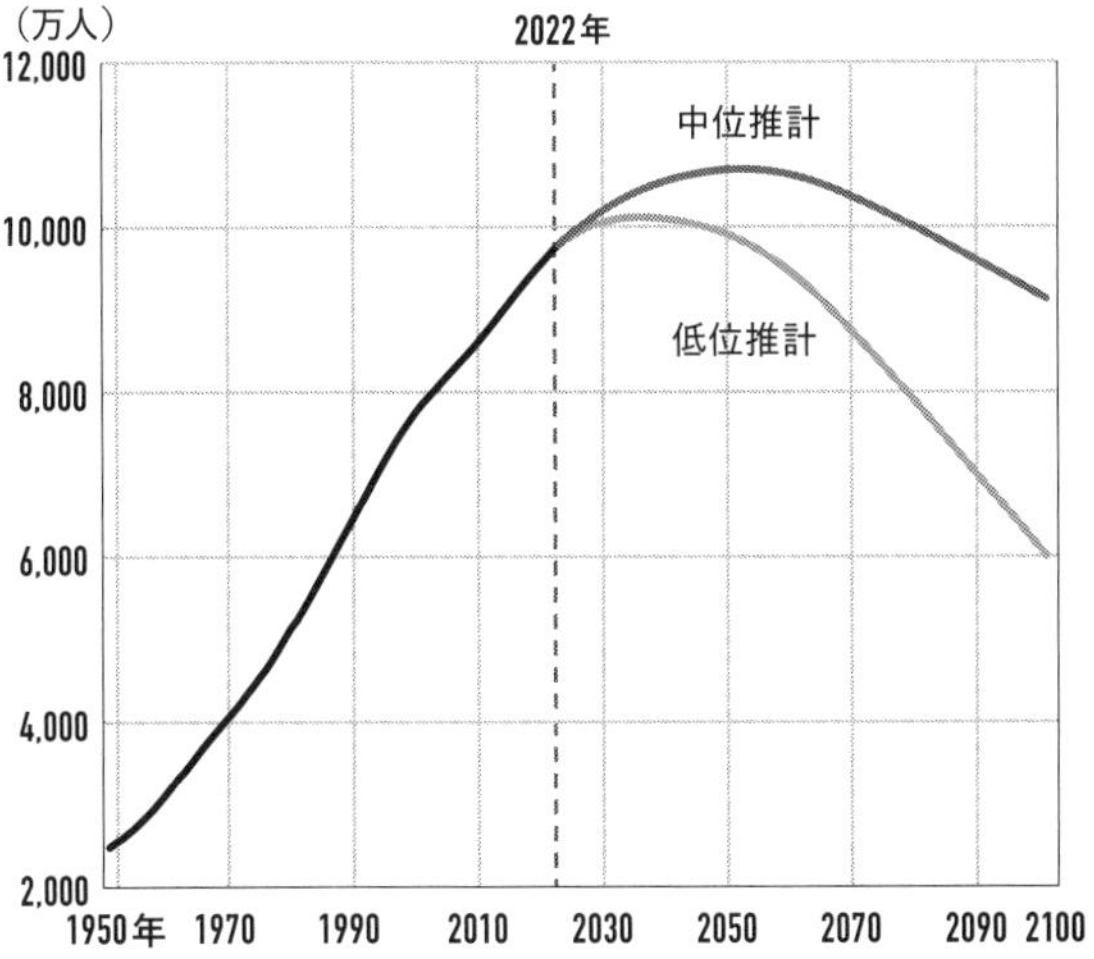

［出典：国連人口局］

ベトナムの人口が急速に増加する時代は終わった。中国の人口は中国政府の発表でも2022年から減少し始めている。中国は豊かになりきらないうちに少子高齢化社会を迎えて人口が減少し始めた。ベトナムも似たような状況にある。

ベトナムの発展段階をどう見るかについては人によって違いがあるが、筆者は、ベトナムは中国が北京オリンピックを開催した時より少し前の状態にあると考えている。ベトナムの経済発展は中国より20年ほど遅れている。それにもかかわらず、不動産バブルが崩壊して経済が順調に発展しなくなってしまった。また、人口増加率が低下している。

ベトナムは、経済が十分に発展しない段階で人口増加率が低下し、少子高齢化社会を迎えようとしている。今後、低位推計で推移するとすれば、2100年のベトナムの人口は6002万人にまで減少する。人口減少は日本だけの問題ではない。アフリカや中東を除く多くの地域で問題になり始めた。

合計特殊出生率（TFR）の急減

将来の人口を予測するためには、今後の「出生率」「死亡率」「移民」の数を予測する必要がある。この中で「移民」は、カナダやオーストラリアのように移民を大量に受け入れている国を除けば、人口の趨勢に大きな影響を与えることはない。また、「死亡率」もかなりの精度で予測することができる。2020年から2022年にかけて生じた新型コロナウイルスによるパンデミックでも、世界人口に与えた影響はわずかであった。

将来人口を予測する上で最も不確実な要素は「出生率」である。多くの子供が生まれれば人口が増加する。生まれる子供の数が減少すれば人口も減少する。

合計特殊出生率（TFR）とは、1人の女性が一生の間に産む子供の数である。TFRが2を割り込む社会では、人口は減少する。正確には、生まれた子供が次の世代を産むまでに死亡することを考えなければならないので、人口を維持するためにはTFRは2を上回る必要がある。ただ、現在では次の世代を産むまでに死亡する人の数は極めて少なく、TFRが2・05程度あれば人口を維持することが可能とされる。それでも1人の女性が子供を2人産まない社会は、時間と共に人口が減少していく。

図12にベトナムにおけるTFRの変遷を示す。2022年以降は中位と低位に分けて推計値を示している。ベトナムでは1950年代から1970年代の初頭にかけて、1人の女性が5人から6人程度の子供を産んでいた。これはベトナムだけに見られた現象ではない。衛生状態が悪く医療の発展していない社会では、女性は一生涯に5人から6人程度の子供を産む必要があった。幼児死亡率が高く成人まで生きる子供の数が少なかったからである。日本でも大正時代である1920年頃まで、そのような状態が続いていた。日本で産む子供の数が減り始めるのは、昭和になってからである。

1970年代になると、ベトナムでも生まれる子供の数が減り始めた。衛生状態が改善し、医療が普及することによって、死亡する幼児の数が減り始めたためである。生まれた子供の多くが成人する。人々がそれを実感すると出生数は減り始める。ベトナムでは1970年代にそのような状況が生まれた。

ただ、幼児死亡率が低下しても、すぐに出生率が減少することはない。それは結婚年齢や

図 12　ベトナムの合計特殊出生率（TFR）の推移と将来推計

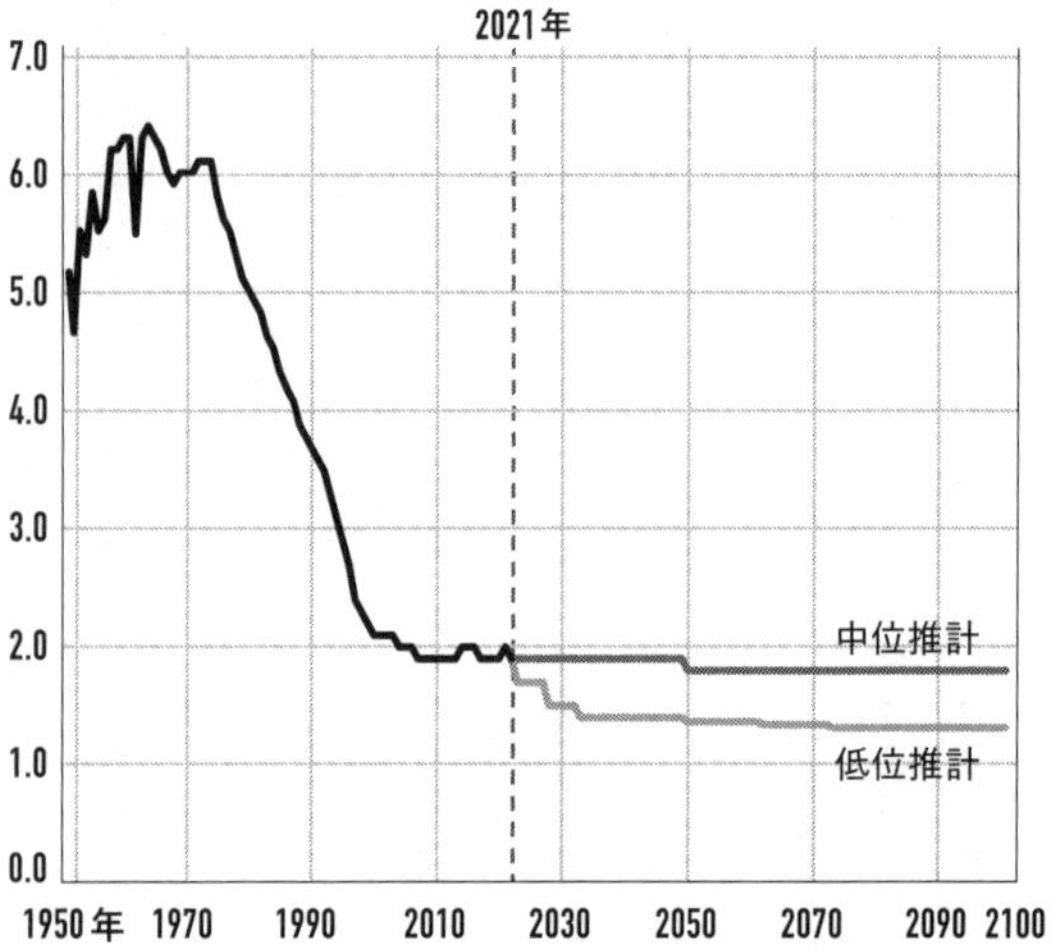

［出典：国連人口局］

産む子供の数は文明や文化の一部を成しているためである。たくさんの子供を産むために女性は20歳頃までには結婚するべきだ。そして多くの子供を産むべきだ。人口を維持するために、どんな文明・文化でもそのような規範を持っていた。そんな規範が変化するには時間を要する。

その結果として、多くの子供が生まれ、その多くが成人に達する時期が生じる。その時期に人口は爆発的に増加する。このような時期を人口学では「多産少死」と称している。その後、生まれた子供の多くが成人することが認識されると、生まれる子供の数が減ってゆく。「多産多死」から「多産少子」

を経て「少産少死」に至る。このような過程を総称して「人口転換」と呼ぶ。

ベトナムでは人口転換は、１９６０年頃から１９９０年頃に生じた。ベトナムの１９５０年の人口は２４８３万人であった。それが２０００年には７８５９万人にもなった。年率２・３％の増加である。このような増加が１００年続けば、人口は９・７倍になる。それほどの増加率である。

ただ、そのような状態が続くことはない。21世紀に入るとベトナムの増加率は急速に低下し、２０２１年には０・93％になった。ベトナムの２０００年のＴＦＲは２・07にまで低下し、２００５年には１・96と２を割り込んだ。その後は横ばいになっており、２０２１年の値は１・94である。

今後の予測は中位推計と低位推計では大きく異なる。中位推計では、ＴＦＲは２を少し下回った水準でほぼ横ばいに推移するとしている。２０３０年のＴＦＲは１・90である。一方、低位推計では２０３０年に１・50まで低下するとしている。どちらが正しいのであろうか。この図を見ているだけでは、答えを出すことは難しい。そのヒントを見つけるために、日本と東南アジア５か国のＴＦＲを見てみよう。

図13に１９５０年から２０２１年までの日本と東南アジア５か国のＴＦＲの変遷を示す。東南アジア５か国のＴＦＲの変遷はよく似ている。多少の違いはあるものの、１９５０年か

図 13　東南アジア5か国の合計特殊出生率（TFR）の推移

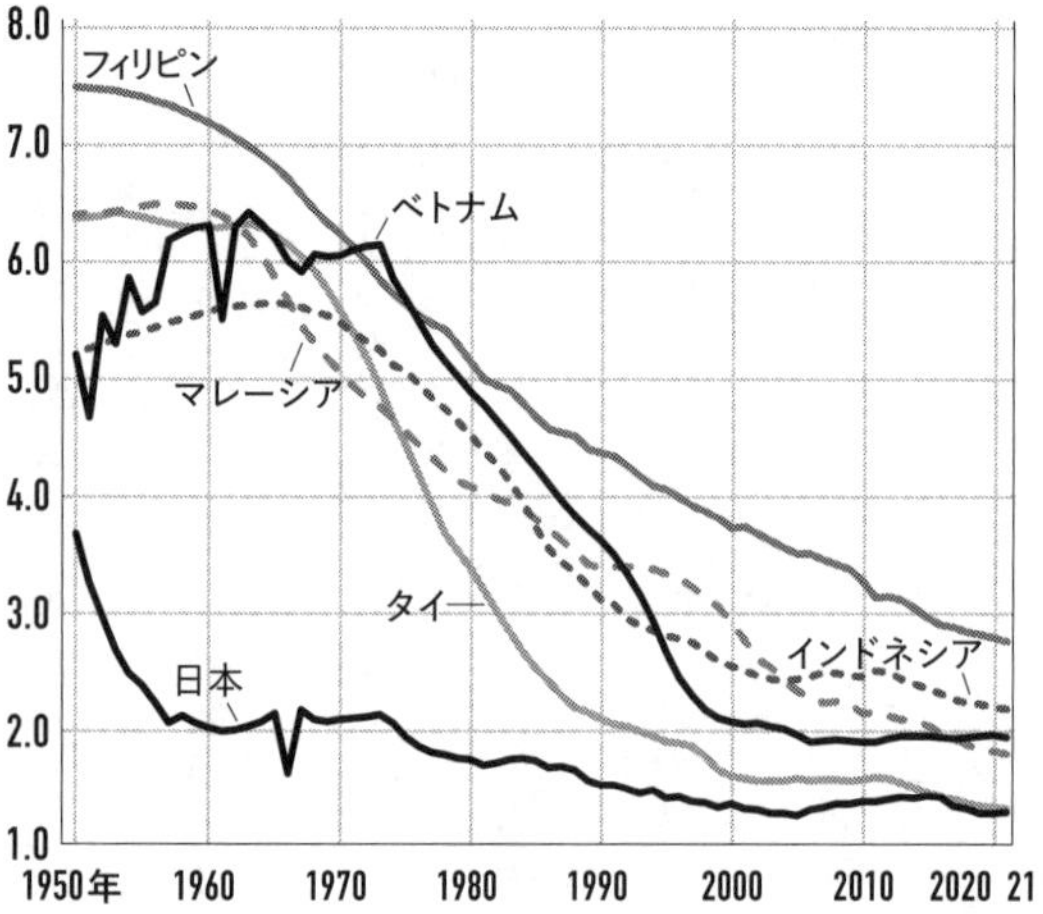

［出典：国連人口局］

ら1970年頃までは5程度から7程度と高かった。それが1970年以降にすべての国で低下している。タイのTFRは1993年に2を割り込み、その後も低下し続けており、2021年は1・33になった。タイでは少子化が大きな問題になっている。

日本でTFRが大きく低下したのは1920年頃から1950年頃の間である。東南アジア諸国より50年ほど早いので、この図で日本のTFRが低下した過程を見ることはできない。日本の1960年のTFRは2・02であった。

傾向は似ているものの、東南アジア5か国の中に若干の差異が見られる。まず目につくのは、フィリピンのTFRがほぼ一貫して高いことである。先にGDPの構成において、フィリピンでは工業の割合が低くサービスの割合が著しく高いなど、他の東南アジア諸国とは傾向が異なることを述べたが、TFRにおいてもフィリピンは他の4か国とは異なっている。フィリピンではカトリック信仰が盛んであり、アジアにあるラテンの国と言ってもよい。そのことが、フィリピンにおいて多くの指標が他のアジア諸国と異なる理由であろう。

一般に経済が発展するとTFRが低下する。マレーシアはここにあげた5カ国の中では最も一人当たりGDPが高いが、2番目に高いタイよりもTFRが高くなっている。これはマレーシアの人口の約6割がイスラム教徒であり、イスラム教の教義では子供を産むことが奨励されているためと考えられる。イスラム教徒が多い西アジア諸国もTFRが高い。

ただ、そんなマレーシアでもTFRは低下し続けており、2016年に2を割り込み、2021年には1・80まで低下した。このような状態が続けば、そう遠くない将来にマレーシアの人口は減少に転じることになろう。

中国の「一人っ子政策」とTFR

ベトナムは1988年以降、「二人っ子政策」を掲げてきた。これは中国で1979年から実施された「一人っ子政策」を真似たものである。中国の一人っ子政策は2014年に廃止されたが、ベトナムでも二人っ子政策は２０１７年に廃止された。ベトナムでは公務員や軍人は３人目の子供ができると左遷や減俸されたとされるが、その適応は中国ほど厳格なものではなく緩やかであったと言われる。

ベトナムは中国を嫌っているが、ベトナムの政策は中国の後追いであることが多い。かつ中国より緩やかにその政策を実行する。出生率の抑制政策にもその特徴がよく表れている。

中国の一人っ子政策はほとんど意味がなかった。**図14**に中国と日本とベトナムのＴＦＲの変遷を示すが、中国でＴＦＲが大きく減少したのは１９７０年代であった。一人っ子政策が導入されたのは１９７９年だが、それ以前にＴＦＲは大きく低下していた。その一方で、一人っ子政策が導入されても１９８０年代は一貫して２を上回っていた。

１９７０年代にＴＦＲが大きく低下したのは、人口転換が起きたためだろう。そして一人っ子政策が導入されても、人々は子供を２人産んでいた。中国のＴＦＲは１９９０年代に入ると急速に低下したが、これは１９９２年の南巡講話以降に中国経済が順調に成長し始めたからだろう。つまり、中国のＴＦＲは一人っ子政策よりも衛生状態や医療の改善、そして経済発展の影響によって変化したと考えた方がよい。

中国のＴＦＲは２０１０年代に入ると上昇した。これは不自然な動きと言ってよい。２０１０年代は中国バブルの全盛期だった。中国人は浮かれていた。そうであるならＴＦＲは低

図 14　中国と日本とベトナムの合計特殊出生率（TFR）の推移

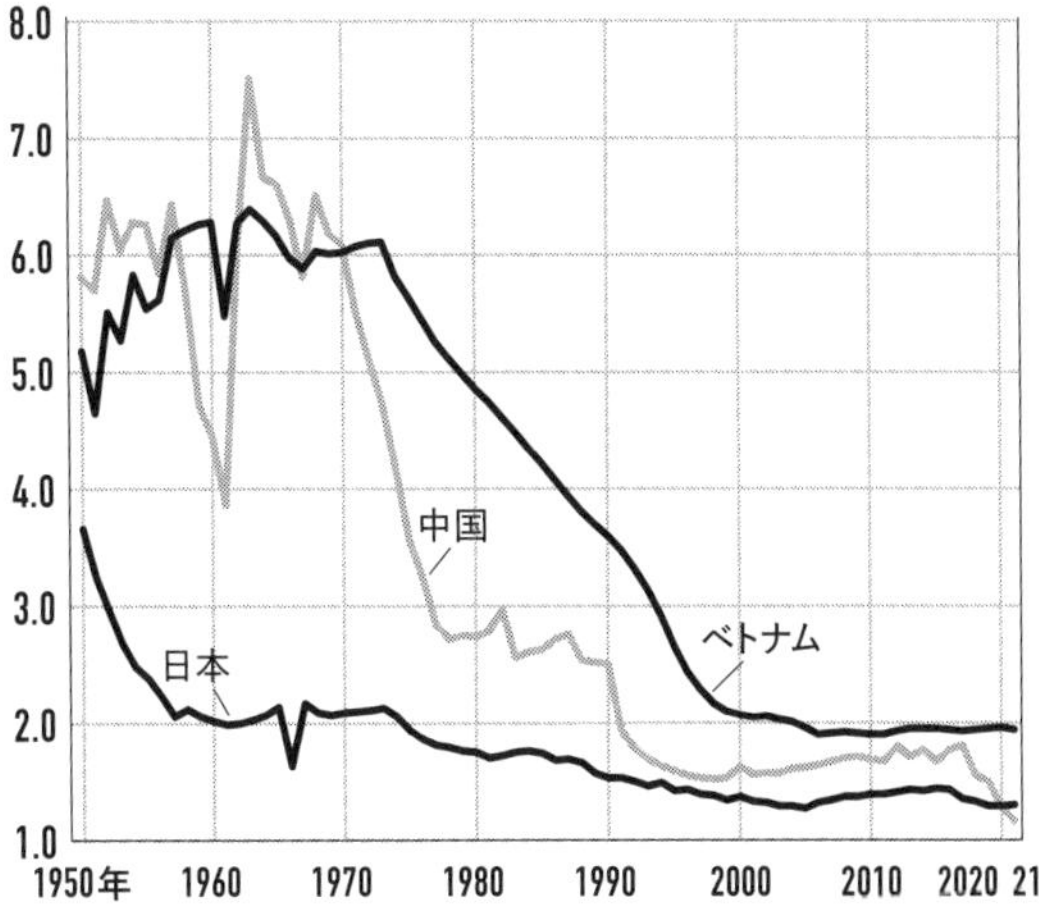

［出典：国連人口局］

下し続けるはずである。

日本では、バブル経済の時期である１９８５年から１９９０年代初頭にかけてＴＦＲは継続的に低下している。バブル経済の時期に女性の社会進出は急速に進む。そして女性が結婚に幸せを求める価値観が急速に壊れる時代でもある。そんな時代に中国ではＴＦＲが上昇した。これは不自然である。実際には、この時期にＴＦＲは継続的に低下していた可能性が高い。

２０１０年代に入ると、中国では近い将来に人口が減少し始めることに危機感を持ち始めた。それを受けて一人っ子政策は２０１４年に廃止された。

中国には子供の数に応じて中央から地方に補助金が支給される仕組みがある。地方政府は子供の数を多めに報告して、より多くの補助金を得たいと思っていた。だが、人口抑制が課題になっていた時代には、出生数を多めに報告することは憚られた。しかし、減少が危惧される時代になると、出生数を多めに報告してもお咎めを受ける雰囲気ではなくなった。それを受けて、地方政府は多めの出生数を報告し始めた。その結果として、ＴＦＲが高くなったのであろう。

ただ、２０２０年頃になるとウソに基づいた出生数でも、近い将来に人口が減少することが確実になった。その対策を行うには正確なデータが必要になる。また、世界の研究者から中国の人口が過大であるとの指摘を受けるようになった。その結果、地方政府が多めの出生数を報告することは難しくなった。それが２０２０年以降のＴＦＲの急激な減少につながったのではないかと考えている。**図14**を見ると、２０００年以降、中国のＴＦＲは継続的に減少していたと見る方が自然である。そう考えれば、中国の人口は14億人に達していないということになる。

ベトナム「二人っ子政策」後のＴＦＲ

中国の一人っ子政策に比べて、ベトナムの二人っ子政策は機能したように思う。それは1990年代後半から現在に至るまでベトナムのTFRがほぼ2で推移しているためだ。TFRが10年以上にわたってほぼ同じであった例は他の国には見られない。ベトナムの行政組織は中国ほどしっかりしたものではなく、その報告に疑問はあるものの、出生数についてはそれほどの間違いはないと感じている。それは、ベトナムでは子供は2人と答える人が多いからだ。ベトナムは二人っ子政策を2017年に廃止したが、それ以降もTFRは増加していない。ベトナムでは子供は2人とする習慣が根付いたようにも見える。

それは今後も継続するのであろうか。そうであるならベトナムの人口は中位推計のように推移することになろう。だが、筆者はベトナムのTFRは今後急速に低下して、日本、中国、タイのようになる可能性が高いと考えている。ベトナムの街並みは、この10年ほどの間に大きく変わった。ハノイやホーチミン市にはビルが林立している。夜の街も明るくなり、中心街にはネオンサインが灯る。1人当たりのGDPが4000ドルを超えて、人々が飢えに苦しむことはなくなり、子供の肥満や糖尿病を心配しなければならない時代になった。まさに中進国である。

それでもベトナムのTFRは2前後を維持している。それはベトナムでは現在でも人口の約6割が農村部に住んでいることが理由だろう。どの国でも農村は保守的であり、女性は早く結婚して子供を産んだ方が幸せとの考えが根強く残る。ベトナムもその例外でない。ただ、現在、農村に生まれた若者が農村に留まり農業に従事することは稀になった。多くの若者がハノイ、ホーチミン、ダナンなどの大都市に職を求めて移動している。日本で昭和30年代から40年代にかけて生じた現象が今まさにベトナムで起こっている。

大都市で女性の初婚年齢は確実に上昇している。信頼できる統計に接してはいないが、2016年頃のハノイでは女性は20歳を過ぎたら結婚すべきだとの考えが強いように感じた。だが、現在は30歳になっても結婚していない女性の話を聞くことも稀ではない。ベトナム社会はこの10年ほどで大きく変化した。経済成長が人々の心までも変え始めた。今後、女性が20歳前後で結婚して子供を2人作るというライフスタイルは急速に変化していくことになろう。

私見だが、若者の意識の急速な変化はスマートフォン（スマホ）が作り出したと考えている。世界でスマホが広く普及したのは2010年代である。ベトナムもほぼ同時期にスマホが普及したが、スマホを操作していれば、ボーイフレンドやガールフレンドがいなくても暇がつぶせる。それが少子化を加速しているようにも思える。

今後、ベトナムのTFRは低位推計までは低下しないとしても、中位推計が示すように長期間にわたって2付近に留まる可能性は少ないだろう。ベトナムの人口は低位推計と中位推計の間を推移する。筆者はより低位推計に近い形で推移するのではないかと考えている。おそらくベトナムの人口は２０３０年代にピークになり、その時の人口は１億１０００万人に達していないだろう。

人口ピラミッドが示す経済の行方

２０００年から２０４０年にかけてのベトナムの人口ピラミッドを**図15～17**に示す。**図17**は低位推計に基づいたものだが、中位推計にしても0歳から18歳の部分が少し膨らむだけで大きな違いはない。

まず**図15**だが、２０００年はベトナム経済が発展を始めた段階と言えるが、当時は10代の人口が特に多かった。ベトナム戦争が終わったのは１９７５年であるが、その年に生まれた子供は２０００年に25歳になっている。その世代から人口が増えている。２０００年の時点では9歳の人口が最も多い。２０００年以降は出生数が減少している。

２０００年の人口ピラミッドをよく見ると、50歳より上の人口が異常に少ないことが分かる。特に50歳から70歳の人口の男性が著しく少ないが、女性も少ない。この世代はベトナム戦争が本格化した１９６４年から１９７５年に青春時代を送っているが、男性だけでなく女性も戦争の犠牲になったと考えられる。ゲリラ戦は女性をも巻き込んだ戦争であった。

図 15　ベトナムの人口ピラミッド（2000 年）

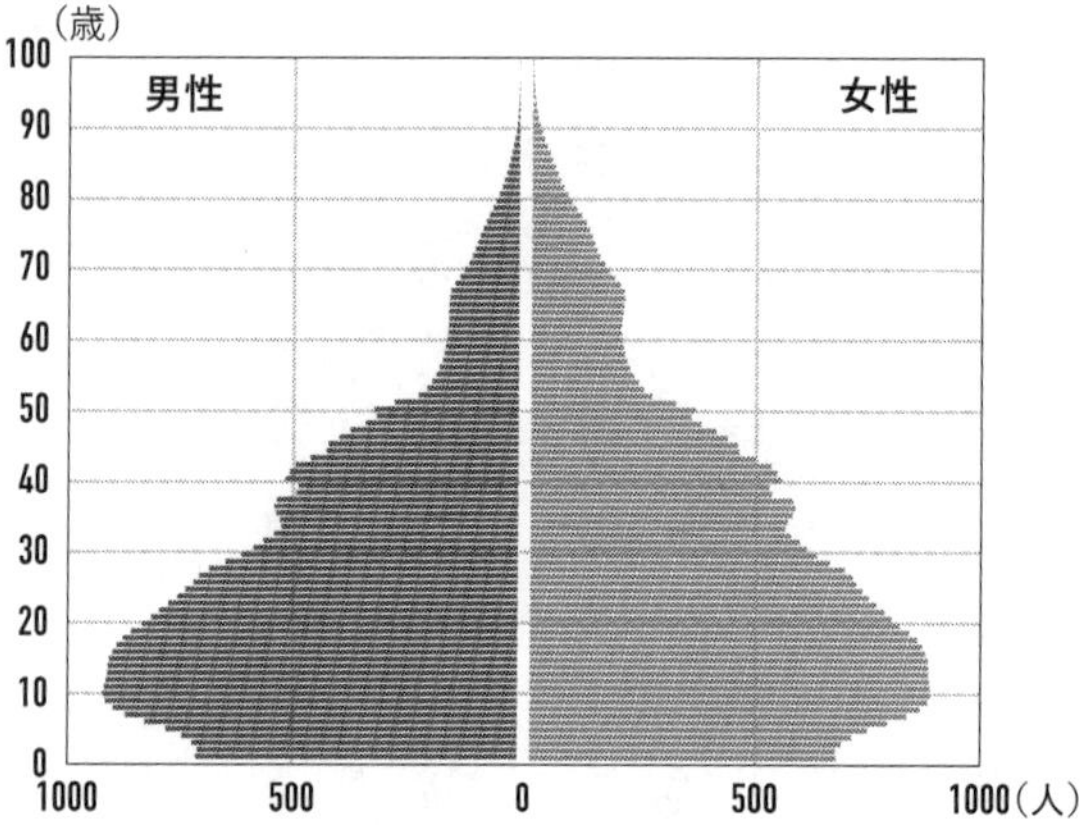

［出典：国連人口局］

図 16　ベトナムの人口ピラミッド（2020 年）

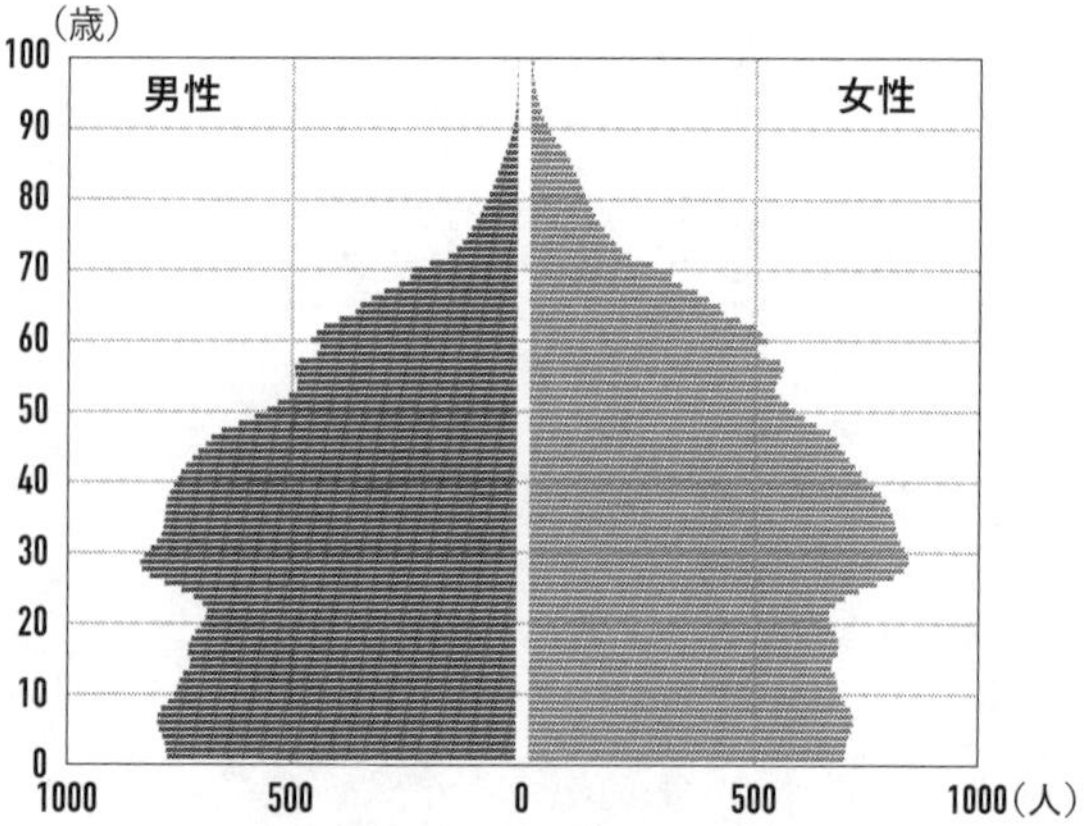

［出典：国連人口局］

図17　ベトナムの人口ピラミッド（2040年、低位推計）

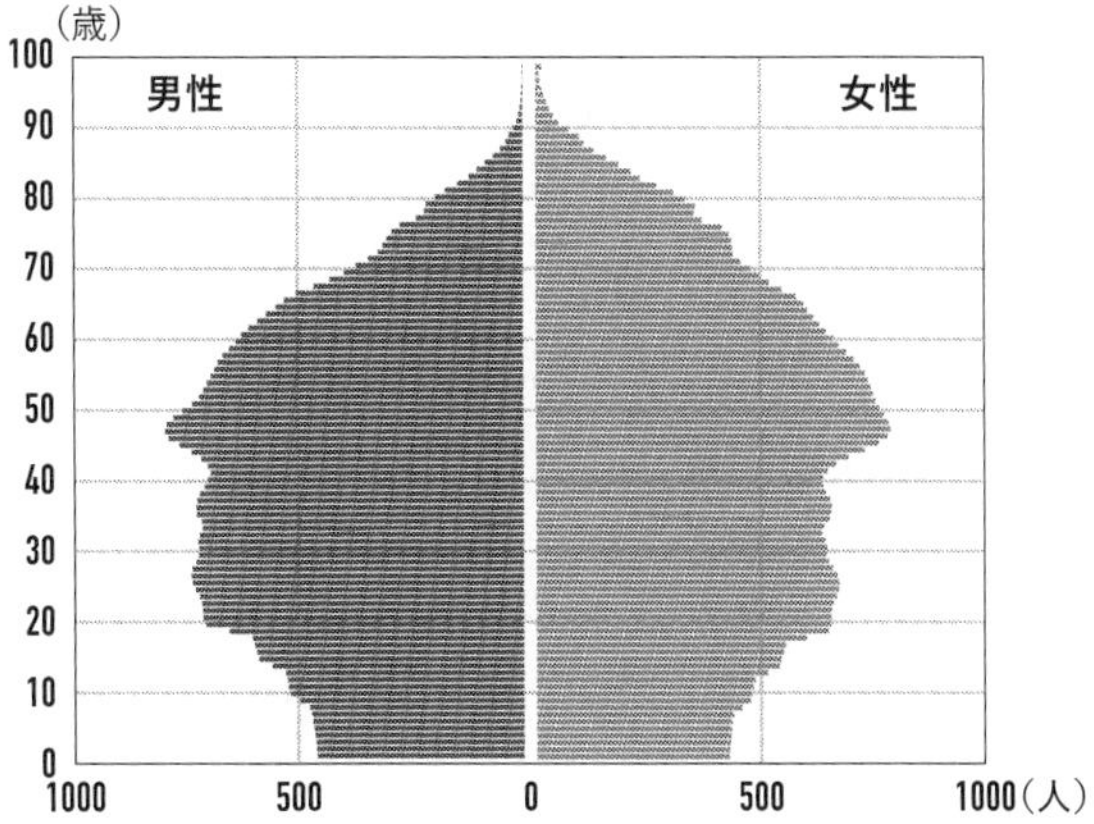

［出典：国連人口局］

２０００年の平均年齢は27歳である。２０００年の日本の平均年齢は41歳であった。その頃のベトナムは若い社会と言ってよい。

２０２０年にはベトナムの人口ピラミッドは**図16**のように変化した。平均年齢は33歳と、20年間で6歳上昇した。それでも同年の日本の平均年齢は48歳だから十分に若いと言える。現在のベトナムは経済成長に最も適した人口構成になっている。

日本の１９７０年の平均年齢は31歳、１９８０年は34歳、１９９０年は37歳であった。平均年齢が20歳代の社会は子供の数が多く、若い社会であるが経済成長に適しているとは言えない。子供の養育に多くの力を割かなければならないからだ。経済は平均年齢が30歳代の時期に最も成長するが、現在のベトナムはまさにそのような時期にある。

ベトナムの経済発展は日本より約50年、中国より約20年遅れているとしたが、それは年齢構成からも確認できる。年齢構成と経済成長の間には不思議な関係があるようだ。

しかし日本がそうであったように、人口ボーナスとも言われる経済成長に適した時期は長くは続かない。２０００年の日本の平均年齢は41歳になった。それ以降の日本は老人福祉に力を割かなければならない時代になったが、そうなると経済は成長しなくなる。

余談として中国について語る。中国の２０００年の平均年齢は31歳であったが、２０２４年の平均年齢は40歳になっている。中国も平均年齢が30歳代の時代に成長したと言える。そして現在は老人問題に取り組むべき時代になっている。中国の不動産バブルは２０２２年に崩壊し始めたが、それは日本の１９９０年によく似ている。バブルの発生とバブルの崩壊は人口構成とも密接な関係がある。

中国は高齢化社会に備えるべきである。「中国の夢」を語り、海外への影響力を強めるためにＡＩＩＢ（アジアインフラ投資銀行）を作って一帯一路などの政策を推し進める時代ではない。人口構成から見ても、習近平は無理な道を進もうとしている。それはいずれ破綻する。

話をベトナムに戻す。ベトナムの２０４０年の人口ピラミッドを**図17**に示すが、２０００

年のピラミッドとは大きく様変わりしており、お腹が膨らんだ中年のような形になっている。平均年齢は41歳になる。なお、これは低位推計としたものであるが、中位推計にした場合も39歳であり、大きな違いは生じない。出生率が中位推計で推移するとしても、２０４０年には経済成長に適した人口構成ではなくなる。

現在のベトナムのＧＤＰは４０００ドルを少し上回った程度であるが、ベトナムでは中国と軌を一にして不動産バブルの崩壊が始まった。ベトナムの不動産バブル崩壊は、中国ほどは経済に深刻な影響を与えないと思われるが、それでも今後、経済成長率は鈍化しよう。この10年ほど、ベトナムは東南アジアの優等生として高い経済成長率を誇ってきたが、不動産バブルの崩壊によって、日本が石油ショックを経験した後のように、成長率が４％程度に低下する可能性が高いと考える。年率４％の成長率では２０２４年から２０４０年まで16年間成長を続けてもＧＤＰは１・87倍にしかならない。５％でも２・18倍である。

そうであるならば、２０４０年の１人当たりＧＤＰは８０００ドル程度に留まる。それはベトナムが中進国のままで高齢化社会に突入することを意味する。ただ、現在のベトナムを見ていると、そのような危機感を感じることはない。

高齢化社会への備えが薄いのはベトナムだけではないようだ。現在のタイの平均年齢は40歳になった。経済が順調に成長する時期はとっくの昔に終わっている。それにもかかわらず、高齢化への備えが語られることはほとんどない。２０１４年には軍事クーデターが起きた。２０２３年に総選挙が行われたが、上院議員については軍部を中心とした支配層が選ぶ、という前近代的な憲法を作ってしまったために、選挙で第一党になった政党が与党になれないなどの混乱が続いている。タイが「中進国の罠」を抜け出して、先進国になるのは容易ではない。

平均寿命と幼児死亡率の関係

図18にベトナムの平均寿命の変遷を示す。図には比較のためにタイ、それに日本と米国を加えた。２０２１年のベトナムの平均寿命は73・6歳で、ここに示した中では最低である。２０２１年はどの国も低下しているが、これは新型コロナウイルスによる感染症が蔓延したためである。

ベトナムの２０２０年の値は不自然に増加しているが、その原因は不明である。実際に平均寿命が一時的に増加したとは思えないので、おそらくは統計処理が原因であろう。この例が示すようにベトナムの統計は今ひとつ信頼できない。そのために個々のデータを見るだけでなく、時系列変化を追う必要がある。

ベトナムの２０２１年の平均寿命は日本より10・8歳も短い。１人当たりＧＤＰが平均寿

図18　各国の平均寿命の推移

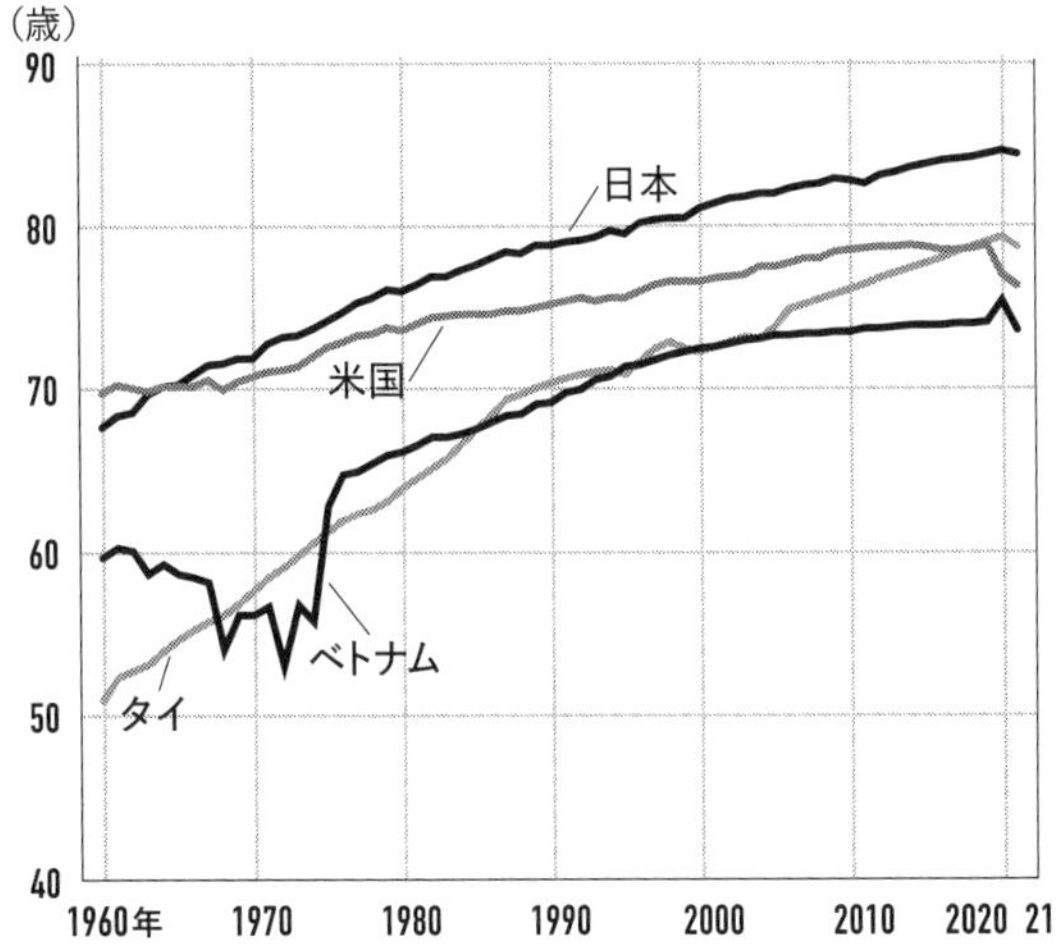

［出典：世界銀行］

命に大きく影響することは事実であるが、平均寿命はＧＤＰだけでは決まらない。その好例が米国である。米国の平均寿命は現在、タイより短い。２０２１年については、新型コロナの影響があるが、２０１９年を見てもタイが79・０歳であるのに対して、米国は78・８歳とタイより０・２歳短い。米国経済は冷戦構造が崩壊した１９９０年以降に他の先進国を引き離して成長したが、平均寿命はほとんど伸びていない。米国経済は２０１０年代に入ると、ＧＡＦＡＭと呼ばれるハイテク企業に牽引されて大きく成長したが、そのような状況の下で平均寿命はほぼ横ばいになってしまった。

新型コロナウイルス感染症の影響のない2019年において、米国の平均寿命は日本より5・6歳も短いが、1960年には米国の平均寿命は日本より2・1歳長かった。日本の平均寿命は1965年に米国を上回り、両国の差はその後も拡大し続けている。その原因は米国の医療や年金の制度にあろう。マスコミやネットでは不満や不平ばかりが聞かれるが、日本の医療や年金の制度は優れたものと言ってよい。バブルが崩壊した後は老人が増えて、かつGDPが増加しない時代になったが、そんな時代でも日本は国民皆保険や年金制度を維持している。それが平均寿命の伸びに表れている。

ベトナムに話を戻そう。1960年頃から1975年頃までベトナムの平均寿命は大きく揺れ動いた。その原因はベトナム戦争である。戦争が終結すると平均寿命は順調に伸び始めた。1980年代はカンボジア侵攻によって国際的に孤立し苦しい時代であったが、それでも平均寿命は伸びている。

だが、21世紀に入るとその伸びは緩やかになった。戦争が終結して人々が生産活動に復帰すると、栄養状態や衛生状態は自然に改善される。それが平均寿命の伸びにつながったと考えられる。しかし、それだけでは限度がある。さらに平均寿命を伸ばすためには、医療を充実させるとともに、地方に住んでいる人でも医療の恩恵を受けることができるような制度を作らなければならない。だが、ベトナムの医療水準はなかなか改善されない。

筆者はハノイに滞在しているが、地方に1人で行く場合は現金を多めに持って行った方がよいと忠告される。それは病気になった場合に、お金を持っていないと診療してもらえないからだ。また、地方では救急車は来ないと思った方がよく、優秀な医師も少ないから、脳梗塞や心筋梗塞になった時は諦めた方がよいなどとも言われる。そのような話が交わされるほど、地方の医療体制は整っていない。これは開発途上国では仕方がないことなのかもしれないが、それにしても中進国の入り口に立った、そして社会主義を売り物にしている国にしては情けないかぎりである。

また、年金制度の整備も遅れている。老人が安心して暮らせる社会を作らなければ平均寿命は伸びない。ベトナムは親族の結束が強く、親の老後は子供が見るという意識が定着している。都会に働きに出た子供が親に仕送りをすることは常識とされている。しかし、農村の子供のほぼすべてが都市に出て働くようになった現在、その常識を重荷に感じ始めた子供も多い。

都会に出て高い賃金を貰うことができるのは、ごく少数のエリートだけである。大多数の若者は、都市で生活していくだけで収入の大半を使い果たしてしまう。そのような人々に親世代の老後を見させるのは限度がある。だが、政治はそのような子供の声を聞こうとしていない。ベトナムの政治家や官僚は、日本の昭和の親父のように子が親の面倒を見るのは当然

図 19　各国の乳児死亡率の推移

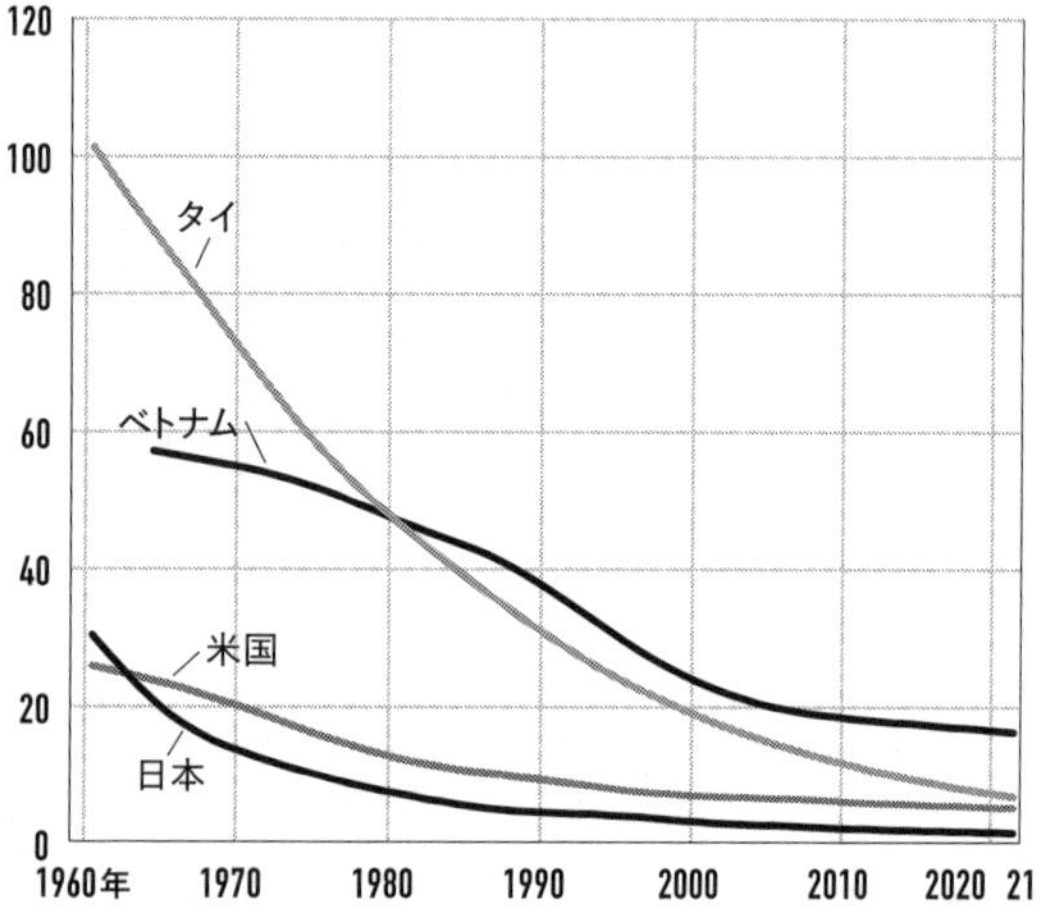

［出典：世界銀行］

と思っている。そのような感性が平均寿命の伸びの鈍化を招いている一因であろう。

さらに、乳児死亡率も平均寿命に大きな影響を及ぼす。乳児死亡率が低下すれば、平均寿命は大きく増加する。

図19に乳児死亡率（年間1000出生数当たりの生後1年未満の死亡数）の変遷を示した。平均寿命と同様にベトナム以外にタイ、日本、米国について示した。日本の乳児死亡率は1963年以来常に米国を下回っている。2021年の死亡率は日本が1・7に対して米国は5・4である。同年のベトナムの死亡率は16・4と著しく高い。2000年頃まではそれなりに低下してい

たが、2000年頃を境にその低下が緩やかになってしまった。

一方、タイの乳児死亡率は順調に低下し、2021年は7・1と米国とほぼ変わらない水準になった。**図1**に示したように、タイの1人当たりGDPは2010年代に入ってほとんど増加していない。それにもかかわらずタイにおいて乳児死亡率が減少し、平均寿命が伸びた。

だが、ベトナムは21世紀に入った頃から乳児死亡率が大きく低下することなく、また平均寿命も伸びていない。中進国の仲間入りを果たしても、医療水準がなかなか向上しない。ベトナムを語る際には、この事実をぜひ知っておく必要がある。

都市と地方の人口の推移

稲作を行っていた地域では、農村に多くの人が住んでいる。コメは小麦などに比べて単位面積当たりの収穫量が多い。また、水田に水を張るために連作障害（毎年同じ作物を作ると土壌中の窒素成分が減少したり、作物生育に有害な微生物が増えたりすることにより作物の収穫量が減少すること）が起こりにくい。そのため同じ面積でも小麦を栽培するより多くの人口を養うことができる。一般にコメを作っている国は人口が多い。

そんな国で経済が発展し始めると、農村に住んでいた人々が都市に移動する。それは農業

図 20　各国の地方人口割合の推移

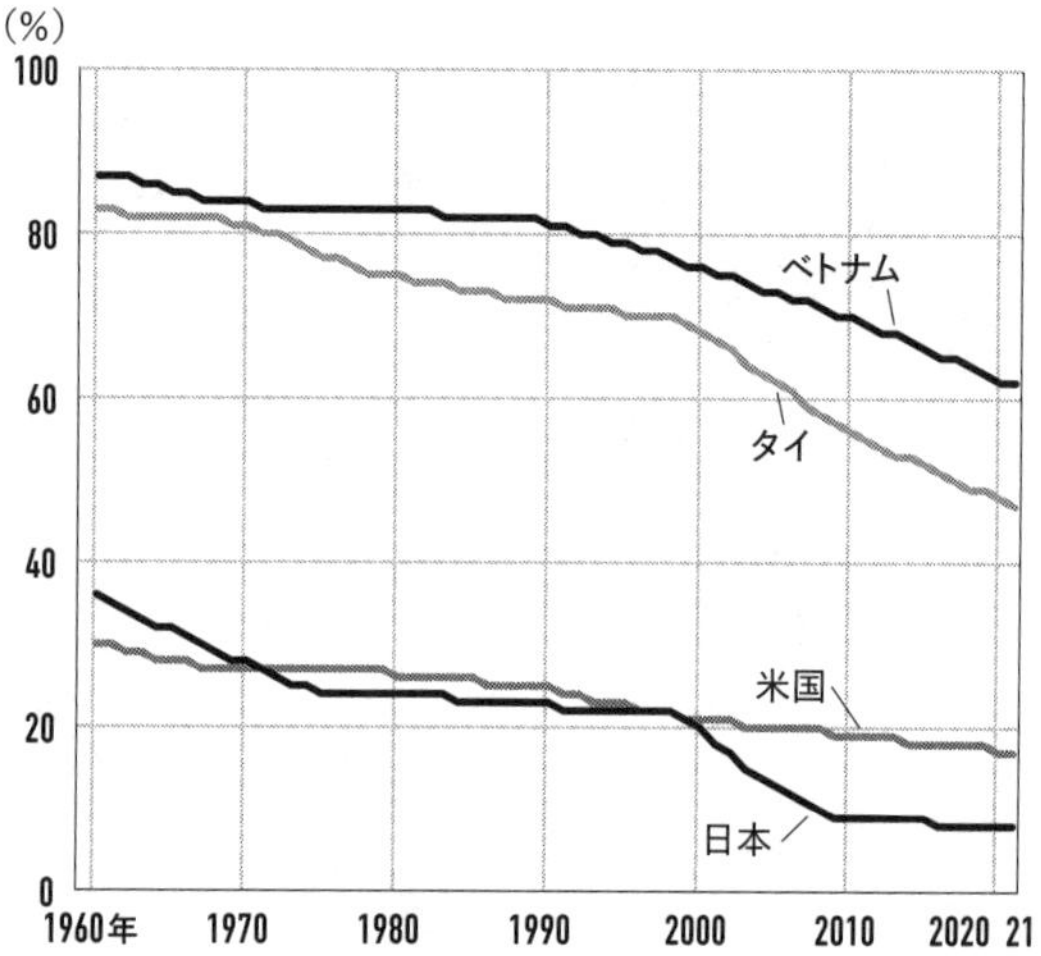

［出典：世界銀行］

よりも工業やサービス産業の方が高い賃金を得られるためである。このような現象の結果として、**図5**に示したようにＧＤＰに占める農業の割合が減少する。

図20にベトナム、タイ、日本、米国において地方（原語・Rural）に住む人口が全人口に占める割合の変化を示した。このデータは世界銀行が作成したものであるが、地方と都市の境をどこに設定するかはなかなか難しい。**図20**においてデータが滑らかに変化していないところがあるが、それは都市と地方の境界の定義を変えているためと思われる。このデータに絶対の信頼性があるわけではないが、それでも各国の

状況を読み取ることはできる。

ベトナムの地方人口割合は全期間を通じてタイ、日本、米国より高い。ただし、時間の経過と共にその割合は低下している。それでも２０２１年の時点で全人口の62％が地方に住んでいた。２０２１年の地方人口割合はタイが47％、米国が17％、日本が８％である。

日本の地方人口割合は２０００年から２０１０年にかけて不自然に減少しており、これは定義の変更によるものと思われるので、日本の地方人口割合が米国よりも低いと言い切ることが難しい。それでもベトナムやタイの地方人口の割合は、日本や米国よりも高いと言うことはできる。

図21にベトナムにおける都市人口と地方人口の変遷を示す。ベトナムでは都市人口は増加しているが、地方人口はほぼ横ばいで推移している。地方の若者は、学校を卒業すると働き口を求めて都市に移動しているが、その若者の数と同じだけの子供が地方で生まれていることになる。

しかし、今後、このような状況は続かない。過去に日本で生じたように、地方で学校を卒業した若者のほぼ全員が都市に働き口を求めて移動する時代になるが、現在、ベトナムはそのような時代が始まった。そして若者はハノイやホーチミン市だけでなく、日本や韓国にも就職している。日本や韓国など海外に働きに出れば、結婚や子供を作る機会はより少なくな

図21　ベトナムの地方人口と都市人口の推移

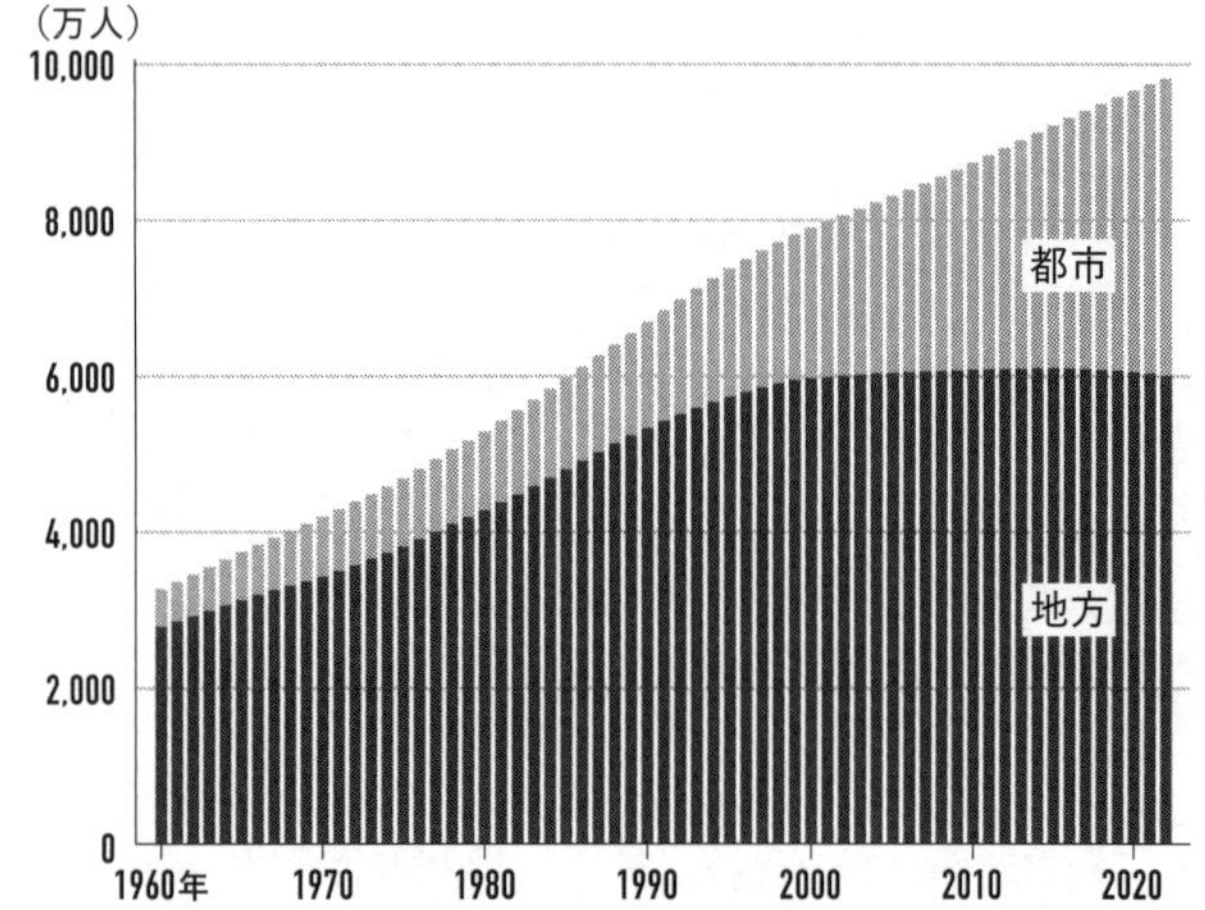

［出典：世界銀行］

る。一方、ハノイやホーチミン市で働き始めても、地方にいる時より初婚年齢が上昇し、かつ産む子供の数も減少する。

図22にタイにおける都市人口と地方人口の変遷を示すが、タイでは２０００年頃からそれまで増えていた地方人口が一転して減少し始めた。それと軌を一にするようにＴＦＲが減少し始めた。ベトナムの発展はタイより20年ほど遅れていると考えられるので、今後、ベトナムでも地方人口の減少が始まろう。都市化と人口減少は表裏一体である。ここでもベトナムは約50年遅れて日本を追っている。今後、ベトナムのＴＦＲが低位推計で推移する可能性が高いとした理由の一つである。

図 22　タイの地方人口と都市人口の推移

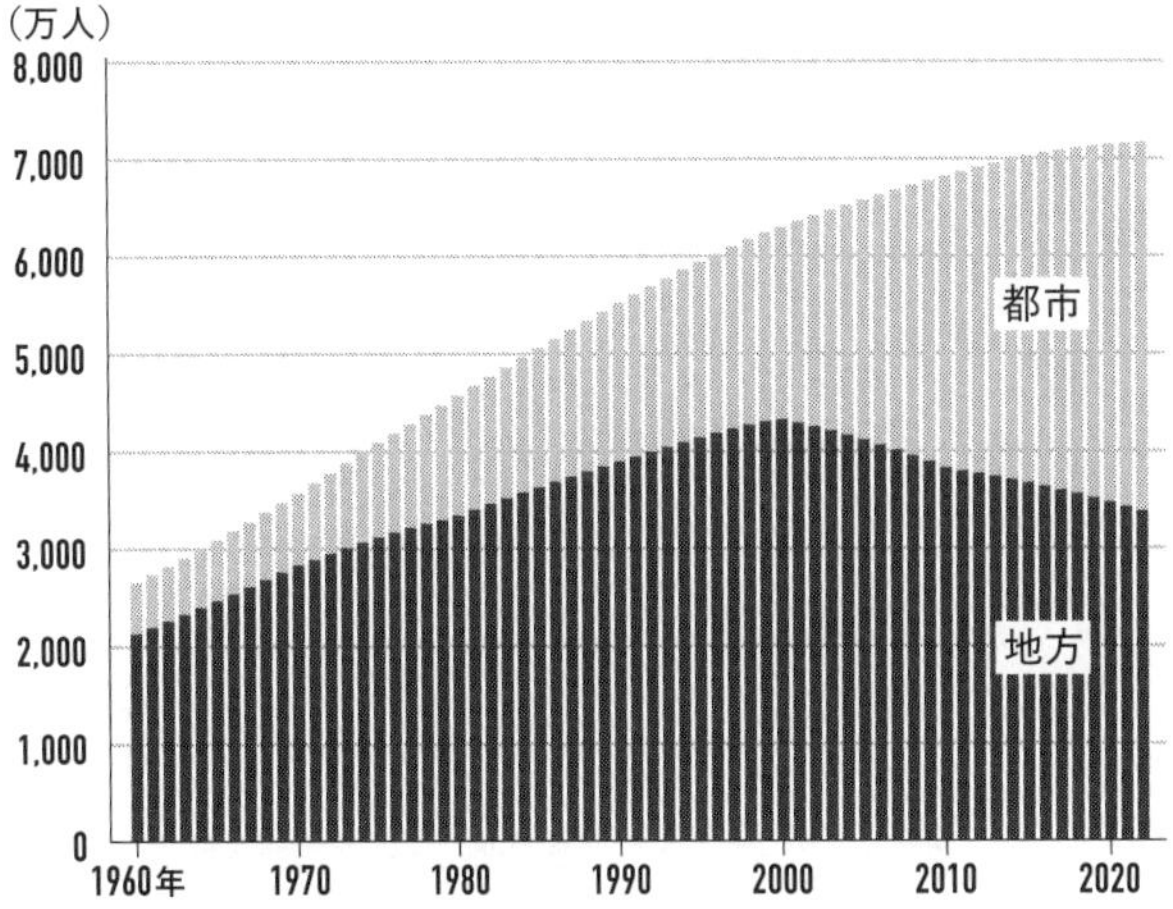

［出典：世界銀行］

第4章 農業国から工業国へ――ベトナムの産業

第1節　エネルギー消費量と経済成長の関係性

開発途上国が経済成長するためには大量のエネルギーが必要

本章ではベトナムの経済について、産業の面から詳しく見ていくことにする。

まず、エネルギーの消費量と経済発展の間には密接な関係がある。ここではベトナム経済をエネルギーから考えてみたい。**表1**に東南アジア5か国とG7、中国、インドなど世界の主だった国々の1人当たりのエネルギー消費量を示す。ここに示した18か国の中で、ベトナムのエネルギー消費量は少ない方から4番目である。最もエネルギー消費量が少ないのはフィリピンの0・5TOE／人（TOE＝石油1トンと同じエネルギー量）である。インド、インドネシアの消費量もベトナムより少ない。反対に消費量が多いのはカナダ、米国、韓国であり、日本は3・0TOE／人で、全体の中程に位置している。

1人当たりのエネルギー消費量と1人当たりGDPの関係を**図23**に示す。この図のGDPは対数で示した。1人当たりのGDPとエネルギー消費量の間には良い相関関係がある。ベトナムはインド、フィリピン、インドネシアと共に左下に位置する。日本、英国、フランス、ドイツは右上に位置している。中国、ブラジル、メキシコ、トルコはその中間に位置しており、タイとマレーシアはそのグループに入る。タイとマレーシアはエネルギー消費の観点からも中進国と言える。

米国とカナダはこれらの3つのグループとは異質である。両国の1人当たりのエネルギー消費量は著しく多い。これは大きな家に住み、家全体を暖房するなどといった生活様式に起因するものと思われる。また、国が大きいために移動距離も長くなり、移動にも大量のエネルギーを使っている。

ここで韓国が先進国グループの上部、米国やカナダに近い場所に位置していることは注目に値する。韓国は国土が狭く、米国やカナダのように移動に大量のエネルギーを必要とするわけではない。韓国ではエネルギー

表1　1人当たりエネルギー消費量の関係（2020年）

	TOE/人
カナダ	7.6
米国	6.1
韓国	5.3
ドイツ	3.4
フランス	3.3
日本	3.0
マレーシア	2.8
中国	2.5
英国	2.3
イタリア	2.3
タイ	1.8
トルコ	1.7
メキシコ	1.4
ブラジル	1.3
ベトナム	1.0
インドネシア	0.9
インド	0.6
フィリピン	0.5

［出典：IEA］

図23　1人当たりGDPとエネルギー消費量の関係（2020年）

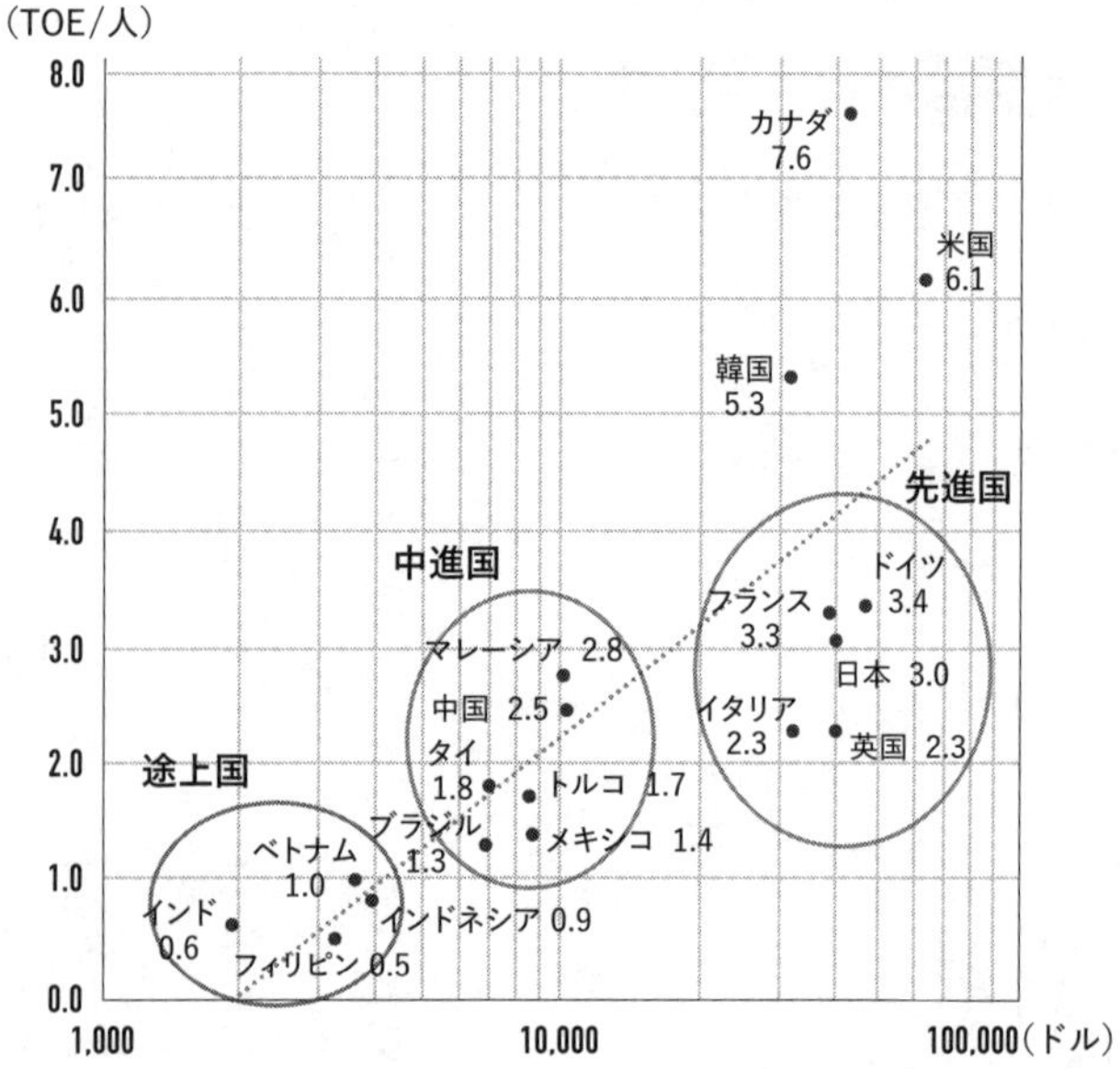

［出典：世界銀行］

の多くが工業部門で使用されている。近年、韓国は急速に工業化したが、その急激な工業化は地球環境問題を無視したから可能であったと言ってもよい。そのことはこの図によく表れている。

昨今ベトナムにおいて日本企業は風力や太陽光を使った発電に力を入れている。だが、この図を見れば分かるように、エネルギーを大量に使わなければ短時間で開発途上国が工業国になることはできない。そして風力や太陽光では大量の電気を作ることは難しい。地球温暖化のまやかしに歩調を合わせているかぎり、ベトナムは工業国にはなれないであろう。地球温暖化は開発途上国が急激に工業化することを防ぐために、西ヨーロッパが考えだした「陰謀」である。筆者は地球温暖化をそのように考えている。

余談になるが、地球環境問題を語る際に、**図23**に示す関係はほとんど議論に上らない。どれだけ二酸化炭素排出量を削減するかのみが議論される。米国やカナダの消費量をその下の先進国のグループの水準に下げるべきだなどといった議論が真剣に交わされることはない。地球環境問題に配慮することなく工業化を押し進めた韓国を非難することもない。

この図は簡単に作ることができるから、ここに述べたことは研究者の間では常識と言ってもよいものであるが、それが国際政治の場で話題に取り上げられることはない。欧米がそのような議論を好まないからだろう。

この図から分かるように、途上国が豊かになるためにはもっとエネルギーを使わなければならない。それには石炭に代表される安いエネルギーが必要になる。現に中国は過去40年間にわたって安い石炭を大量に消費することによって、米国に並ぶ経済大国に成り上がることができた。このような事実を顧みることなく、省エネと再生可能エネルギーだけが話題になるのは、欧米が国際世論の形成に大きな力を持っているからである。欧米は開発途上国が短時間で経済発展することを警戒している。

私見ながら衆議院議員の小泉進次郎氏が環境大臣になった時に、「気候変動問題に取り組むことはきっとセクシーでしょう」と英語で発言したことがあった。何がセクシーなのか分からなかったが、前例に捉われない若い大臣なら、この図を欧米に示して地球環境問題の欺瞞性について議論をふっかけることができるのではと思った。しかし、彼には父親のようなタブーに挑戦する力はなかった。環境省の役人も、欧米が怒り出すような発言を若い大臣にさせる気などさらさらなかった。

地球環境問題でも日本は欧米の言いなりであり、アジアの視点に立つことはない。その姿勢は、日露戦争に勝った日本に多くの優秀なベトナム人が留学してきた際に、フランスの要請に従ってベトナム人を国外追放した明治の日本に重なる（詳細は**第2章第3節**）。日本がアジアの途上国の意見を代弁することはない。その姿勢は明治から一貫して「脱亜入欧」である。

石炭と石油の消費量の増加

ベトナムは何からエネルギーを得ているのであろうか。日本との比較からそれを考えてみよう。**図24**にベトナムのエネルギー供給源、**図25**に日本のエネルギー供給源を示した。現在、ベトナムの1人当たりエネルギー消費量は日本の1／3程度であるが、着実に増加している。

図24　ベトナムのエネルギー供給源の推移

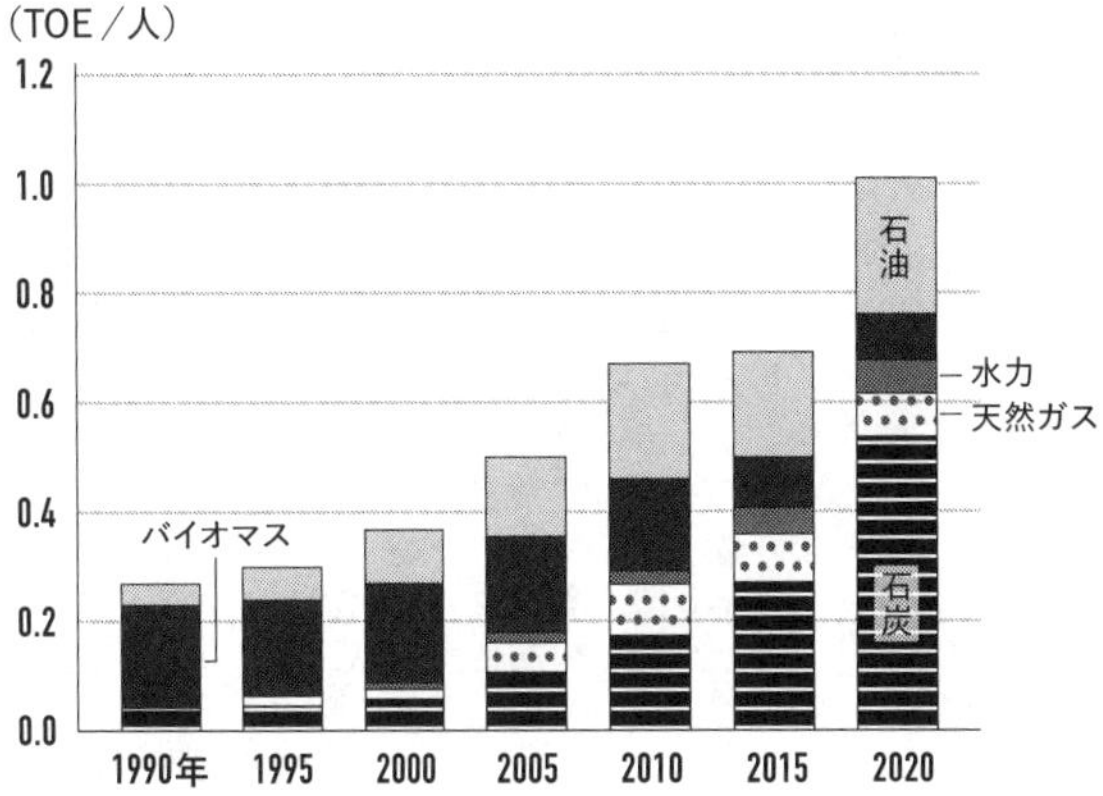

［出典：IEA］

図25　日本のエネルギー供給源の推移

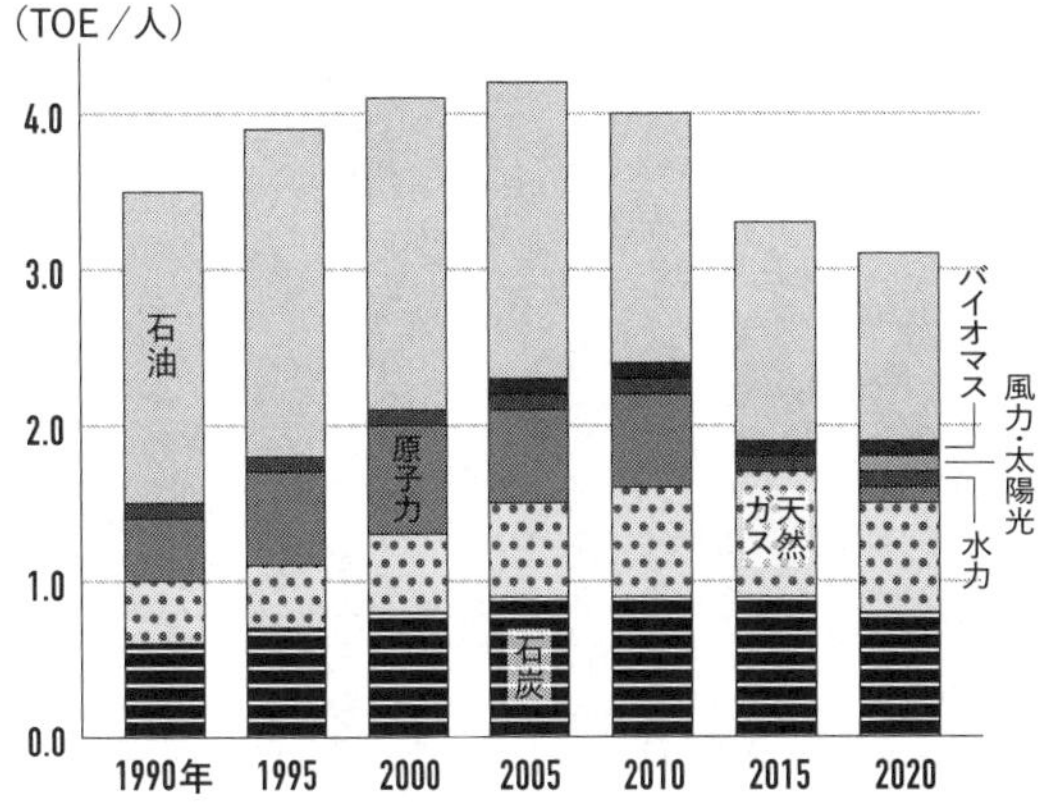

［出典：IEA］

一方、日本のエネルギー消費量は２０００年頃から増加しなくなり、２００５年以降は減少している。これは省エネが進んだことを示している。

日本では２０１１年から原子力によるエネルギーの供給が激減した。２０１１年に起きた東日本大震災によって福島第一原子力発電所で事故が発生し、その後、全国的に原子力発電所の安全性が疑問視されて稼働率が低下したためである。また、石油の消費量も減っている。これは自動車の燃費が向上したことが大きい。日本では石油を大量に消費する工場も減っている。

その一方で、太陽光パネルや風力、またバイオマス発電によるエネルギーの供給量が増えている。ただ、これら再生エネルギーによる供給は、増加していると言っても全体に占める割合は少ない。地球環境問題に関連して再生エネルギーに注目が集まったのは１９９０年代のことであるが、それから30年ほどが経過しても、再生エネルギーが全エネルギー供給に占める割合はわずかでしかない。この事実は十分に認識しておく必要がある。

昭和20年代は石炭の時代であった。石炭は日本の戦後復興に欠かせないエネルギーであった。しかし、東京オリンピックが開催された昭和39（１９６４）年頃になると、石炭は日本のエネルギー供給の主力の座から滑り落ち、中東から輸入される石油にその座を譲り渡した。北海道や九州にあった炭鉱が次々に閉山されて、そこで働いていた人々の多くが職を失い、大きな社会問題になった。

なぜ、急速に石炭から石油に変わったのであろうか。それは液体である石油の方が石炭より使いやすかったからだ。また、中東から輸入する原油が安かったためでもある。石炭から石油へのエネルギー転換に要した時間は10年ほどであった。昭和48（１９７３）年に起きた石油ショックによって原油価格が急騰して、日本経済は大きなショックを受けたが、それでもエネルギー源が石油から石炭に戻ることはなかった。

そんな目で見ると、再生エネルギーに大きな期待を寄せることはできない。それは注目されてから30年以上が経過しても供給量が伸びていないからだ。再生エネルギーは補助金がなければ成立しない。日が照らなかったり風が吹かなかったりしたら発電しない。コストが高い上に不安定である。それに加えて太陽光発電は、山林の乱開発を引き起こして景観を悪化させる。大雨が降った時の地滑りの原因にもなる。風力発電は低周波公害の原因になり、渡り鳥の生態にも悪影響を与えている。現状でもこのようなことが指摘されており、これ以上増やすことは難しい。つまり、再生エネルギーには限界があり、化石燃料の代替にはなれない。

なぜ、ベトナムについて解説する本にこのようなことを書くかと言えば、それはベトナムにおけるエネルギー供給の今後を考える上で重要であるからである。**図24**に示したように、ベトナムではエネルギー消費量が増加している。特に石炭の使用量が急増している。その一方で、バイオマスエネルギーの消費量は減少し続けている。このバイオマスエネルギーは農家などが使う薪のことであり、今流行りのバイオマスエネルギーではない。農家に電気やプロパンガスのボンベが普及するにつれて、薪の使用量は減少している。

石炭は主に工業部門と発電のために用いられている。ベトナムは石炭を産出する。その昔は良質な石炭としてトンキン湾沿いのホンゲイで産する石炭が有名であった。現在は国内産だけでは需要を賄うことができないために輸入しているが、2015年頃までは石炭の純輸出国であった。国内で産出し価格も安い石炭をエネルギー源として使うことは、開発途上国として自然な発想であろう。

石油の消費量も増加している。これは主にオートバイや自動車の燃料である。自動車は1人当たりのGDPが3000ドルを超えた頃から急速に普及すると言われているが、ベトナムでは現在がまさにその段階にあたる。ただし、ベトナムで自動車が普及するには、まだ時間を要すると思う。それはオートバイが広く普及してしまったからだ。ベトナムを紹介する映像に必ずと言ってよいほどバイクが溢れる街並みが映し出される。現在、バイクは一家に1台ではなく、成人1人に1台と言ってもいいくらいに普及している。

一方で、ベトナムでは駐車場の整備が遅れている。多くの人はバイクを歩道に置いて駐車場代わりにしている。ベトナムの歩道はバイクでいっぱいで歩きにくい。ベトナムでは、自動車は必ずしも便利な乗り物ではない。ハノイやホーチミン市の中心部に駐車場が少ないために、運転手を雇うことのできる富裕層以外、都市で自動車を使用することは難しい。農村は駐車場には困らないが、ベトナムは格差社会であり、地方に住む人が車を持つことは難しい。このようなことが原因で、現在、ベトナムの自動車販売台数は伸び悩んでいる。

日本と同水準の水力発電量

これまで見てきたように、経済成長が続くベトナムにおいて石炭と石油の消費量が増加している。その一方で伝統的な再生可能エネルギーである薪の使用量は減っている。つまり地球環境に悪い影響を与える形で開発が進んでいる。このことはベトナムの経済発展にとって、足枷になり始めている。

図26にベトナムにおける1人当たり年間電力消費量の変遷を示した。図には参考のためにこれまでと同様の東南アジア4か国と日本についても示している。ベトナムの電力消費量は増加している。ただ、2020年から2021年にかけて増加速度が鈍化した。これは火力発電所の建設が遅れているためと考えられる。

2021年のベトナムの1人当たり電力消費量は、日本の1／3程度に留まるものの、タ

図 26　各国の１人当たり年間電力消費量の推移

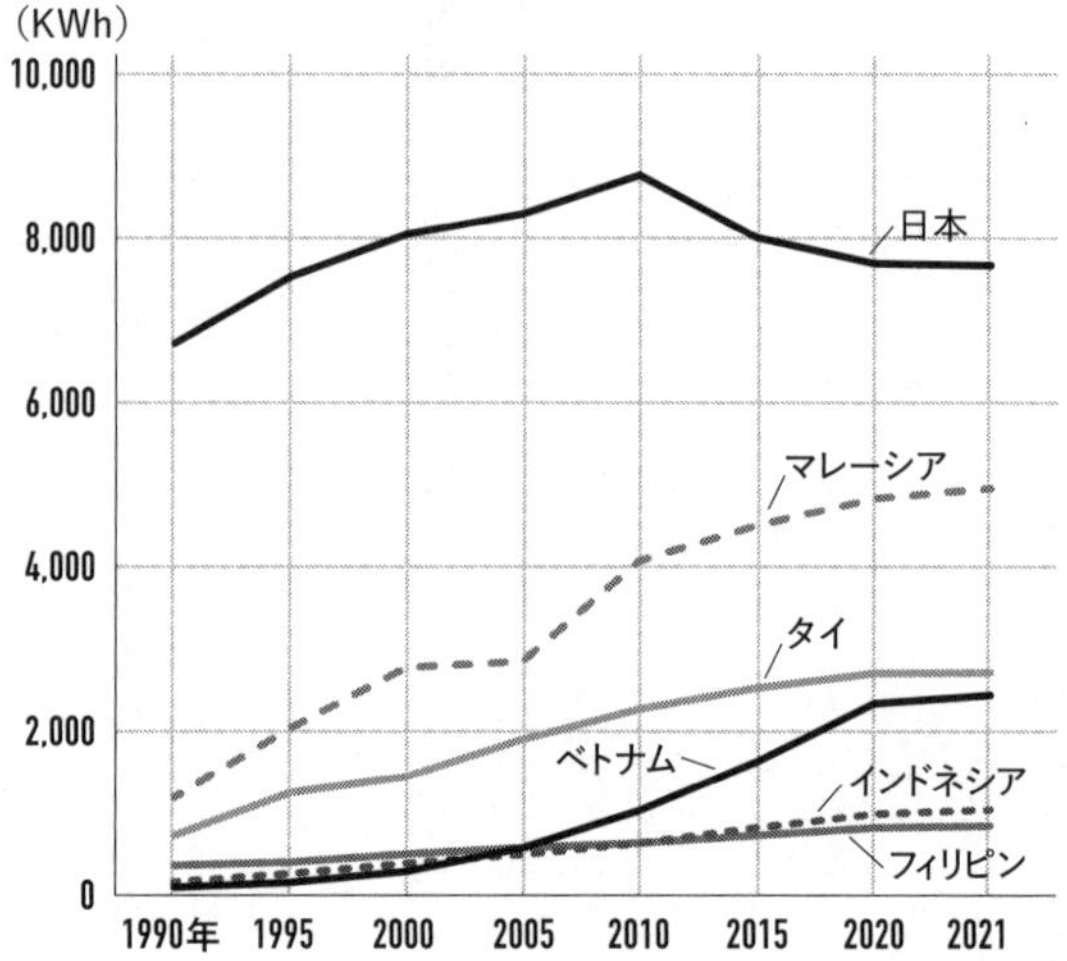

［出典：IEA］

イの水準に近づいており、マレーシアには及ばないもののインドネシアやフィリピンの2倍以上になっている。ここに来て増加速度が鈍くなっているものの、それでも増加していると言ってよい。インドネシアとフィリピンは島国であるために、ジャカルタやマニラなど都市部では電力消費量が増えているが、島嶼部での送電網の整備が遅れているために、国全体としては電力消費量が低くなっている。

　よくインドネシアのジャカルタを訪問したビジネスマンから、インドネシアの発展は目覚ましいものがある。ジャカルタにはビルが林立しており、ハノイやホーチミン市の発展を大きく上回るなどと聞くことがあるが、そのような発展はジャワ島にある大都市だけと考えてよい。インドネシアは多くの島からなるが、ジャワ島以外の発展は遅れている。それは**図26**に示した1人当たりの電力消費量からも知ることができる。

次にベトナムが何によって電気を作っているのか見てみよう。**図27**にベトナムの電源構成を、また参考のために**図28**に日本の電源構成も示した。ベトナムの発電量は増えているが、その中でも石炭による発電が増えている。また水力発電の増加も著しい。ベトナムの発電量の増加は日本と比べてみると一層際立つ。日本の発電量は２０１０年までは増加していたが、２０１０年から２０１５年の間に急減し、それ以降も漸減している。これは２０１１年起きた東日本大震災により福島第一原発で事故が起こったことに起因する。事故によって原発に対する信頼性が損なわれて、多くの原発の稼働が中止に追い込まれた。その後、原発は再稼働し始めているが、現状では２０１０年の発電量には遠く及ばない。

このような事態に対して、日本人は節電で対応した。先に見たようにエネルギーの消費量とＧＤＰには良い相関がある。これは電力消費量にも言える。ただ、日本のＧＤＰは２０１０年から２０２１年にかけて大きく成長することはなかったが、それでもＧＤＰは増加している。このことは省エネに本気で取り組めば、ＧＤＰを減少させることなく電力消費量を減らすことができることを示している。

図 27　ベトナムの発電源

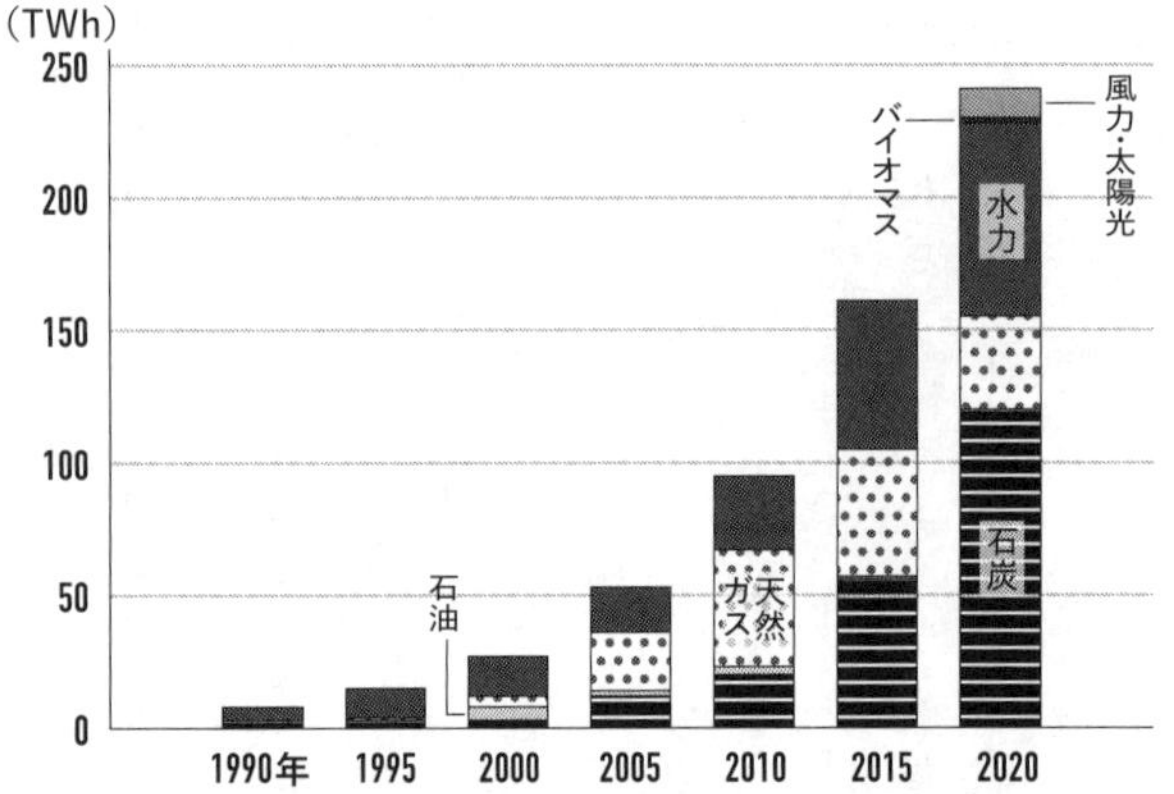

［出典：IEA］

図 28　日本の発電源

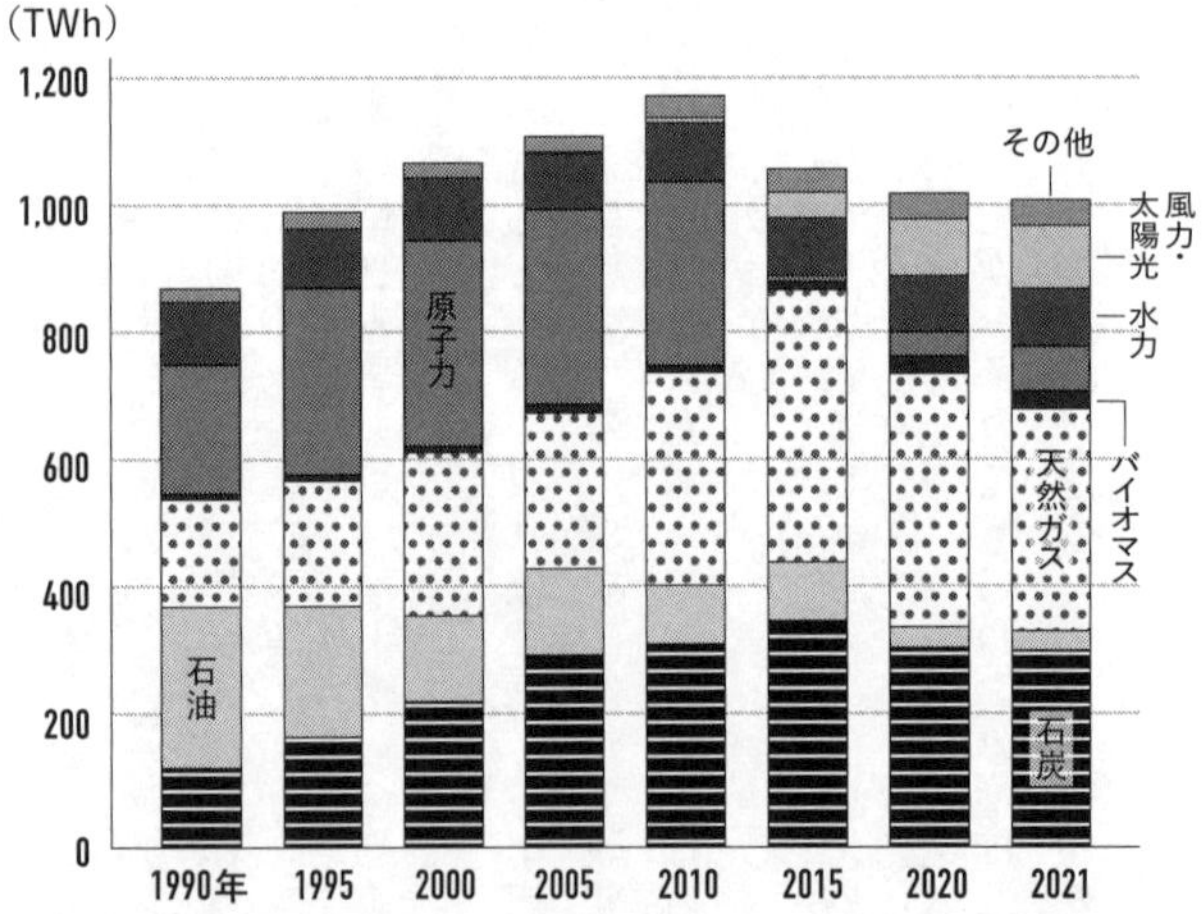

［出典：IEA］

ちなみに2020年において日本は1TWh（T＝テラ、10の12乗）の電力で7243ドルのGDPを稼ぎ出しているが、ベトナムは同じ電力量で1444ドルしか稼ぎ出していない。発展途上にあるベトナムと日本を一律に比較することには無理があるが、このことはベトナムに多くの節電の余地が残されていることを示している。

ベトナムにおける発電では水力が大きな割合を占めている。2020年の発電量は72・8TWhであった。同年の日本の水力発電量は87・5TWhであるから、水力発電量は既に日本と同じ水準に達している。ベトナムはラオスとの国境付近が山岳地帯であり、降雨量も多いことから水力発電が盛んである。これまでは比較的大きな水力発電所の建設が行われてきたが、自然保護の観点から世界的にダムの建設に対する反対運動が存在する。日本で大型ダムの建設が行われなくなったように、今後、ベトナムでもダムを建設することは難しくなろう。そう考えれば、電力需要の増加を水力発電に頼ることは難しくなる。これらの需要増加には火力発電で対応することになろう。

経済発展に立ちはだかる地球環境問題

2023年4月から5月にかけて、ベトナムではハノイを中心に北部で大規模な停電が生じた。気温が上がるとともにクーラーの使用が増えて電力不足に陥ったためだ。増加する電力需要に供給が追いついていない。昇降の途中で止まったエレベーターに閉じ込められるなどの事故が多発した。

水力発電用のダムの建設には時間を要するために、火力発電所を増設しなければならないことは明らかである。**図27**から分かるように、これまでベトナムは石炭火力発電所を作ることによって、電力需要の増加に対処してきた。しかし、現在は地球環境問題に配慮して天然ガスを使用することが求められている。石炭火力発電所を建設しようと思っても、ＳＤＧｓの観点から文句を言われて、世界銀行などから融資を受けることができない。天然ガスは同じ熱量を得る際に排出される二酸化炭素の量が石炭の半分程度であり、地球環境にやさしい燃料とされる。ベトナムは沖合で天然ガスを産出するが、十分な量は出ないので、今後、天然ガスの輸入量を増やす必要がある。

地球環境問題はこれから発展しようとする国に対して足枷になる。ヨーロッパ諸国や米国は、19世紀から大量の石炭を使用して経済発展してきた。日本が経済成長を遂げた１９５０年代から１９９０年にかけても、化石燃料の使用を制限するような議論はなかった。そして中国も石炭を大量に使用することによって、米国と対峙するほどの経済力を持つことができた。しかし、中国に20年ほど遅れてベトナムが経済発展しようとすると、そこに地球環境問題が立ちはだかることになった。

天然ガスはパイプラインで運ぶだけでなく、液化天然ガス（LNG）として運搬できるために、産出国の周辺以外でも使用できる。石油は中東やロシアで多く算出されることから、地政学的なリスクを受けやすい。天然ガスは中東やロシアだけでなく米国、カナダ、オーストラリアなどの産出量が多いために地政学的なリスクは少ないが、それでもリスクはある。

石炭は多くの国で産出されるために、化石燃料の中では最も地政学的リスクを受けにくい。ベトナムは石炭を産出しており、地下にはまだ大量の石炭が眠っている。そして石炭は天然ガスに比べて単位熱量当たりの価格が安い。開発途上国には石炭による発電が最も適している。地球環境問題への対応は、経済が先進国並みに発展してから始めればよい。しかし、現状はそうなっていない。開発途上国は大きな足枷をはめられている。

地球環境問題には先進国のエゴが多分に含まれている。地球環境問題はヨーロッパが世界に対する影響力を維持するために、世界中の「意識高い系」を巻き込んで行っている世界戦略と言っても過言ではない。ヨーロッパ人は自分たちに都合のよい国際世論を作る技術に秀でているので、その戦略の前に開発途上国の声はかき消されている。筆者は、日本の「意識高い系」はこの辺りの事情にもっと敏感になるべきだと思っている。

日本も受注した原子力発電所開発計画が白紙に

ベトナムの原子力発電に関する政策は一貫性を欠いている。そして、日本はその対応に振り回され続けている。ベトナム政府は２００９年の国会で、２０２２年までに発電量１００万ＫＷの原発を２基有する発電所を２か所に建設することを決めた。合計発電量は４００万ＫＷになる（福島第一原発は６基で合計４６９・６万ＫＷ）。

さらに２０２５年を目処に合計発電量を計８００万ＫＷに増やす案を採択している。それに続いて２０１０年の国会では、２０３０年までに１００万ＫＷと１５０万ＫＷ級の発電所を６か所に建設する案も承認した。最初の原子力発電所は中部海岸のニントゥアン省に建設する。それはロシアと日本がそれぞれ２基ずつ受注することになっていた。

しかし、２０１７年になってそのすべてが凍結された。２０２３年になると、政府はニントゥアン省で13年前に出していた土地収容通知書を取り消した。これは原子力発電所の建設計画がすべて白紙に戻ったことを意味するが、ベトナム政府はその理由を公表していない。

ただ時系列から考えて、この原発計画の撤回に２０１１年の東日本大震災による福島第一原発の事故が関係していたのは確かであろう。計画を採択した２００９年、また増設を承認した２０１０年の段階では、原発は地球環境にやさしいというイメージがあった。ただ、スリーマイルやチェルノブイリで事故があったために原発は危険とのイメージも存在し、その建設に対して反対運動があったことは事実である。

そのような状況で福島第一原発の事故が起こると、原発を疑問視する流れが世界にできてしまった。ベトナムでも反対運動がより激しくなった。ベトナムは最初の原発の建設をロシアと日本に委託していた。だが、ロシアではチェルノブイリ、日本では福島で事故が起きている。ベトナム政府が原発の建設に躊躇するのは無理もない。

ただ、そのような原発の安全性だけから白紙撤回を決めたのではないと思うフシもある。それは建設の凍結が２０１７年になって行われたからだ。福島の事故が理由なら、事故の翌年の２０１２年に凍結方針が打ち出されてもおかしくはない。だが、事故から６年も経った２０１７年になって凍結が決まった。

そこには政治の影が見え隠れする。共産党が支配するベトナムでは、議論の過程が公開されることはないから、ここからは世間の噂話を元にした筆者の推測を書くことになる。

世間の噂話では、**第1章**でも触れたが原子力発電を推し進めたのはグエン・タン・ズン首相である。彼の在任期間は２００６年から２０１６年までであった。彼は「ベトナムの田中角栄」と言ってもよい存在であり、彼の在任中の施策によってベトナム経済は大きく成長した。しかし、彼の路線を続けているとベトナムはいずれ資本主義国になってしまうとの危機感から、ハノイに住む保守派の攻撃によって失脚した。

2016年春からはグエン・フー・チョン共産党書記長の影響力が強くなった。彼は党の理論家であり、親中派とも言われている。チョンはズンが行った多くの政策を変更した。原発はズンが推進したものだったから、チョンはそれを凍結した。街ではそのように噂されている。

しかし、チョンのズンへの個人的な憎しみだけで原発建設が凍結されたと考えることはできない。それはあまりに事象を単純化し過ぎている。筆者は原発建設が凍結された理由を次のように考えている。

① 原発建設には多額の費用を要する。初期に4基を作るだけでもGDPの10%に相当する資金が必要とされる。ODAなどの借款を利用するにしても、その額が膨大になり、将来、借金に苦しみかねない。先にも述べたように、ベトナムはドイモイを開始した直後に猛烈なインフレに襲われた経験から、第一次大戦後に猛烈なインフレに襲われたドイツが緊縮財政を好むように借金を嫌う体質があり、国家の負債の総額はGDPの約6割以下にするという決まりもある。第一には原発建設によって国家財政が傷つくことを恐れた。

② 福島原発の事故の結果、原発に対する不信感があったこと。ロシアはチェルノブイリ、

日本は福島で事故を起こしている。建設予定地には反対運動があり、中央の政治家も原発の推進に完全なる自信を持てなかった。現在、世界を見渡しても、原発の推進は大きな流れになっていない。

③　グエン・タン・ズンが原発建設を推進した背景には、将来、核兵器を持ちたいという野心があった。ズンは親米派、対中強硬派として知られており、南シナ海における中国との対立でも強硬な姿勢を崩さなかった。核保有国の中国に対抗するためには核兵器が必要になる。ベトナムはＮＰＴ（核拡散防止条約）の締約国であり、核兵器の保有はめざしていないことにはなっている。だが、心の中では核兵器を保有したいとの思いを強く持っている。ベトナムを守ってくれる核の傘はない。日本のように、日米安全保障条約を信じて米国の核の傘の下で安眠できる立場にはない。原発を推進すれば原子力に関する技術が国内に蓄積するとともに、プルトニウムを作り出すこともできる。原発を推進することは、潜在的な核保有につながる。

チョン書記長は以上のような状況を総合的に勘案して原発建設の凍結を決めたと考えられる。それは暗に中国の意向に従うものであり、この決定も街で人々がチョン書記長を親中派と考える理由になっている。先ほど述べたように、２０２３年に原発建設予定地に対して、土地収容の白紙化が通達された。筆者はベトナムが近い将来に再び原発を推進することはないと考えている。

自動車の普及が遅れて石油消費量の伸びが鈍い

石油の消費量と経済の間には密接な関係がある。ここではベトナムにおける石油の消費を日本との比較において考えてみたい。まず、**図29**に日本における石油の用途別消費量を示す。図を見て分かるように、日本の石油消費量は21世紀に入った頃から減少している。2000年に2億トンを消費していたが、2020年の消費量は1億3200万トンに過ぎない。

日本では石油は輸送、つまり自動車の燃料と、工業用として消費されているが、その双方で消費量が減少している。

自動車の燃料としての消費は2000年が8700万トン、2020年は6000万トンである。20年間で31%も減少した。これはハイブリッドカーの普及などによって、自動車の燃費が向上したことが主な理由と思われる。

工業部門の1995年の消費量は4120万トンであったが、2020年には1640万トンにまで低下した。2020年の消費量は1995年の4割に過ぎない。この低下は日本が省エネと地球環境対策に邁進した結果であろう。石油は農林水産業や民生用にも使われて

図 29　日本の石油消費の内訳の推移

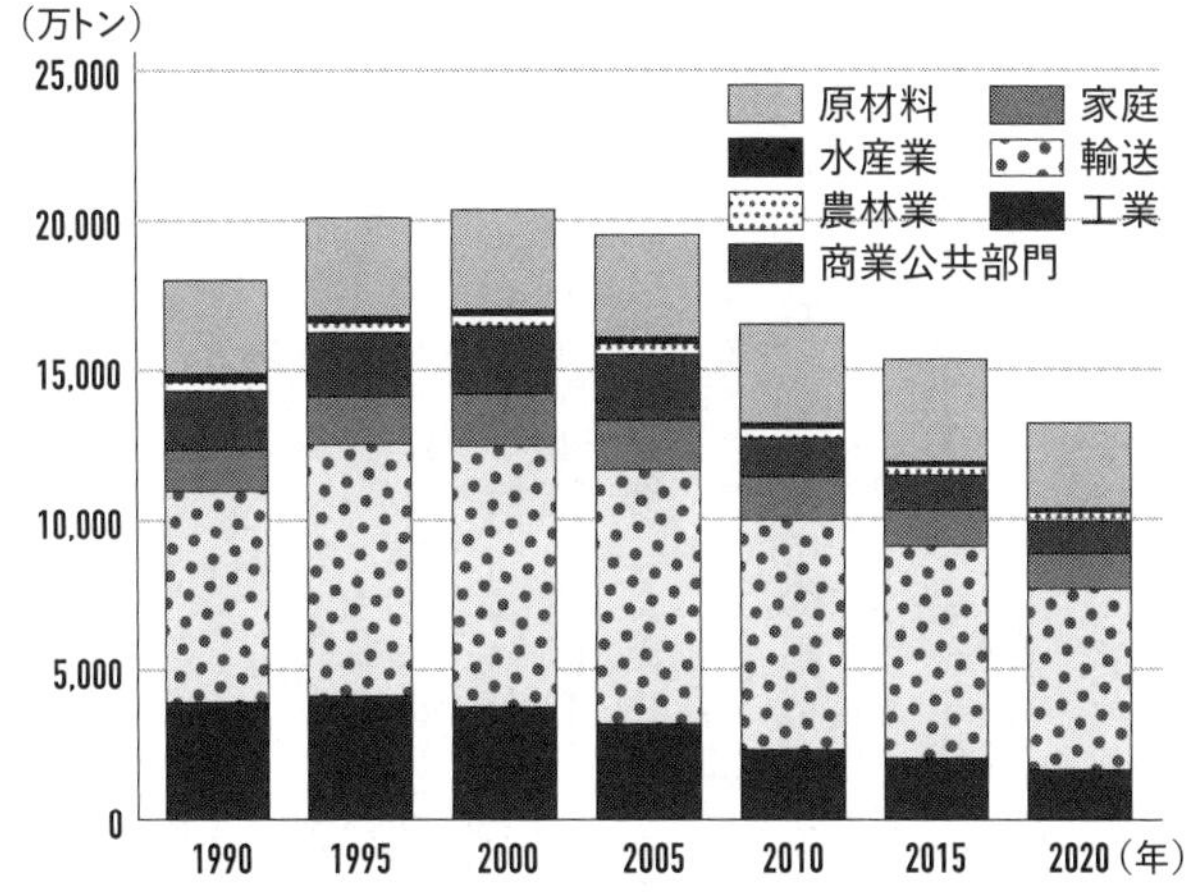

［出典：IEA］

図 30　ベトナムの石油消費の内訳の推移

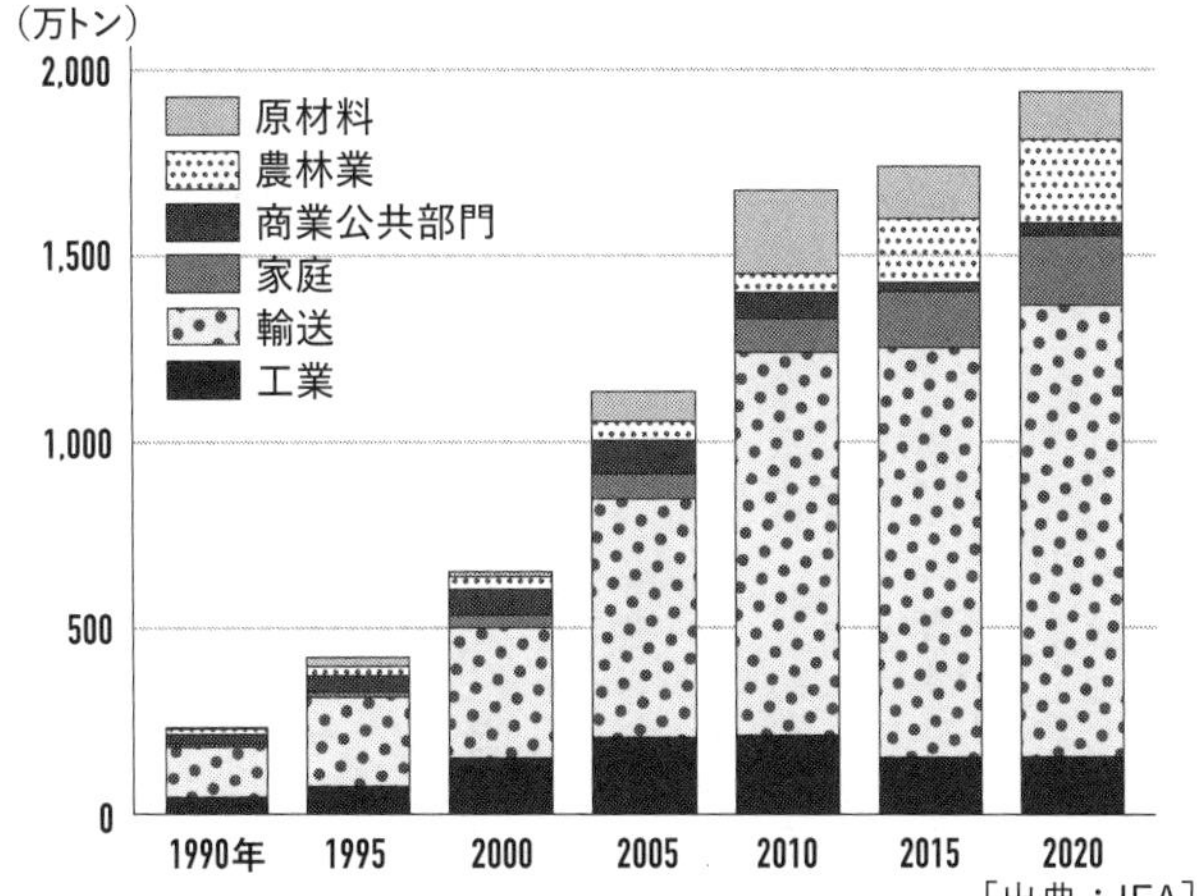

［出典：IEA］

いるが、いずれの分野でも消費量は減少している。

日本における石油消費の現状を理解した上で、ベトナムにおける石油の消費を見てみよう。**図30**にベトナムにおける石油消費の内訳を示す。現在、ベトナムの石油消費量は約２０００万トンである。日本の石油消費量は１億３０００万トンであるから、ベトナムの消費量は日本の１／６に過ぎない。ベトナム経済は急速に発展しているが、石油の消費量はなぜか勢いよく増加していない。その増加傾向は**図27**に示した電力消費量とは明らかに異なっている。

ベトナムでは工業部門が消費する石油が少ない。２０２０年の割合は８％に留まる。これはベトナムでは重化学工業が発展していないことを示している。ベトナムは、21世紀に入ってから経済が本格的に発展したために、工業部門はサムソンのスマホ工場に象徴されるようなＩＴ産業が中心になっている。石油を大量に消費する産業はベトナムに存在しない。

その一方で、農林水産業での消費量が増加している。これはベトナムではエビの養殖などが盛んであり、それらがポンプの動力源として石油を使用しているためと思われる。

ベトナムでは、石油は主に輸送部門で消費されている。その輸送用部門での消費が伸び悩んでいる。理由としては、日本と同様に自動車の燃費が向上していることがあろう。ただ、ベトナムではオートバイが広く普及しているが、オートバイの燃費は自動車のように向上していないから、消費が伸び悩む原因を燃費の向上だけで説明するには無理がある。

電気自動車の普及によって説明することはできない。ベトナム最大の企業グループであるビングループは電気自動車（ＥＶ）を生産しており、２０２２年からは電気自動車を使ったタクシー事業も展開している。しかし、現在、ＥＶはほとんど普及していない。

石油消費量の伸びが鈍い理由は、自動車の普及が遅れているためである。自動車は中国において急速に普及した。中国では毎年３０００万台程度の自動車が販売されている。それに対して、ベトナムの２０２３年の販売台数は30万台でしかなかった。自動車がなかなか普及しない。ちなみに２０２２年の自動車販売台数は、タイが77万台、フィリピンが43万台、インドネシアが１００万台程度である。ベトナムだけでなく、フィリピンやインドネシアでも、自動車は中国のように急速に普及していない。逆に言えば、中国における自動車の普及は異常なスピードで進んだと言ってよい。

自動車の普及と石油消費量の伸びはベトナム経済の今後を占う上で鍵になる。日本や中国がそうであったように、自動車産業の伸びは経済発展の象徴である。ベトナムの１人当たりＧＤＰは４０００ドルを上回り、自動車の普及が始まるとされる３０００ドルをとっくに超えている。現在は勢いよく自動車が普及する段階にあるはずだ。それにもかかわらず販売台数は増えていない。２０１６年が30万台、２０１９年は40万台に増えたが、その後は新型コロナや不動産バブル崩壊の影響もあって伸び悩み、コロナ禍が終わった２０２３年でも販売台数は先述したように30万台でしかなかった。

不動産バブルの影響については後に触れるが、日本のバブル崩壊ほどではないにしても、その回復には時間を要しよう。そうであるならベトナムの自動車販売台数が短時間で勢いを取り戻すことはない。ベトナムでは自動車の普及が遅れている。それは石油の消費量にも表れている。

社会主義国ならではの石油生産と価格決定の仕組み

ベトナムの石油生産量と輸入量を**図31**に示す。ベトナムの2005年の石油生産量は1846万トンであったが、それをピークに減少し、2020年の生産量は879万トンであった。現在、ベトナムの石油の需要は約2000万トンだが、その約半分を国内で生産し、残りの半分を輸入に頼っている。

ベトナムはホーチミン市の沖合の海底から石油を生産しているが、新たな油田の開発は進んでいない。南沙諸島周辺には多くの海底油田があるとされるが、その海域の領有権を中国と争っているために、新たな油田を開発することは容易ではない。そう考えると、今後ベトナムの石油生産量が大きく増加することはないだろう。

ベトナムは2015年まで石油の輸出国であった。しかし需要が増大し、かつ生産量が減

図31　ベトナムの石油生産量と純輸入量の推移

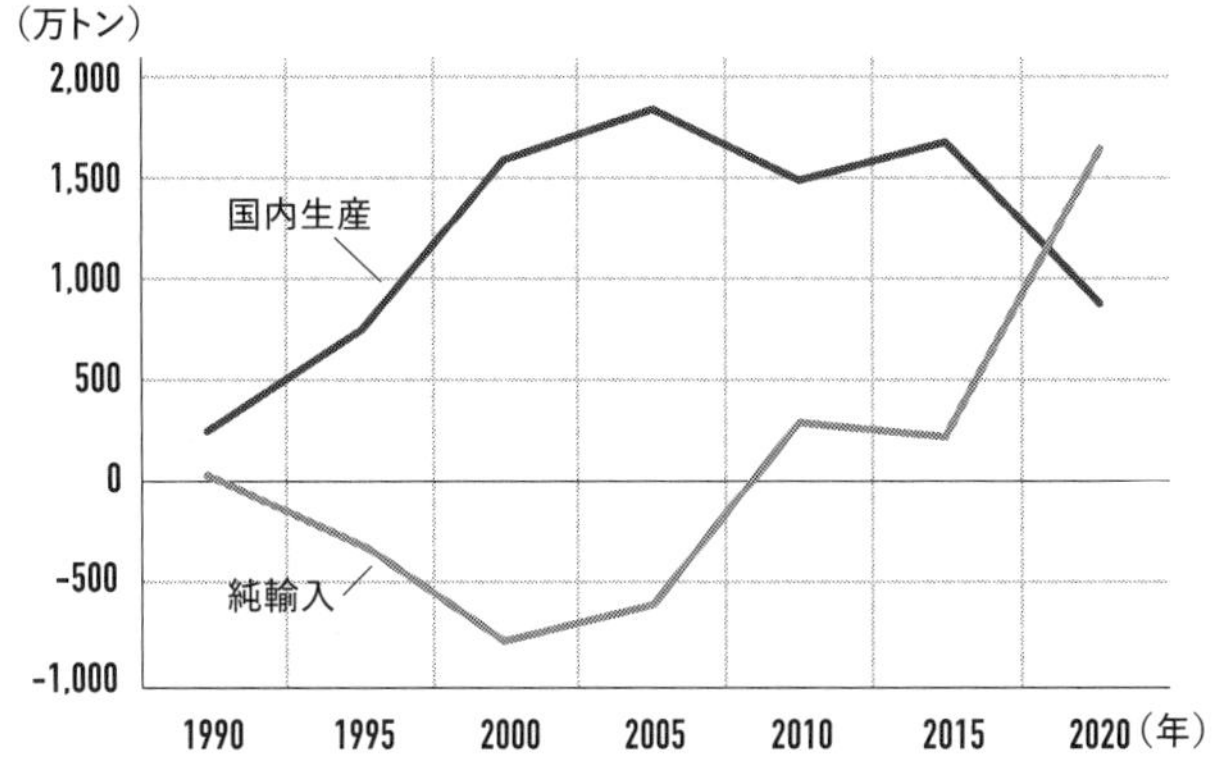

[出典：IEA]

少する中で、石油の輸入国に転落している。石油輸入量は今後増加すると思われる。先に見たように、ベトナムでは石油は主に輸送部門で用いられている。もっと端的に言えば、オートバイの燃料として用いられている。オートバイは庶民の足であるから当然のこととして、庶民はガソリン価格に敏感である。

政府は当然のこととしてガソリン価格に注意を払っている。日本でも2022年から23年にかけてガソリン価格が高騰した際に、岸田内閣は補助金によって価格高騰を抑えた。資本主義のメッカである米国でもガソリン価格が高騰した際には、ガソリン税の免除などを行っている。ガソリン価格は政治に深く関係している。

ここでベトナムが石油の生産国でもあり、輸入国でもあることが重要になる。石油は中東諸国やロシアなどから輸出されているが、その価格は世界の景気動向だけでなく、地政学リスクによって乱高下する。

石油の採掘コストは油田によって大きな差異がある。サウジアラビアなどでは地面に穴を掘ると石油が噴き出し、ただ同然で石油を産出することができる。一方、米国のシェールオイルの採掘コストは高く、油井戸によっては1バレル50ドルにもなるとされる。海底油田はその中間で、海の深さにもよるが1バレル20ドルから40ドル程度とされる。

一方、石油価格は世界の景気や地政学リスクを敏感に反映して乱高下する。２０２２年から２３年を見ると、１バレル70ドルを割り込む場面もあったが、２０２２年6月には１２０ドルを付けている。

日本のように石油をほぼ１００％輸入している国は、その乱高下に翻弄されて、高騰した際には貿易赤字を計上することになる。だが、ベトナムのように石油を国内で生産しているが、それだけでは不足するので輸入もしている国の事情は複雑になる。

現在、ベトナムは必要な石油の半分を自国で生産している。この生産は国営企業によって行われている。また約半分を輸入している。

ベトナムでは1家庭が複数のオートバイを所有しており、ガソリンは必需品になっている。先ほども述べたが、庶民はその価格に重大な関心を寄せている。それゆえに政府はガソリン価格を統制し、過度に価格が上昇しないように配慮している。共産党独裁の国であるから価格の統制は容易である。

社会主義国において石油採掘は国営企業によって行われる。ベトナムではガソリン価格は政府が決めているが、その価格をどう決定するかによって国営企業の利益が決まる。ベトナムは人件費が安いこともあって、国内で生産する石油のコストは安い。そのため海外の石油価格が高騰した際に、石油を生産している国営企業は莫大な利益を得ることができる。

近年、石油価格は新型コロナウイルス感染症の蔓延によって経済活動の停滞が危惧された時期に短期間暴落したものの、それ以外は概ね高値で推移している。その輸入価格はベトナム国内で生産される石油の価格を上回っている。

石油の国際価格が上昇した際には、国内のガソリン価格を上昇させている。庶民も国際価格が変動していることを知っているから、ガソリン価格が上昇しても仕方がないと思っている。ただ、あまりに高騰した際には生活が苦しくなるから不満を漏らす。ベトナム政府は庶民の不満と国営企業の利益を勘案しながら、ガソリンの販売価格を決めている。価格の決定は秘密裏に行われており、庶民が価格決定のメカニズムを知ることはない。

この価格決定のメカニズムをよく理解していなかったために、日本のI社はベトナムで石油精製事業に乗り出したが、大きな困難に直面してしまった。I社はクウェートの会社やベトナム国営石油と共同で出資して会社を作り、石油精製事業を始めた。だが、事業を開始した直後から世界市場で石油の取引価格が高騰し始めた。I社は精製したガソリンを国際価格の高騰に見合う価格でベトナム国内に販売すればよいのだが、政府の統制によってベトナム国内のガソリン価格は低く抑えられている。そのため安い価格でしか販売できない。その結果、ガソリンを販売すればするほど赤字が出るようになってしまった。

石油利権をめぐる政治局員の汚職

国営企業が国内で石油を生産しているベトナムでは、国際価格が高騰してもガソリンの販売価格をそこまで大きく上昇させないで済む。だが、物品の統制販売は汚職を生みやすい。特に国内生産と輸入が同時に行われるような状況は、需給が複雑になり汚職を生みやすい。

グエン・フー・チョン書記長が実権を握った2016年に、政治局員であったディン・ラ・タンが汚職容疑で逮捕された。ベトナム共産党の政治局員の定員は19名であり、任期は5年だが、再任されて10年間勤める人も多いために、彼らは大きな力を有している。その権威と権限は1年か2年で入れ替わる日本の大臣とは比べものにならない。政治局員には不文律の不逮捕特権があると言われていた。だが、それにもかかわらず現職の政治局員であったディン・ラ・タンは逮捕された。

これはディン・ラ・タンが長い期間にわたり石油行政に携わり、その利権を一手に握っていたためである。ガソリン販売価格を決める権限を持つ職に就いていれば、莫大な賄賂を手に入れることができる。ベトナム政府は汚職で捕まったディン・ラ・タンが懐に入れた金額について正確な数字を公表しなかった。彼が汚職で手に入れた金額については、かなり少なめに発表したようだ。それは金額があまりに大きかったために、正直に公表すると庶民がショックを受けるからと囁かれていた。

余談だが、２０１４年に中国で共産党政治局常務委員だった周永康《しゅうえいこう》が逮捕されたこともこれによく似ている。周永康は江沢民派の重鎮としてエネルギー行政に大きな影響力を持っていた。中国は石油も石炭も産出するが、同時にその双方を輸入している。そして共産主義国であるから当然のこととしてベトナムと同様に価格は国家が統制している。

習近平は、政権の座に就くと周永康を逮捕した。その容疑は汚職と国家機密漏洩とされるが、共産主義国の常として、その詳細は明らかになっていない。石油や石炭の双方の価格を決めることができた周永康の汚職額は天文学的であったとされる。

周永康が問われた国家機密漏洩についてはほとんど明らかになっていないが、噂では周永康が北朝鮮の金正恩《キムジョンウン》と親しく、叔父の張成沢《チャンソンテク》が金正恩の兄である金正男《キムジョンナム》を担いでクーデターを計画していることを金正恩に漏らしたためではないかと言われている。金正恩が中国に従順でないために、中国は中国の言うことを聞く金正男と張成沢が組んだ政権を作りたかったようだ。周永康は金正恩と親しく、その秘密をバラしたとされる。それを聞いて金正恩は激怒して、張成沢を逮捕し処刑するとともに、中国が香港で匿っていた金正男をマレーシアのクアラルンプール空港で殺害した。

この噂がどこまで正しいか分からないが、国家機密漏洩の疑いで周永康を調べてみたら汚職の証拠が見つかった。国家機密漏洩と汚職が重なったために、政治局員でありながら逮捕せざるを得なかった。そして、その金額が天文学的であったために、証拠を突きつけられると江沢民も周永康を庇いきれずに、逮捕に同意せざるを得なかった。この辺りが真相ではないかと考えている。

ところで、先述した日本のI社は、輸入した原油のみを精製したガソリンでも利益が得られる仕組みを作るように、日本大使館を通してベトナム政府に陳情したと聞く。しかし大使館が関与しても、石油の販売価格を動かすことは不可能である。社会主義国におけるエネルギー分野は周永康やディン・ラ・タンのような大物が跋扈する伏魔殿である。日本大使館では相手にならない。ベトナムで石油関係の事業を展開しようと思った際には、事前の十分な調査・研究が必要になる。

第2節　ベトナムはもはや農業国ではない

ベトナムの農地面積は日本の約2・7倍

図5で見たように、ベトナムの農業部門はGDPの約12％を生産しているに過ぎない。その割合はこれからも低下しよう。農業は重要な産業ではなくなっている。ベトナムはコメを多く輸出していることから、日本ではベトナムを農業国と見る向きもあるが、そのような見方は完全に過去のものである。ここにベトナム農業の概要を示す。

日本の陸地面積は３６４５ha、一方ベトナムは３１３４haである。ベトナムの陸地面積は日本の86％、現在のベトナムの人口は約1億人であり日本の約8割であるから、ベトナムは国土も人口も日本の８割と覚えておけばよい。

図32にベトナム、**図33**に日本の土地利用内訳（２０２１年）を示す。両国共に森林が多い。日本の国土の68％は森林である。ベトナムも国土の47％が森林に覆われている。ベトナムの農地面積は日本よりもずっと多い。ここで農地は二つに分けて示した。一つは水稲などを栽培する耕地であり、もう一つは永年作物を栽培している農地である。永年作物とは、樹木に

図 32　ベトナムの土地利用の内訳（2021 年）

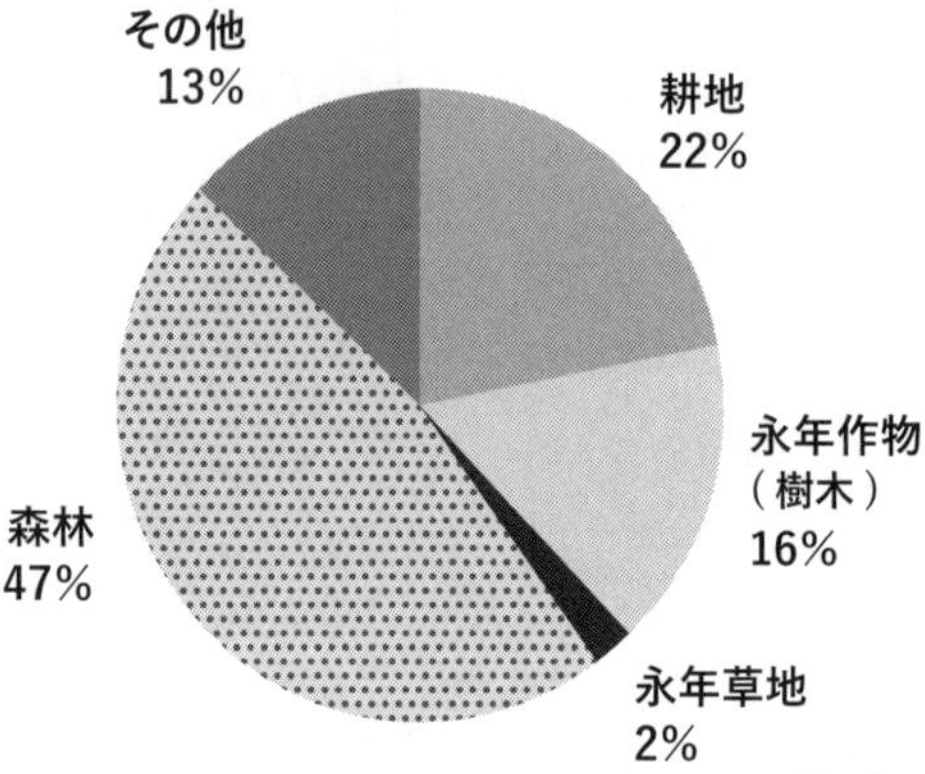

［出典：FAO］

図 33　日本の土地利用の内訳（2021 年）

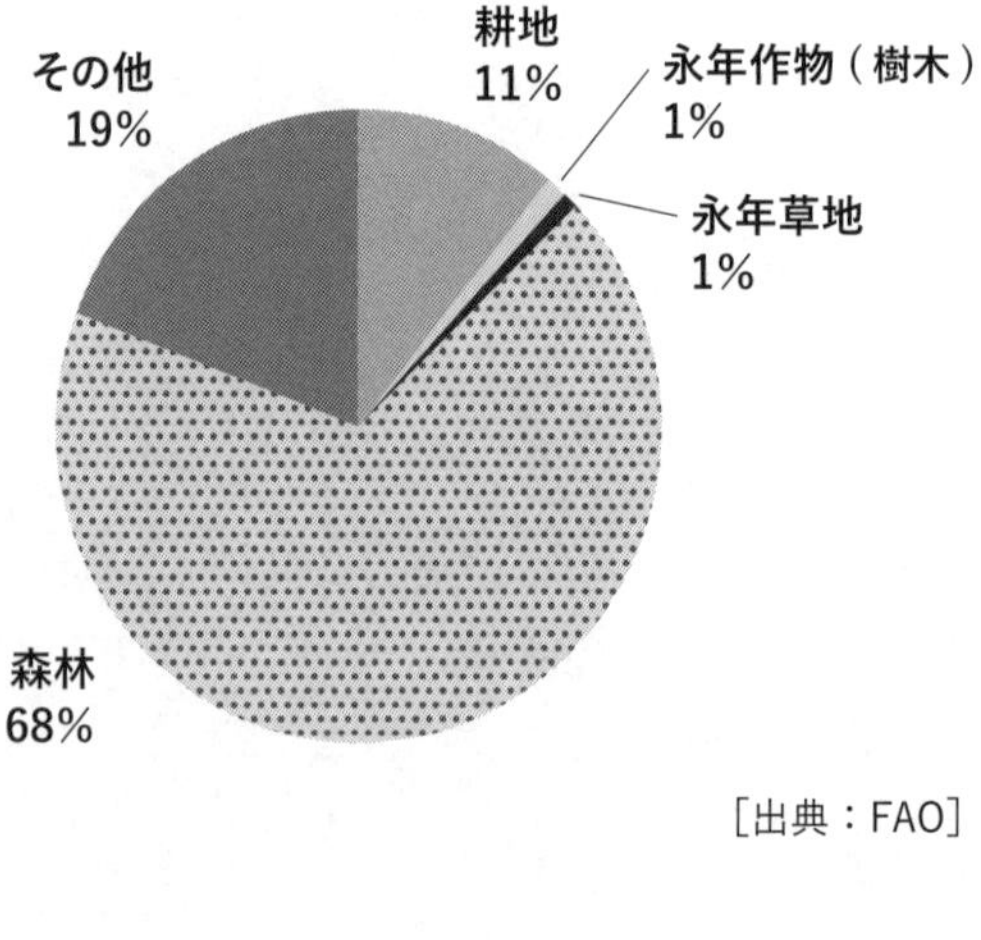

［出典：FAO］

よって収穫するパーム椰子、ナッツ、ゴム、コーヒー、茶などを指す。ベトナムは日本に比べて耕地の割合が高いが、特に永年作物を栽培している割合が高い。ベトナムではコーヒーやナッツの栽培が盛んである。一方、日本では永年作物はあまり栽培していない。お茶を少々栽培しているだけである。

耕地面積と永年作物栽培面積を合わせた面積はベトナムが1171万ha、日本が434万haである。ベトナムは日本の約2・7倍の農地面積を有している。

主要作物はコメ

図34にベトナムにおける作物別の収穫面積を示す。ベトナムではコメを多く栽培している。ベトナム人の主食はコメであり、紅河流域でコメを栽培してきた人々がベトナムを作り上げたと言ってもよい。コメとベトナム人は切っても切れない関係にある。

なお、ベトナムにおける収穫面積の合計は2900万haにもなる。これは耕地面積と永年作物栽培面積の合計1171万haを大きく上回っている。ベトナムは北部が亜熱帯、南部は熱帯に属するためにコメの二期作や三期作が可能であり、その結果として収穫面積が農地面積の2倍以上になっている。

ここでコメ輸出について述べたい。**図35**に世界のコメ輸出量を示す。コメは主にインド、

図34　ベトナムの農地利用の内訳（2021年）

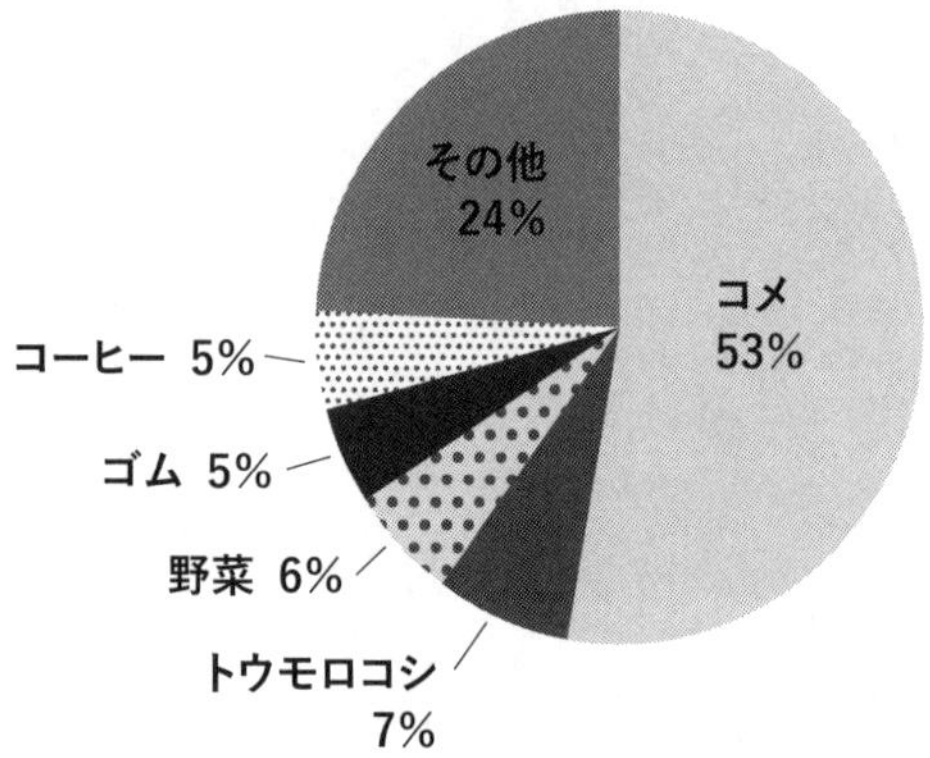

［出典：FAO］

タイ、ベトナムから輸出されている。2021年の輸出量はインドが2100万トン、タイが600万トン、ベトナムが460万トンであった。この3か国の合計は世界の輸出量の63％を占めている。ベトナムの輸出量は2011年に710万トンを記録した後は減少傾向にある。その一方でインドの輸出量が増加している。

インドは1980年頃までしばしば飢饉に襲われた。天候不順などでコメの生産量が低下すると飢えが広がり、餓死する人も稀ではなかった。当時、インドはコメの輸入国であり、1965年には107万トンものコメを輸入していた。だがその後、農業技術の進歩によりコメの生産量が着実に増加して、インドは1978年にはコメの

図35　世界のコメ輸出量の推移

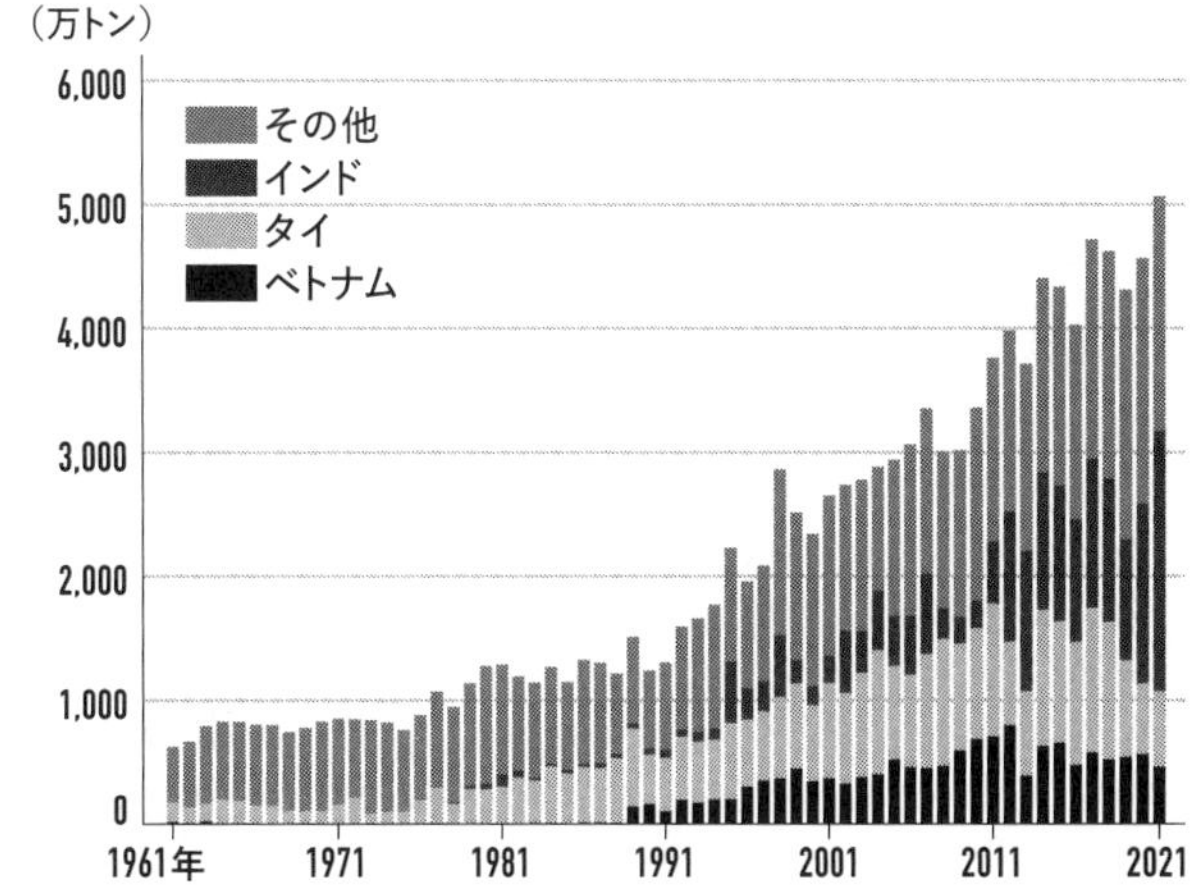

［出典：FAO］

純輸出国（輸出量が輸入量を上回る）になった。21世紀に入ると輸出量はさらに増加し、現在、インドは世界最大のコメ輸出国になっている。インドの米は主に中東やアフリカに輸出されている。

世界的に暑い夏だった2023年、インドの米は旱魃《かんばつ》により不作だった。インド政府は国内のコメ需給を安定させるためにコメ輸出を禁止した。その結果としてコメの交易価格が高騰して、ベトナムのコメ輸出産業は一時的に潤った。今後も暑い夏が生じるようになると、このような事態が繰り返されるかもしれない。

ベトナムのコメ輸出が農作物の輸出の中でどのような位置を占めているか見てみよう。**図36**にベトナムの主要農産物の輸出額

図36　ベトナムの農産物輸出額の推移

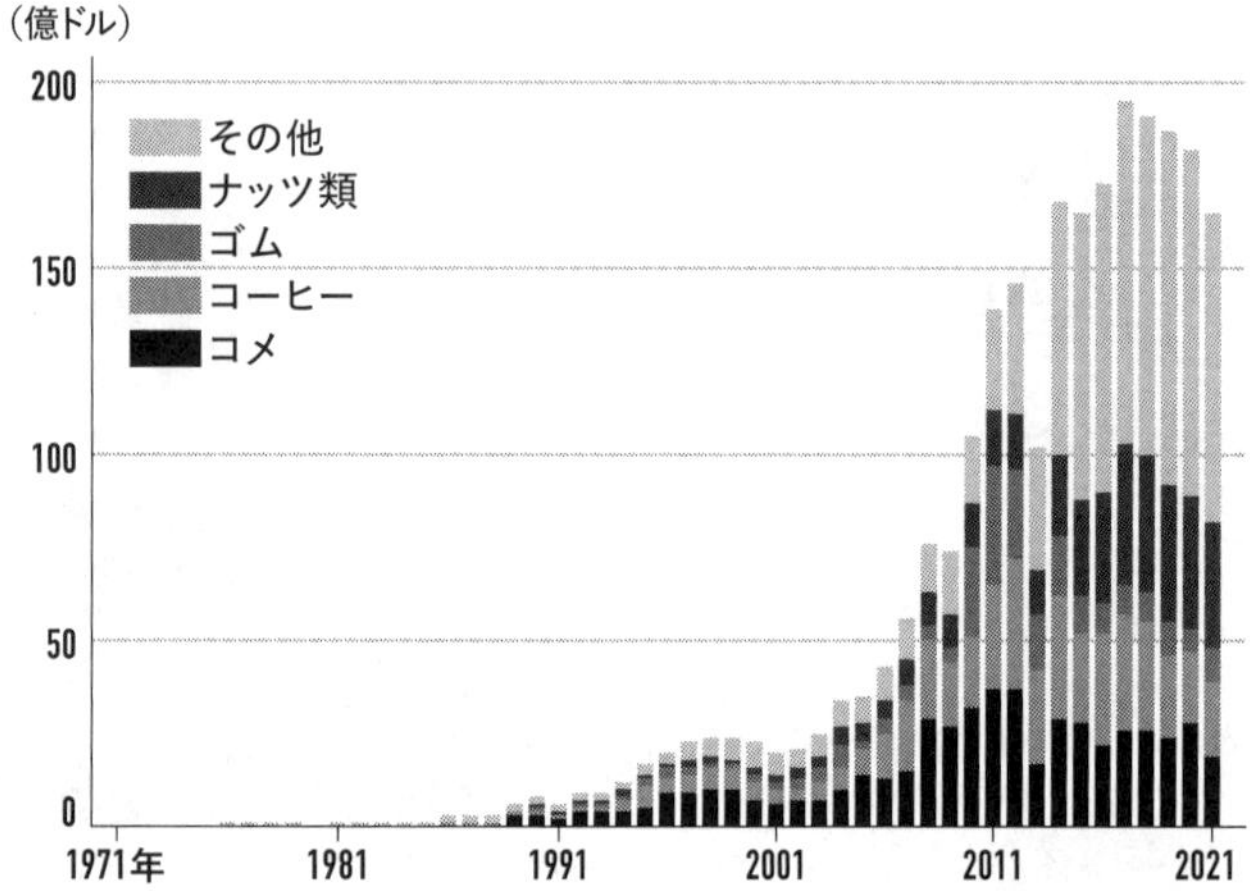

［出典：FAO］

の変遷を示す。ドイモイに舵を切ったために生じた混乱から立ち直り、経済発展の始まった１９９２年の農産物輸出額は８・１億ドルに過ぎなかったが、コメはその51％を占めていた。２０２１年の農産物輸出額は１６４億ドルに増えたが、コメの輸出額は18・５億ドルで割合は11％にまで低下してしまった。もはやコメをベトナムの主要農産物と言うことはできなくなっている。

　現在、最も輸出額が多いものはナッツ類であり、34・１億ドルと全農産物輸出額の21％を占めている。ベトナムのカシューナッツは有名である。

　歴史の中でベトナム人はコメを作って生きてきた。だから１９８６年にドイモイが始まると、ベトナム政府はコメを輸出産業に育てることに力を注いだ。コメ輸出は１９９０年代にはベトナム経済において大きな役割を果たしたが、21世紀に入った頃から急速に縮小した。

２０２１年のベトナムの輸出額は３４２０億ドルであるから、農産物輸出額は全輸出額の４・８％に過ぎない。コメは全輸出額の０・５％でしかない。コメだけでなく農産物の輸出が産業の中心ではなくなっている。

付言すれば、昨今、日本は農作物の輸出を増やそうとしているが、農業国と思われてきたベトナムでも農作物輸出が産業全体に占める割合は極めて小さくなっている。この事実をよく認識しておく必要がある。

１人当たりの肉消費量は日本並み

図37に東南アジア５か国と日本の１年間の１人当たり肉消費量を示す。現在日本では飢餓は問題になっていない。ほぼすべての人が十分な量の食料を摂取できる状況にある。多く人にとって肥満が問題になっており、ダイエットが話題になっている。その日本を基準にして、東南アジア５か国を見てみよう。

マレーシアとベトナムの肉消費量は日本と大差ない。１人当たりＧＤＰはマレーシアが約

図37　日本と東南アジア諸国の1人当たり年間肉消費量

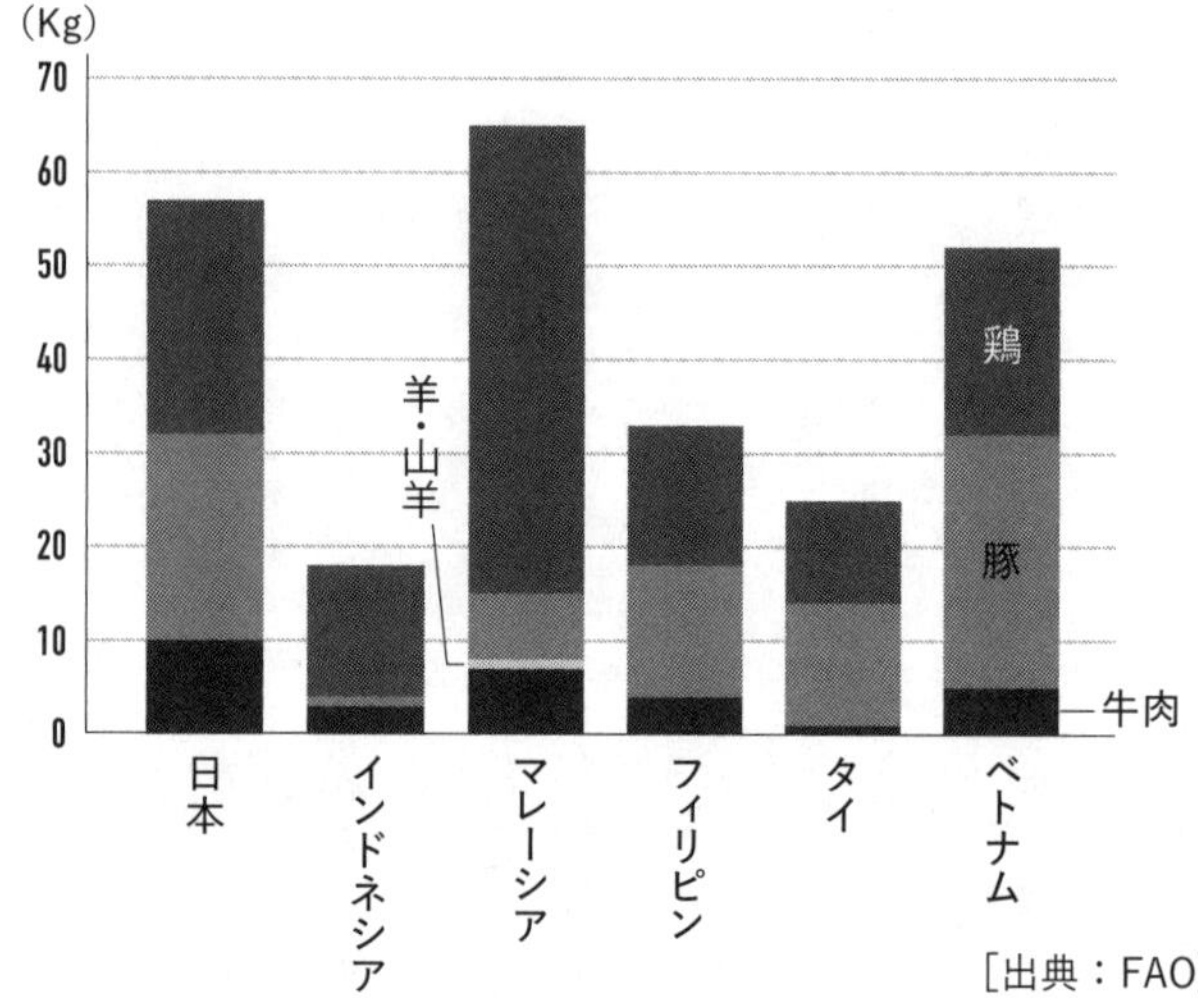

[出典：FAO]

1万ドル、ベトナムが約4000ドル、そして日本は約4万ドルである。この3国は経済力には差があるが、肉消費量にはそれほどの差はない。貧しい国では肉消費量が少ない傾向があるが、ベトナム程度の発展段階になれば経済力が肉消費量に影響を与えることはないとしてよい。

一方、インドネシア、タイ、フィリピンの肉消費量は日本、マレーシア、ベトナムに比べて有意に少ない。これを経済力の違いによって説明することはできないと思う。タイの1人当たりGDPは約8000ドルであり、ベトナムを上回っている。インドネシアとフィリピンの1人当たりGDPはベトナムと大差がない。ベトナムの人々が日本と変わらない量の肉を食べているのだから、これら3か国は貧しいから肉が食べられないわけではないだろう。それではなぜ、少ないのであろうか。

理由は宗教や食習慣にあると思われる。インドネシアの肉消費量は特に少ないが、これはイスラム教の影響と考えられる。イスラム教では豚肉を食べることを禁じているが、それ以外の肉もハラルによって屠殺された肉しか食さないなど、肉に関わる禁忌が多い。伝統的にイスラム圏では羊肉を食べてきたが、インドネシアは熱帯に位置しており羊の飼育に適していない。そんなこともあって肉を食べる習慣が根付かなかったのであろう。

インドネシアに次いでタイの肉消費量も少ない。タイでは上座部仏教が大きな影響力を持っている。仏教は肉食を禁じるものではないが、それでも肉食は忌避される傾向がある。肉の消費量が少ないのは、その影響と考えられる。インドネシアでは豚肉は食されていないが、タイでは豚肉が食されている。この辺りにも宗教の影響を伺うことができる。なお、マレーシアでは多くの人がイスラム教を信仰しているが、中国系の人々も多いために豚肉が食されている。マレーシアのイスラム教徒は鶏肉をよく食べる。マレーシア料理として茹でたチキンを乗せたライスは有名である。

フィリピンは、ミンダナオ島はイスラム教徒が多いが、その他の地域にはキリスト教徒（カトリック）が多く、ラテン気質の国である。そのフィリピンで肉の消費量が少ないことはちょっと不思議である。

筆者の個人的な感想であるが、フィリピンの料理の味付けが一般に甘く、肉料理には適していないように思う。それだけで肉消費量が少ないことを説明するのは無理なようにも思う。ただ、1人当たりＧＤＰがベトナムとほぼ同じでありながら、肉消費量が少ない理由はよく分からないとしか言いようがない。

ここでベトナムに話を戻すと、現在、ベトナムでは日本とほぼ同じ量の肉を食べている。その構成も日本によく似ている。牛肉、豚肉、鶏肉を食しており、その中で牛肉がやや少ない。これは豚や鶏に比べて牛を飼育するには多くの飼料が必要になり、その結果として価格が高いためと考えられる。

食生活の満足度と肉の消費量には相関がある。貧しい時代に肉は貴重品である。日本では昭和20年代がそんな時代だった。もはや戦後ではないと言われた昭和30年頃から肉の消費量は増加し始めて、昭和50年代に入ると消費量は現在とほとんど変わらなくなった。誰もが好きな時に好きなだけ肉を食べることができる時代になった。

ベトナムでは２０００年頃まで肉は貴重品であった。先に書いたように、庭先で鶏を育てて月に一度家族で鶏を食べるのが楽しみだった時代である。しかし、21世紀に入るとベトナム経済は急速に発展して、肉の消費量は日本とほぼ変わらなくなっている。肉消費量から見ても、ベトナムは完全に開発途上国の段階を脱した。

1人当たりの耕地面積は少ない

図38に1人当たりの耕地面積を示す。これは農業だけでなく現代経済を考える上で、重要な意味を持っている。農地には耕地と樹木を植えてある土地があるが、ここでは耕地だけを考える。その理由は、樹木は傾斜地に植えることが多いからだ。一方、耕地はその多くが平地である。

図には東南アジア5か国とG7、それにBRICSのインドやブラジルなどを加えたが、1人当たりの耕地面積に大きな違いがあることが分かろう。ここに示した国の中で最も1人当たりの耕地面積が多いのはカナダであり、それに米国、ブラジル、フランスが続く。一方、マレーシア、韓国、日本、フィリピン、ベトナム、中国は1人当たりの耕地面積が少ない。これらはすべてアジアの国である。

アジアではコメが栽培されてきた。コメは収穫量が多く、水田で栽培するために連作障害が起きにくい。そのためコメを栽培すると、小麦に比べて同じ農地面積で多くの人を扶養できる。これがアジアの国々において人口密度が高い理由である。その結果として、1人当たりの耕地面積は少なくなっている。

図38　1人当たり耕地面積（2021年）

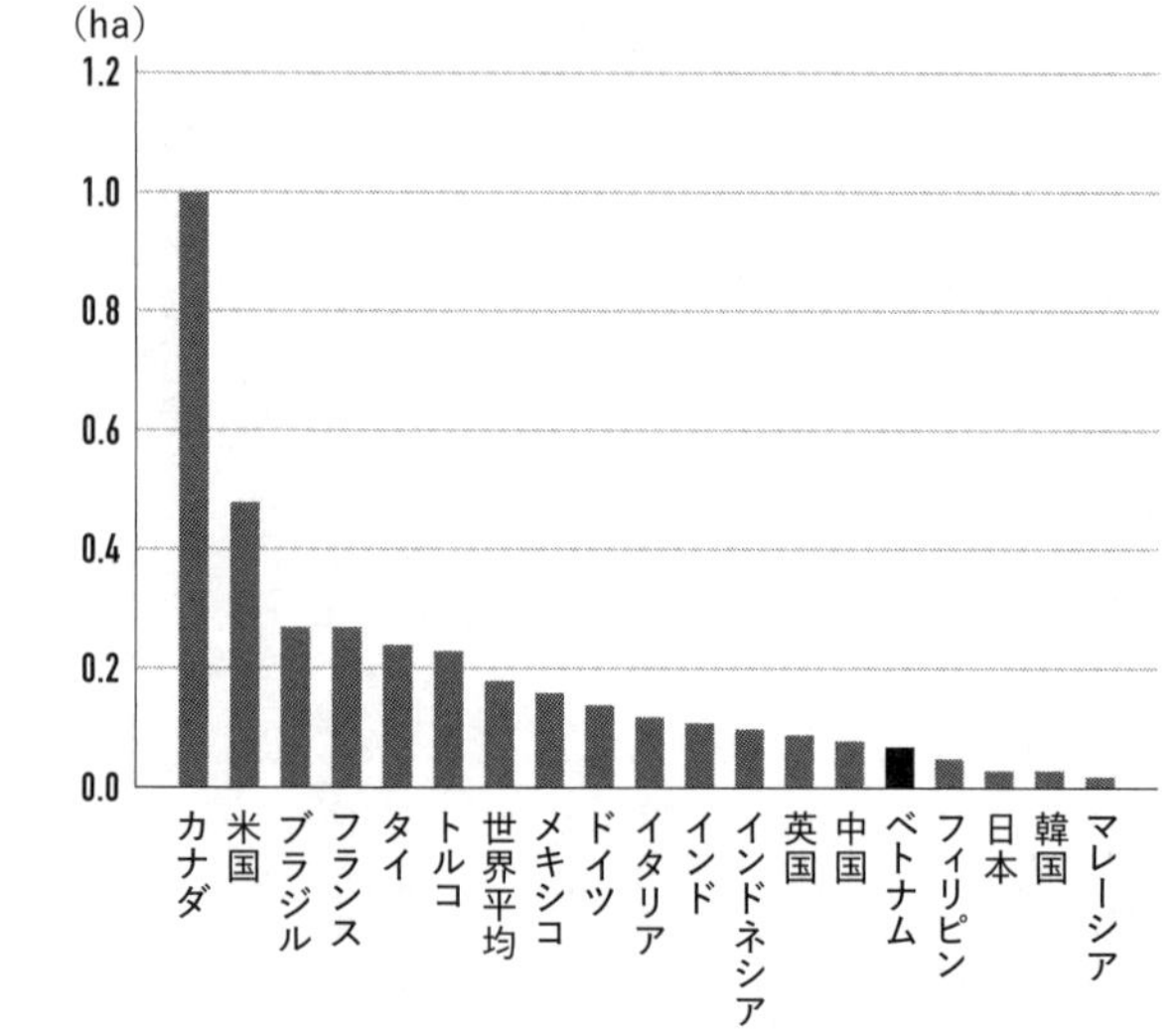

［出典：FAOデータより筆者計算］

タイは例外と言ってよい。タイの人々もコメを主食としており、タイの歴史とコメは切っても切れない関係にある。それでもタイは1人当たりの耕地面積が多い。これはタイの文明がチャオプラヤー川流域で発展し、東部や東北地方の開発が遅れていたためである。

もう少し詳しく説明すると、伝統的なタイの国土は現在のバンコク周辺に留まり、東部や東北部は歴史的にはカンボジア（アンコールワットを築いたクメール）の領地だった。そしてアンコールワットが森に埋もれていたように、その多くは森林だった。近世になってそこをタイが領有して開墾を進めたが、その時間は歴史の中では短く、東部や東北部の人口密度は低い状態が続いている。この辺りにもタイとカンボジアの不仲な理由が隠されている。

食料自給率と1人当たりの耕地面積は強い相関がある。1人当たりの耕地面積が多ければ多くの食料を生産できる。ブラジル、フランス、タイは食料を多く輸出している。一方、マレーシア、韓国、日本、フィリピンの食料自給率は低い。日本では、食料自給率は安全保障問題と絡めてやや感情的に議論される傾向があるが、**図38**に示したように1人当たりの耕地面積に大きな違いがある以上、日本の食料自給率が低いことは当然とも言える。マレーシア、韓国、フィリピンも食料自給率は低い。

この図は食料自給率を考える以上に現代経済を考える上で重要である。それは1人当たり耕地面積の少ない国で不動産バブルが生じやすいからだ。人口が増加した場合に、耕地が住宅に転換される。日本でも戦後になって東京や大阪の人口が急増する過程で、近郊の農地が宅地に変わったことを記憶している人は多いと思う。現在、同様の現象がベトナムで生じている。土地バブルは1人当たりの耕地面積が少ない国で起きる。土地バブルは中国や韓国でも生じた。

例外はマレーシアである。マレーシアは耕地が少ないが、平地にパーム椰子やゴムが広く栽培されている。マレーシアはコメなど穀物の自給率は低いが、パーム椰子やゴムを栽培している土地は住宅地に転用できる。その結果として土地バブルが起きにくい。英国も1人当たりの耕地面積は少ないが広い草地があるために、土地バブルは生じなかった。

中国で不動産バブルが発生してその崩壊が始まったことはよく知られているが、ベトナムにも不動産バブルが存在し、やはり崩壊が始まった。このことについては後述する。

第3節　貿易と海外直接投資が示す工業国としてのベトナム

工業製品の部品を輸入して組み立てて輸出

先にも述べたように、ベトナム経済にとって輸出は重要な位置を占めている。ここではベトナムの貿易について考えてみたい。

中進国になったとは言ってもベトナムはまだまだ開発途上国だから、一次産品を輸出して工業製品を輸入しているのだろう。ついそのように思ってしまう。しかし、その認識は間違っている。

表2にベトナムが輸出している品目を示すが、携帯電話の輸出額が最も多くなっている。

携帯電話は主にサムスンが製造している。サムスンの携帯電話は赤字体質であったベトナムの貿易収支改善に大きく貢献した。携帯電話に次いでコンピューターと関連部品、それに機械設備・同部品が続く。上位の3項目だけで、2021年の輸出総額の44%を占めている。

ベトナムから輸出されるものは工業製品が圧倒的に多い。それは輸入についても言える。**表3**に輸入の内訳を示すが、ここでも工業製品が上位を占めている。ベトナムは工業製品の部品を輸入して、それを組み立てて輸出している国である。

開発途上国からの輸出品として思い浮かぶ縫製品、履物、木材・同加工品に分類されるものは4位から6位を占めるに過ぎない。その割合も10%から4%と少ない。日本では、ベトナムはユニクロの服を作って輸出しているといったイメージがある。たしかにユニクロの工場はベトナムに存在するが、それが輸出の主力になっているわけではない。

ベトナムではエビの養殖が盛んであるが、エビを含む水産物の輸出額は88・8億ドルであり、電話機・同部品の15%ほどでしかない。この表にないが、コメの輸出額はエビよりもはるかに少なく18・5億ドルに留まる。

メコン川の水位がコメ栽培とエビ養殖に与える影響

少し余談になるが、コメとエビに関する皮肉な物語を書いておきたい。ベトナム人にとっ

表2　ベトナムの輸出品目（2021年）

	金額（100万ドル）	構成比
電話機・同部品	57,531	17%
コンピューター・同部品	50,797	15%
機械設備・同部品	38,326	11%
縫製品	32,751	10%
履物	17,750	5%
木材・木材製品	14,809	4%
鉄鋼	11,789	4%
輸送機器・同部品	10,616	3%
水産物	8,882	3%
糸	5,609	2%
合計（その他含む）	336,167	100%

［出典：ベトナム税関局］

表3　ベトナムの輸入品目（2021年）

	金額（100万ドル）	構成比
コンピューター・同部品	75,559	23%
機械設備・同部品	46,295	14%
電話機・同部品	21,471	6%
織布・布地	14,332	4%
プラスティック原料	11,759	4%
鉄鋼	11,568	3%
金属類	8,622	3%
プラスティック製品	7,971	2%
化学製品	7,777	2%
化学品	7,646	2%
合計（その他含む）	332,843	100%

［出典：ベトナム税関局］

てコメは重要な作物だった。現在は「だった」と過去形で語るべき時代になっているが、ベトナムがドイモイを行い、国際社会に復帰した後に、ベトナムは自分たちの主要農産物であるコメを輸出して外貨を稼ごうとした。それは自然な発想と言えよう。

ベトナムのコメ所はメコン川下流域である。メコン川は国際河川であり、中国に源を発し、その流域はビルマ、タイ、ラオス、カンボジアに及ぶ。

このメコン川に多くのダム建設計画が持ち上がった。それは発電用のダムであり、農業用水用のダムでもあった。発電用のダムは水流を大きく減らすことはない。それは貯めた水を再び流すためである。しかし貯めた水を農業用に使うと農地で蒸散して、下流の水量が減る。

メコン川の最下流に位置するベトナムは、メコン川の水量に神経質になった。それは水量が減少すると、下流域で満潮時に海水が遡上する現象が起きるためである。メコン川下流域はベトナムのコメ所である。そのメコン川下流域に海水が遡上して、コメが栽培できなくなったら大変である。

国際河川であるメコン川の水量を管理するために、関係国によるメコン委員会が作られた。ただ容易に想像がつくことであるが、そこでの議論は各国の利害が絡んで紛糾した。国際河川の管理は、ナイル川の水を巡ってエジプトとエチオピアが対立して、下流のエジプトが戦争をも辞さないと言った強硬な態度を表明するなど、どこでもその調整は難しい。

しかし、1970年代から2000年頃にかけて大きな問題であったメコン川のダム建設問題は、最近、めっきり話題に上らなくなった。

その理由の一つは農業用水の需要が減ったことである。1990年頃まで中国だけでなく東南アジア諸国も農業の振興に力を入れており、農業用水の確保は重要な課題であった。タイは東北地方の農業振興のためにメコン川の水を利用したかった。タイの東北地方は乾季に水が不足するが、気温は高いから水さえあれば農業ができる。東北地方は貧困地域であり、貧困からの脱出にメコン川の水は絶対に必要と考えられていた。

当時、JICAも関心を持ち、多くの日本の関係者がメコン川のダムだけでなく、ダムからタイ東北部に水を運ぶ水路の建設を考えた。

しかし、そのようなプロジェクトが実現することはなかった。それは、しばしば飢饉に襲われたインドがコメの輸出国に転じるなど、世界的に農作物が余り始めたからだ。その結果、タイでもコメを輸出して国を豊かにするモデルは崩壊してしまった。

同様のことはベトナムでも生じた。21世紀に入って世界的に農作物が余り始めると、農作物の価格は低迷して、ベトナムもコメ輸出によって外貨を稼ぐ時代ではなくなった。

その一方で、ベトナムではエビの養殖が盛んになった。その生産の中心はメコン川下流域である。ここで皮肉なことが起きた。それはエビの養殖は汽水域（海水と淡水が混じり合った水域）が適していることである。

メコンデルタでは、元は水田だったところに汽水を導入してエビを養殖している。そしてメコン川の水位が下がると海水は上流にまで遡上する。それはエビ養殖に好適な水田が増えることを意味する。コメを作るには海水が遡上しないほうが良いが、エビを養殖するには海水が上流まで遡上してくれた方が都合がよい。そしてエビを養殖するとコメを生産するよりも何倍も儲かる。それは先ほども書いたように農産物の輸出額が18・5億ドルであったのに対して、エビが中心を占める水産物の輸出額が88・8億ドルであったことからも分かる。エビ養殖は外貨獲得に役立つ。

メコン川下流の水位が下がった方がエビ養殖に適した水田が増える。そしてタイなど上流域ではコメを増産する時代ではなくなってしまった。その結果として、メコン川でのダムの建設が大きな国際問題になることはなくなってしまった。

現在、メコン川流域では主にラオスで発電用のダムが建設されている。ラオスは国全体が山岳地帯にあり、発電用のダムの建設に適した場所が多い。ただ発電用のダムを作っても、河川の水量にはそれほど大きな影響を与えない。厳密には水をダムに貯留している間に蒸散量が増えるから若干減少するが、農業用水として使用する際のように大きく減少することはない。ラオスでのダム建設は森林の破壊や、そこに住む人々の生活の場が奪われるなどの問題を引き起こしているが、これはすべてのダム建設に関わる問題であり、国際河川の問題ではない。メコン委員会が話題に上らなくなった理由である。

ベトナムの交易相手1位は中国

次にベトナムがどこと交易しているか見てみよう。**表4**にベトナムの交易相手を示す。日本人にはショッキングな結果であるが、そこには、もはや日本が経済大国だった頃の面影はない。輸出と輸入の合計金額（交易額）が多い順に、上から並べたが、日本はベトナムにとって第4位の交易相手でしかない。第1位は中国であり、その交易額は1664億ドル、それに米国の1115億ドル、韓国の782億ドルが続く。日本は429億ドルである。日本の交易額は中国の1／4、米国の1／3、韓国の1／2程度になっている。

近年、ベトナムにおいて日本を軽視する発言を多く聞く。日本人は、これまで多額のODAを供与してきたからベトナムから感謝されていると思っているから、そんな発言を聞くと嫌な気分になる。

ベトナムの日本軽視発言の理由の一つは、貿易額が減少していることにある。ベトナムは歴史上、中国に何度も侵略されたから、中国を嫌うと共に強く警戒している。だが、隣国であり、かつ近年経済が急成長したことから、現在はベトナムの最大の貿易相手になっている。

表4　ベトナムの国別貿易収支（2021年）

（単位：100万ドル）

	輸出入合計	輸出	輸入	貿易収支
中国	166,459	55,926	110,533	-54,607
米国	111,547	96,270	15,277	80,993
韓国	78,262	21,948	56,314	-34,366
日本	42,931	20,130	22,801	-2,671
その他	269,811	141,893	127,918	13,975
合計（その他含む）	669,010	336,167	332,843	3,324

［出典：ベトナム税関局］

ベトナムに来た駐在員などが、「ベトナム人は中国が嫌いと言いながら、経済では結構蜜月だ」などと発言する理由がここにある。

中国、韓国、日本との間の貿易において、ベトナムは赤字を出している。特に中国と韓国との間の赤字額は大きい。その一方で、米国との貿易では大幅な黒字を計上している。先に見たように、ベトナムが主に交易しているのは携帯電話やコンピューターである。ベトナムは中国や韓国から携帯電話やコンピューターの部品を輸入して、それを組み立てて米国に輸出している。ベトナムの貿易構造をそのように理解しておけばよい。

海外直接投資（FDI）に見る経済の曲がり角

ベトナムが経済成長する上で、海外直接投資（FDI＝Foreign Direct Investment）は大きな役割を果たしている。分野別の直接投資金額を**表5**に示す。FDIは年によって大きく変動することがあるので、ここでは2020年と2021年の平均値を示した。

製造業へのFDIは1445件であり、金額は158億ドルと全体の58％を占めている。1件あたりの平均投資額は1100万ドル、1ドル150円で計算して16・5億円程度であり、それほど大きな金額ではない。中小企業から小口の投資が数多くある。

ライフラインへの投資は63・8億ドルと全体の24％を占めている。ベトナムでは電力不足が深刻になっており、海外から資金と技術を導入して火力発電所の建設が行われているためである。インフラ整備案件は1件あたり1億933万ドル（289億円）と大きい。

製造業とインフラの投資額を合わせると全体の82％にもなる。それ以外では不動産への投資が多い。これはベトナムに、かつての日本のように「土地神話」が存在するためである。海外の資金もベトナムの不動産を買い集めていた。ただ、不動産バブルが崩壊し始めたために、今後、ベトナムの不動産に対する投資が大きく増えることはないであろう。

これまでのところ製造業への投資が多く、サービス業への投資は少ない。それは中国と同様にベトナムが安い労働力を提供することによって、世界の工場として発展する道を選んできたためである。また近年は、「チャイナ・プラス・ワン」として中国から工場を移転させる先の第一候補になっていることも、製造業への投資が多い理由になっている。ただ、ベト

表5　ベトナムへのFDIの分野別内訳
（2020年と2021年の平均）

	金額（100万ドル）	件数	構成比	100万ドル/件
製造	15,867	1,445	58%	11.0
ライフライン（発電所など）	6,380	33	24%	193.3
不動産	2,531	102	9%	24.9
小売・卸売り	665	771	2%	0.9
コンサルなど	363	440	1%	0.8
倉庫・運輸	344	77	1%	4.5
建設	321	78	1%	4.1
IT	195	234	1%	0.8
農林業	163	30	1%	5.4
ホテル飲食	99	57	0%	1.7
合計（その他含む）	27,127	3,419	100%	7.9

［出典：ベトナム外国投資庁データを元に作成］

ナムでも人々が豊かになるにつれてサービス産業が成長しはじめたことから、今後は小売などサービス業への投資も増えると思われる。

ベトナムへの海外直接投資（ＦＤＩ）の時系列変化を**図39**に示す。この図には許可額を示している。許可額とは計画して当局の許可を得た金額である。日本、韓国、シンガポールからの投資が多いが、近年、日本からのＦＤＩは韓国やシンガポールの後塵を拝している。

２０２０年と２１年のシンガポールからの投資額は有意に多い。これはコロナ禍において世界的に金融が緩和された際に、シンガポールを通して多くの資金がベトナムに流入したためである。この資金はベトナムの不動産バブルを一層膨らませたが、それは2022年秋に崩壊し始めた。

ベトナムへのFDIはGDPの数％に相当しており、ベトナムの経済成長を牽引してきた。許可額は2017年から増加しているが、これはドナルド・トランプが2017年に政権を発足させたことに関係している。米中関係の悪化によって「チャイナ・プラス・ワン」が話題になり、ベトナムへのFDIが増えた。

シンガポールからの投資には、中国からの投資が多く含まれている。中国は嫌中感情の強いベトナムにシンガポールを介して投資を行っている。近年、中国企業はベトナムに工場を作り、中国から部品を送って組み立てて、Made in Vietnamとして米国へ輸出している。ただ、米国がこの抜け穴的な輸出にクレームをつけていることから、このような投資の行方は不透明である。また中国で不動産バブルが崩壊した影響も大きい。中国の多くの企業はベトナムに新たな投資を行う余裕を失い始めた。このような背景があり、今後、シンガポールを介した中国からのFDIは減少すると思われる。日本や韓国からの投資も大きくは増えないであろう。

図39から分かるように、近年FDIはほぼ横ばいで推移している。FDIを牽引役にしたベトナムの経済成長は曲がり角に来ている。

図39　ベトナムへの海外直接投資（FDI）の国別推移

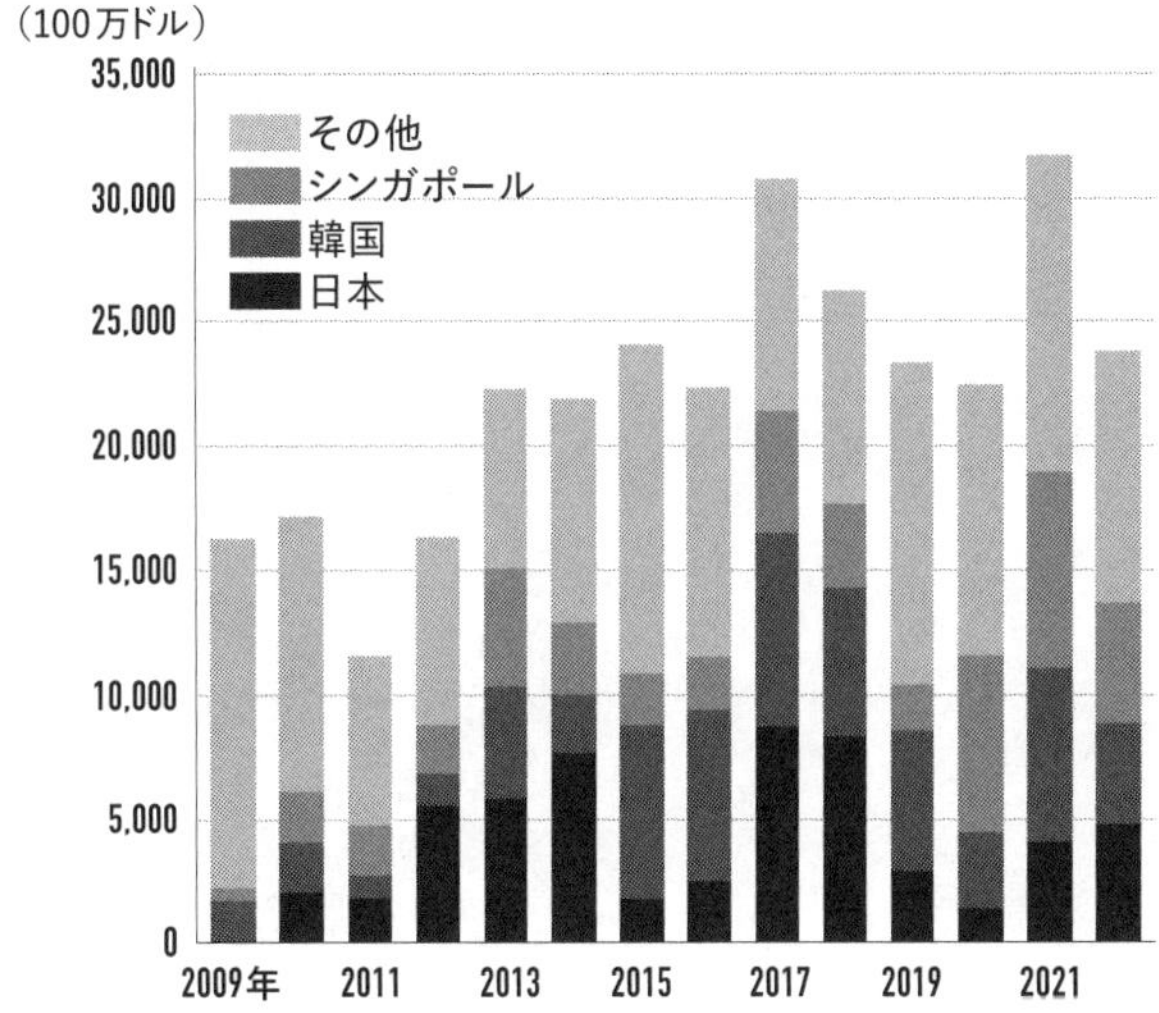

［出典：JETROデータより作成］

シンガポールからの投資が多い理由

表6にベトナムに対する国別の投資額を示す。これも単年度では変動が激しいので、２０２０年と２０２１年の平均値を示した。ベトナムへの投資額が最も多いのはシンガポールである。それに韓国が続き、日本は第３位である。シンガポールは投資資金の中継地的な役割も果たしている。

　ベトナム人は中国を嫌っているために、中国資本はベトナムに入りにくい。２０１９年に私がダナンを訪ねた際に空港からホテルに行くために利用したタクシーの運転手は、私が日本人だと分かると、途中にあったデパートを指

表6　ベトナムへの FDI の国別内訳
（2020 年と 2021 年の平均）

	金額（100万ドル）	件数	構成比	100万ドル/件
シンガポール	7,519	347	28%	21.7
韓国	5,031	847	19%	5.9
日本	2,733	407	10%	6.7
オランダ	1,927	48	7%	40.6
中国	2,486	430	9%	5.8
香港	1,983	284	7%	7.0
台湾	1,592	183	6%	8.7
米国	469	119	2%	4.0
サモア	472	48	2%	9.9
英領バージン諸島	460	52	2%	8.8
合計（その他含む）	27,127	3,419	100%	7.9

［出典：ベトナム外国投資庁データを元に作成］

して「ここは悪い店だから、買いに行くな」と下手な英語で捲し立てた。それは中国人観光客目当てに中国資本が建てた土産物屋を売るデパートであった。

コロナ禍前には団体客がダナンやニャチャンなど中部海岸に大挙として訪れていた。その中の中国人を狙って中国資本が土産物屋を建てたのであろう。ベトナム人の対中国感情はかくの如く悪い。そのために中国資本はベトナムに直接投資しにくい。

そんな中国は、一度資本をシンガポールの会社に投資して、その後にシンガポール資本としてベトナムに投資していると言われる。ただシンガポールからの投資に含まれる中国資本の割合を知ることは難しい。それはシンガポールが世界から資本を集めて、それを再投資しているからだ。それでもシンガポールからの投資に中国資本が多く含まれていることは事実と思われる。

韓国からの投資は日本を上回っている。韓国は21世紀に入ってから東南アジアの投資先としてベトナムを選んだ。そのことは**表6**によく表れている。日本は貿易額だけでなく投資額でも韓国の後塵を拝している。ベトナムには米国からの投資が少ない。米国はベトナムから携帯電話やコンピューターなどを大量に輸入しているが、投資はわずかでしかない。これは、米国にいまだにベトナム戦争のトラウマが存在するためと思われる。オランダからの投資は第4位になっているが、オランダ以外のヨーロッパの国々は表に入っていない。

旧宗主国であるフランスも入っていない。旧宗主国は独立した後もそれなりの影響力を持ち続ける場合が多いが、フランスはベトナムに対して全くと言っていいほど影響力を保持していない。ベトナム人はフランスを嫌い、交流を避けている。その結果として、フランスからベトナムへの投資も少ない。

ベトナムは中国を嫌ってはいるものの、中国からの直接投資も存在する。国別で第5位である。ただ街中で明らかに中国の投資と分かるものを見かけることは少ない。ただ香港と台湾からの投資は嫌われてはいないので、街で香港料理や台湾料理の店を見かけることはある。

輸出（2021年）	輸入（2021年）	貿易収支（2021年）	FDI（2020年と2021年の平均）	貿易額／GDP	貿易収支／GDP	FDI／GDP
231,522	196,190	35,332	29,880	32%	3%	2%
287,068	303,191	-16,123	9,017	119%	-3%	2%
336,167	332,843	3,324	27,127	164%	1%	7%
341,382	285,260	56,122	13,749	154%	14%	3%
74,569	117,308	-42,739	9,617	47%	-11%	2%
1,270,708	1,234,792	35,916	89,390	83%	1%	3%

［出典：世界銀行と JETRO］

その店が本当に香港や台湾からの投資で出店したかどうかは不明であるが、香港料理や台湾料理であればベトナム人から毛嫌いされることはないようだ。

　総じて欧米からベトナムに対する投資は少ない。これまでのところ海外からの投資はシンガポールと韓国からが多い。ただ韓国からの投資は、２０２２年秋に始まったベトナムの不動産バブル崩壊の影響を受けて、勢いを失っている。日本にチャンスが巡ってきたとも言える。日本企業の今後の活躍に期待している。

東南アジア5か国の中でベトナムは「チャイナ・プラス・ワン」の最有力国

　貿易と投資の面から、ベトナムと他の東

表7　東南アジア5カ国の人口、GDP、貿易額、直接投資投資の比較

	人口（万人）（2021年）	GDP（100万ドル）（2022年）	1人当たりGDP（ドル）	輸出+輸入（100万ドル）（2021年）
インドネシア	27,289	1,319,100	4,834	427,712
タイ	7,156	495,341	6,922	590,259
ベトナム	9,709	408,802	4,210	669,010
マレーシア	3,340	406,306	12,166	626,642
フィリピン	11,309	404,284	3,575	191,877
合計	58,804	3,033,833	5,159	2,505,500

南アジア4か国を比較してみよう（**表7**）。ベトナムの交易額（輸出額と輸入額を加えた金額）は、この表の中で最も大きい。それは6690億ドルにもなり、1人当たりのGDPがベトナムより多いマレーシアやタイ、また人口大国であるインドネシアを上回っている。

ベトナムの経済発展はマレーシアやタイより遅れているが、その交易額が大きい秘密は外資系企業にあるようだ。**表8**にベトナムで輸出入に関わる企業が外資系か国内系であるか、その割合を示す。ベトナムでは輸出入に関わる事業は、主に外資系企業によって行われている。ベトナムの経済成長は海外から投資をしてもらうことによって製造業を立ち上げ、その製造業が部品を

表8　ベトナムの国内と外資系に分けた貿易額（2021年）

	輸出（100万ドル）	割合	輸入（100万ドル）	割合
国内企業	91,036	27%	114,362	34%
外資系企業	245,131	73%	218,480	66%
合計	336,167	100%	332,843	100%

［出典：ベトナム税関局］

中国や韓国から輸入して、完成品を主に米国に輸出することにより成立している。

中国は産業機械やコンピューターのＣＰＩなど高度に知的なものは米国や日本から輸入しているが、部品などは自国で生産して携帯電話やパソコンなどを組み立てて輸出している。それに対してベトナムは自国で部品を作ることができない。中国や韓国が作った部品を輸入して、それを組み立てて輸出している。ベトナムは米国と中国が作り上げた「チャイメリカ」というモデルの一部を代替するまでに成長したが、完全に中国に代わる段階には至っていない。ただ、それでもインドネシアやフィリピンより製造業の発展は一歩先んじているので、「チャイナ・プラス・ワン」を議論する際にその筆頭に上がる。

ちなみに、インドネシアの首都ジャカルタにはビルが林立し、その経済発展には目を見張るものがある。しかし、インドネシアは多くの島に分かれており、常にその政治統合に苦慮している。ジャカルタに人口が集中し過ぎているために首都をカリマンタン島に移転することになったが、筆者はこの計画は無謀であり、うまく行かないと考えている。無謀とも言える計画が打ち出されて、それを実行に移そうとするところにインドネシアの不安定さがある。ジャカルタが発展していることを見て、今後、インドネシアが順調に発展すると考えるのは早計である。

ベトナムへのＦＤＩは約3倍の人口を擁するインドネシアに匹敵する。それはＧＤＰの7％に相当する。マレーシアへのＦＤＩが少ないのは、既に1人当たりＧＤＰが1万ドルを上回り、人件費が上昇して、投資対象として魅力が薄れているためであろう。

またタイは、２０１４年の軍事クーデター以降、ＥＵとのＦＴＡ交渉が中断するなど、欧米からの投資を呼び込みにくくなっている。２０２３年に総選挙が実施され、一応民主的な装いはできたが、それでも軍部が首班指名に大きな影響力を有しているなど、タイを民主主義国と見ることはできない。政治的に不安定である。かつ賃金が上昇しており、魅力的な投資先とは言えない。

フィリピンはラテン的な気質であり、製造業に向いていない。それは先に見たようにＧＤＰに占める工業部門の割合が低いことからも明らかである。またＧＤＰ比で11％もの貿易赤字を抱えている。貿易赤字を「フィリピン・メイド」による海外からの送金で相殺しており、製造業を中心としたＦＤＩには不向きである。

貿易や投資を比較しても、ベトナムが東南アジアで最も魅力的な「チャイナ・プラス・ワン」の候補であることが分かる。

第5章　ベトナムの未来と日本

不動産バブル崩壊と奇跡の成長の終わり

２０２２年の秋からベトナムにおいて不動産バブルの崩壊が始まった。先に農地１ha当たりの扶養人口から、ベトナムが日本と同様に不動産バブルが発生しやすい国であることを述べたが、そんなベトナムで、ドイモイに伴う改革によって不動産が自由に売買できるようになると、不動産価格は上昇を続けた。それは昭和の日本のような不動産神話に発展した。

それまでも十分に高かった不動産の価格は、新型コロナウイルス感染症の蔓延した際の世界的な金融緩和によって、２０２０年から２０２２年の夏にかけてさらに上昇した。それは株や不動産の価格においてよく観察される、バブルが崩壊する直前の急上昇であった。

この本を執筆している時点では、今後、ベトナムの不動産バブル崩壊がどのような展開を見せるか見通すことはできない。経済予測はどの国でも難しいが、中国やベトナムのような共産党が支配する国では秘密主義が徹底しており、信頼できる情報が極めて少ないために、その予測は一層難しくなっている。

極めてマクロな見方に立つ時、ベトナムだけでなく他の東南アジア諸国、そして中国や韓国も含めた東アジアにおいて、奇跡の成長は終わったと思う。奇跡の成長の起点は１９９０年である。ソ連は１９８９年に崩壊が始まり、紆余曲折を経て１９９１年に完全に崩壊した。資本主義が勝利したために、開発途上国は迷うことなく資本主義を選択することにした。

それに加えて、１９８０年頃より米国が提唱してきた資本の自由は、開発途上国が発展する上で大きな役割を果たした。経済を発展させるには、まず資本の蓄積が必要である。日本は明治時代に資本の蓄積に苦労した。その時代には世界銀行や海外直接投資（ＦＤＩ）はなかった。海外から資本を導入することはできないから、日本は労働者を酷使して資本を蓄積することにした。それが女工哀史に代表される悲劇を生み、労働運動を激しいものにした。労使の対立は資本主義の宿命とも思われた。

しかし、１９９０年以降にアジアの開発途上国が経済発展をめざした時代には、自国で資本を用意する必要はなかった。資本は海外からやって来た。資本を蓄積するために労働者をこき使う必要はなかった。それに加えて自国で技術を開発する必要もなかった。先進国が技術を持って来てくれたからだ。

冷戦が終わってからの東アジアの経済成長モデルは、海外から資本と技術を導入して、それに安い労働力を組み合わせたものである。このモデルの一番の成功者が中国であることは言うまでもない。

このモデルがあまりにも有効であったために、中国が典型だが、東アジア諸国は過剰に資本を投入してしまったようだ。それがコロナ危機をきっかけにして崩壊し始めた。今後は中国もベトナムも過剰投資を行うことはできない。それのみならず、バブルの処理に多くの時間と費用を費やさねばならなくなった。このことは中国において顕著であるが、ベトナムも例外ではない。

現時点でベトナムの土地バブル崩壊の行方を見通すことは難しいが、1990年以降続けて来た順調な成長が曲がり角に来たことは確かである。ベトナムの1人当たりGDPは4000ドルを超えた程度であり、公称1万2000ドルと言っている中国の1／3に過ぎない。そのため、まだ発展の余地は十分に残されていると思うが、それでも我々がベトナムと付き合う際には、奇跡の成長は終わったという認識を持って臨むことが必要である。

ベトナム側から見た日本への労働研修

ベトナムは親日国と言ってよい。学校では1945年の北部の飢饉は日本の帝国主義者がもたらした（**第2章第3節**参照）ものだと習うが、それを繰り返し教えられているわけではない。歴史の一コマとして習っているだけだ。そして日本と同じで、庶民は歴史教科書の詳細な記述など覚えていない。一部のインテリは覚えているが、そのインテリも学校で習う共産党史観に疑問を持っているようで、日本を悪者とは思っていないようだ。だから歴史教育が反日を生んでいる中国や韓国のような状況にはない。

日本はベトナムの最大のODA供与国であったことから、その記憶の方が強い。日本はハノイのノイバイ空港や空港に通じる橋や道路を建設しており、それに対する感謝の方が大きい。労働研修などで日本に来て働いたことのある人も、その多くは日本に良い印象を持っている。その一方で、ベトナムの送り出し機関が多くのお金を徴収していることに恨みを抱いている。

日本に労働研修に行くためには100万円程度の費用がかかる。日本に出稼ぎに行きたいと考えている農村に住む若者がそんな大金を持っているはずもなく、多くは借金をしなければならない。多額の借金を抱えて日本に来ることが、研修生の一部が日本で犯罪に走る原因の一つと言われている。

送り出し機関は地方の警察と結び付いていると言われており、暴利を貪っていることについて中央もコントロールできていないようだ。先にＡＩＣグループのニャン会長の汚職事件に触れたが、ＡＩＣは送り出し事業も行っていた。だから日本政府は彼女に旭日小綬章を与えたのだが、彼女はベトナム人の怨嗟の的になっていた。

以下は筆者の邪推である。チョン書記長とその周辺は、送り出し機関を経営して庶民から恨みを買っている美人経営者を逮捕すれば、庶民が喝采すると考えたはずだ。そして彼女は公安出身のチン首相と仲が良かった。背後にチン首相がいたために、彼女は送り出し事業を大きく拡張することができた。書記長周辺はそのことを知り、チン首相の政治力を弱めるためにニャンに逮捕状を出した。それは首相と美人経営者との不倫という、誰もが飛びつくスキャンダルに発展した。不倫が事実であったかどうかは、今もよく分からない。スキャンダルは事実に基づかなくてもよい。チョン書記長周辺にいる共産党の官僚はこの辺りの情報操作に長けている。庶民の怨嗟の的であるニャンに逮捕状を出したことで、チョン書記長の人気は高まり、チン首相は失速した。

送り出し機関は多数存在しており、それは合法である。だから、ニャンについても10年も前の病院への機材導入に関わる汚職で逮捕状をとった。

このような事情を知ってしまうと、彼女に旭日小綬章を与えた日本政府の判断はいかがなものかと思ってしまう。日本外交にはこのあたりの機微を読むまでの能力はない。労働研修生の送り出しに貢献してくれたということで、旭日小綬章を与えてしまった。

ただ、彼女が日本から旭日小綬章を貰ったことを知っているベトナム人がほとんどいないから、この件で日本の評判が落ちたということもないようだ。ベトナム人は日本の勲章などに興味はない。

存在感を示す韓国が嫌われる理由

ベトナムを語るには、韓国について語らなければならない。ベトナムにおいて韓国は、投資や貿易の面で日本を遥かに上回る存在感を示している。現在、ベトナムに約20万人の韓国人が滞在している。日本人の滞在者は約2万人である。ただ、昔から多くの韓国人がベトナムに滞在していたわけではない。15年ほど前にサムスンがハノイの東のバクニン省に巨大な工場を建設したあたりから、その数が一気に増えた。

これには韓国の国家戦略に関係している。21世紀に入って国力が伸長した韓国は、海外へ進出しようとした。まず、韓国は中国に進出した。中国は隣の大国であり、経済的にもチャンスがある。ただ、中国人は朝鮮半島に住む人々を下に見る傾向があり、韓国の技術水準が中国を大きく上回っている時期でさえ、韓国企業は中国から各種のいじめを受けた。

朝鮮半島に住む人々は、海を隔てた日本人と異なり中国人の本質をよく知っている。弱い時は下手に出るが、強くなると傲慢になる。今後、中国の技術水準が韓国に追い付いてくると、もっと虐められるに違いない。中国に進出し続けても限界がある。

そう考えた韓国は、いち早く「チャイナ・プラス・ワン」戦略を取った。それがサムソンのベトナム進出であった。15年ほど前、日本企業は軸足を中国に置いていた。ベトナムに本格的に進出するなどという戦略は馬鹿げたことのように思えた。

韓国はベトナムを選んだ。その第一の理由は、ベトナムに華僑がいなかったためである。インドネシア、マレーシア、ミャンマー、フィリピンは、華僑が経済の実権を握っている。

そこに韓国人が入り込むことは容易ではない。タイにおける華僑の影響力はそれらの国に比べて弱いが、既に日本が進出している。その結果として、韓国はベトナムを選んだ。

韓国はベトナムを選んだが、ベトナム人が韓国人に良い印象をもっているわけではない。筆者の経験であるが、現在のハノイには韓国人が多いので、飲食店などで「韓国人?」と聞かれることがある。自分は日本人だと答えると、概ね好意的な態度を示してくれる。つたない英語で「韓国人は嫌いだが、日本人は好きだ」などと言われることもある。その理由は多岐にわたるようだ。韓国人の振る舞いが中国人に似ているからと言う人もいる。そしてベトナム戦争の記憶に行き着く。

ベトナム戦争時に韓国は、米国の要請に応じてベトナムに派兵した。韓国兵は南ベトナムの村で何度か「虐殺事件」を引き起こしている。また、韓国兵とベトナム女性の間にできた子供を韓国軍が撤兵する際に置き去りにしてしまい、面倒を見なかったとも言われる。その子供たちはライダイハンと呼ばれて、差別と貧困に苦しんだ。このようなベトナム戦争時における韓国人の振る舞いは、ベトナム人の心の中に残っている。

しかし、ベトナムはこの問題に対して韓国を非難したり賠償を請求したりしていない。ベトナムの歴史は戦争の歴史であった。それはフランスや米国との戦いだけではない。本書に書いたように中国と何度も戦ってきた。その結果として、戦争になればどんなことが起きるのかよく知っている。

１９７９年の中越戦争において、勝利することができなかった中国軍が国境付近でベトナム人の村を襲って虐殺事件を起こしたことは既に述べた。ベトナム人は戦争に虐殺は付きものだという感覚を持っている。

またライダイハンの問題も、軍隊は若者で構成されるから軍隊が進駐してくればそのようなことは必ず起きる。悲劇であるが、それに対していちいち補償を要求すべきものでもないと考えているようだ。実際、ベトナム政府は韓国政府に謝罪も賠償も求めていない。

あるベトナム人と話していた時に、日本と韓国の間の慰安婦問題が話題になったが、彼は、韓国人がベトナム戦争中に自分たちが行ったことを棚に上げて日本を攻撃していることに驚いていた。

このようにベトナム人は韓国人をよく思ってはいない。しかし、サムスンが巨額の投資を行い、ハノイの北に工場を造ってくれたことには感謝している。その感謝は庶民よりも政府関係者の間で強いようだ。それはサムスンの工場で作られる携帯電話を輸出したことによって、貿易収支が黒字化したからだ。

それまでもベトナムは縫製業や靴製造などが有名であり、それらの輸出によって外貨を稼いでいた。だが、**第4章**で見たように、それらが稼ぐ外貨はそれほど多くなかった。ベトナムの経常収支は赤字傾向が続いていた。それはドン安を招くので、ベトナム政府はインフレ抑制の観点からその対応に苦慮していた。しかし、サムスンの工場ができると経常収支が黒字になり、政策の幅が広がった。その意味でベトナム政府は韓国に感謝している。

ベトナム人は韓国人を嫌い、日本人に好意を寄せている。そんなベトナム人だが、近年、投資額において韓国に遥かに及ばない日本を小馬鹿にする向きがある。「日本は終わった国だ」などと陰口を叩く。ある国から尊敬を受け続けるには、その国から経済面で感謝され続けなければならない。これは国際関係における永遠の真理である。親日国かどうかなど、あまり意味がない。

1人当たりのGDPが4000ドルを超えており、ベトナムはもはやJICAの時代ではない。日本の企業は「官」を頼りすぎる嫌いがある。JICAのプロジェクトについて行けば確実に儲かる。安心だ。そんな気持ちでベトナムに来ていたために、JICAの時代でなくなると投資も減ってしまった。

現在、ベトナムはJICAではなく民間の投資を待っている。そしてベトナムにおける日本のライバルは韓国である。この二つのことを忘れてはならない。

9割が庶民で1割が中産階級と富裕層の格差社会

今のベトナムは日本の昭和40年代と同じようなものと思えばよいのだろうか。日本人の間でよくそんなことが話題に上る。現在、ベトナムの1人当たりのGDPが4000ドルを少し超えた辺りにあり、日本で1人当たりGDPが4000ドルを超えたのは1974（昭和49）年だから、昭和40年代後半の日本と同じレベルということになる。街を歩いた実感もほぼこの推定を裏付けるものである。ベトナムの経済発展は日本より50年ほど遅れている。

それでは50年後のベトナムは、今日の日本のようになるのであろうか。筆者は日本のようにはならないと思う。農業と環境の研究のために過去40年近くにわたってアジア各地を見て回ったが、アジアの発展は日本とは違った道を辿る可能性が高いと考えている。その最大の理由は格差である。

日本でバブル経済が始まったのは1985年である。その年にプラザ合意があって、日本経済は急激な円高に襲われた。そこからバブルが始まった。バブル経済によって不動産を持つ者と持たない者との間で格差が拡大した。しかし、それまでは「一億総中流社会」と呼ばれており、それは多くの人が「自分は中流」と思う社会であった。

一億総中流社会は1955年頃に始まる高度経済成長の結果として達成された。日本は豊かになると共に、格差の少ない社会を築き上げることに成功した。現在、バブル経済やバブルの崩壊を経て格差が問題になっているが、それでもアジアの国々を見る時に、日本は格差の少ない社会だと思う。格差を問題視する人々はアジアを見て回った方がよい。考えが変わると思う。

中国の格差はよく知られている。中国には戸籍制度があり、農民戸籍である約9億人は経済成長から取り残されてしまった。都市戸籍を持つ約5億人の間でも格差は大きい。共産党幹部に連なる超富裕層が存在する一方、明日の暮らしに困る人々もいる。ベトナムは中国と同様に、経済は資本主義、政治は共産主義というシステムを採用しており、その格差も中国によく似ている。

ベトナムの経済発展は日本より50年ほど遅れていると言ったが、中国よりは20年ほど遅れており、現在は２００８年の北京オリンピックの前段階にあると見てよいだろう。ベトナムの道路にオートバイが溢れていることは有名だが、この数年で自動車が一気に増えた。ハノイの中心部で高級外車をよく見かける。オートバイの群れの中を高級外車が走っている。

ベトナムでは所得分布に関するデータは発表されていない。そもそも政府もそんなデータを持っていないと思う。ベトナム政府の実力では、人々の所得を正確に把握することは不可能である。

ベトナム社会は二つに分かれている。ベトナム人の９割は庶民であり、残りの１割が中産階級と富裕層である。中産階級は大学を出ており、一部は海外に留学している。その多くは自営業者であり、また外資系企業に勤めている。ベトナムでも大企業に勤めればそれなりの給料を貰えるが、高給を貰えるのは本社に勤める幹部社員だけである。日本のように、大企業に入れば平社員でもそれなりの給与を貰える社会ではない。

一言付け加えれば、ベトナムにも農民と都市住民を分ける戸籍制度が存在したが、現在は廃止されている。ベトナム人に聞くと、廃止する前から戸籍制度による差別を実感することはなかったそうだ。

現在、庶民層でも多くの若者が大学に進学するようになった。それでも現在のベトナムは、多くの人が「自分は中流」と思っていた１９７０年代の日本とは比べ物にならない格差社会である。ベトナム人の９割は自分を中産階級だとは考えていない。明日のコメに困ることはなくなったが、それでも自分たちは貧しいと感じている。

ハノイの街はごちゃごちゃしていて、富裕層と庶民が住む地域が明確に区別されていない。富裕層は新たに作られた高層マンションなどに住んでいると言われるが、その周辺に庶民が住む街があったりする。この辺りのいい加減さが東南アジア的であり、富裕層と庶民が暮らす街が明確に区分されている米国やヨーロッパとは異なる。

またベトナムには、タイやフィリピンのようにスラム街が存在しない。地方から出てきた人々は賃貸の小さな部屋に住み、財産といえばオートバイくらいしかないが、それでもオードバイはほぼ1人が1台持っている。

ベトナムに極端な貧困者がいない理由は、社会主義ではなく村社会の助け合いにあると思う。ベトナムでは田舎から出てきた人が失業すると村に帰る。また村のコネを使って都市で再就職先を探す。そして満足ではないものの、都市でなんとか職にありついている。

お金の貸し借りも親族や同郷の者の中で行われるケースが多い。ベトナム人と結婚したある日本人男性は、「親族がお金を借りたいと言ってきた時には、快く貸さねばならない」と言う。そのお金はまず返ってこない。だが、快くお金を貸せば、親族での地位が向上する。ベトナム人は都会に住んでいても気持ちは村社会の一員であり、村社会での地位が向上すると悪い気分ではないのだそうだ。このようなシステムが働いているために、極端に貧しい人が存在しないのだと思う。

都市の拡張と鉄道網

格差社会であることに関連して、日本のビジネスマンが犯す間違いがある。それは都市開発である。ベトナムではそれなりの給与所得を得ている中流が極端に少ない。日本では経済発展に伴って中流の層が厚くなった。その中流がローンを組んで住宅を買った。しかし、ベトナムおいて中流が人口の過半を占める社会が出現するには、気の遠くなるほどの時間がかかるだろう。

ベトナムの中産階級は自営業者であることが多いが、彼らはローンを組んで住居を買うことはない。そもそも銀行は所得が不安定な自営業者にローンを組ませないだろう。そして自営業者が郊外に住んで都心の勤務地に通うこともない。その多くは1階を商店や事務所にして、その上に住んでいる。ベトナムの都市部では5階建が普通である。

都市が郊外に伸びていかない理由はもう一つある。それは鉄道網が発展しないことだ。ベトナムの鉄道開発は遅々として進まない。その原因には汚職問題なども関わっているが、最大の原因は鉄道を建設しても採算が合わないことにある。

日本でも新幹線の延長は遅々として進んでいない。それは新幹線を地方に伸ばしても、採算がとれないからである。赤字路線になってしまう。同様のことは多くの国で生じている。現在、中国の新幹線網は日本の全延長の10倍以上あるとされるが、黒字路線は北京と上海の間だけとされる。

中国では新幹線だけでなく都市交通網も膨大な赤字を抱えている。新幹線は北京と上海を結ぶ路線以外は、すべて赤字路線と言われる。鉄道公社は鉄道網を作るために使った膨大な資金を返済することができない。金利があるのでその借金は雪だるま式に増加している。この問題は不動産バブルとは異なるが、中国の経済に重くのしかかっている。

このような状況を見ると、ベトナムは鉄道網の整備を躊躇せざるを得ない。日本が鉄道網を整備した明治から大正にかけて、鉄道は乗り物の王者だった。しかし現在、交通手段として自動車や飛行機が登場した。そのために、よほど条件がよい路線以外は作っても赤字路線になってしまう。

ベトナムでは多くの人がオートバイを利用している。そのために人々は近距離では鉄道を使わない。ハノイはオートバイが増えすぎたことによる交通渋滞を避けるために多くのバス路線を作ったが、バスを利用する人は少ない。目的地の前まで行くことができるオートバイの方がずっと便利なのだ。ハノイにできたモノレールは開業から2年が経過するが、今でも赤字路線である。直近、黒字になったと言われるが、それは運転の費用であり、建設費の返済を加えれば赤字と思われる。市内に作ったモノレールでも採算が取れない。このような状況の中で、近い将来にベトナムにおいて都市近郊電車が作られることは絶望的である。

それは都市が周辺に拡張することなく、都市人口が増えないことを意味する。開発途上国における経済成長とは、農村人口が減少して都市人口が増加することと同義である。しかし、ベトナムではそれが順調に進んでいない。このことは次の発展を考える際の最大の問題点になっている。

おわりに

直近のベトナムの情勢について触れたい。この原稿を書いている時点で、ベトナム経済最大の問題は不動産バブルの崩壊である。その行方は予断を許さない。

ベトナム経済はまだ発展し始めたばかりであり、1人当たりのGDPが4000ドル程度に過ぎない。発展の余地は大きく、それゆえバブル崩壊は今後の経済成長に大きな影響を及ぼさないとの見方がある。その一方で、開発途上国で起きたバブル崩壊は政府に余力がないために、影響が金融部門に及んだ場合に深刻であり、バブル崩壊の影響は長引くとの見方もある。現時点で、どちらの見方が正しいか判断することは難しい。共産党が支配するベトナム政府の秘密主義が、この判断を一層難しくしている。

ベトナムの不動産バブル崩壊は日本に有利に働く可能性がある。それは過去10年ほど日本からの投資が少なかったからだ。そのためバブルが崩壊しても、日本企業が受ける影響は軽微である。

その一方で韓国からの投資は多かった。そして韓国は企業だけでなく個人もベトナムの不動産を購入していた。現在、韓国人は不動産バブルの崩壊で大きな打撃を受けている。ライバルである韓国のつまずきは、日本にとって大きなチャンスになっている。

今後、シンガポールなどを介しての中国からの投資は、中国のバブル崩壊が深刻であることから急速に減少していくであろう。それればかりでなく、中国はベトナムへの投資を取り崩して本国に持ち帰る可能性も高い。これも、これからベトナムに進出しようとする日本企業にとっては有利に働く。

一つ気になる動きはベトナムの左傾化である。日本ではほとんど報道されることはないが、共産党の内部には、社会主義経済では豊かになれなかったために、一時的にドイモイを採用したとの思いがある。このことについては本文でも述べた。現在のベトナムの最高指導者はグエン・フー・チョン共産党書記長であるが、既に書いたように彼は党の理論畑を歩いてきた。このチョン書記長の考え方は習近平によく似ている。

２０２３年12月、習近平はハノイを訪問した。この訪問は同年9月に米国のバイデン大統領がベトナムへ訪問したことを受けて、ベトナムが米国に近づくことを牽制するためだったとされる。ただ、習近平がチョン書記長の熱心な働きかけによって訪問したことも事実であり、ベトナムでは、習近平はチョン書記長を支援するためにハノイを訪問したと考えられている。本書に書いた中国とベトナムの関係を考えれば、この説明も十分に納得がいく。

ベトナムはミニ中国とも言える存在である。ベトナム人には、中国が大嫌いと言いながら中国の後追いをする習性がある。不動産バブルの崩壊、そして左傾化、この二つは現在の中国の状況にそっくりである。そして今後のベトナムを考える上でのキーポイントにもなっている。

本書を執筆するにあたり、育鵬社の山下徹氏には企画の段階から大変お世話になった。地図や多数の写真を加えていただき、また読者の興味をひく構成になったのは、山下氏のおかげである。ここに謝意を表して筆を擱きたい。

2024年5月

川島博之

◉参考文献

ウィキペディアなどによって関連情報の入手は格段に容易になった。そのためもあって、本書では引用文献を示すことはなかった。日本語で読むことができるベトナムに関する文献は少ないが、ベトナムに関する知識をより深めたいと思った方には下記を勧める。

●『近代ベトナム政治社会史　嗣徳帝統治下のヴェトナム1847-1883』坪井善明、東京大学出版会（1991年）

ベトナム政治の底流を理解する上で極めて有益な情報を与えてくれる。フランスと中国の一次資料に基づいた労作である。名著と言ってよい。現在の政局を考える上でも示唆に富む。

●『物語ヴェトナムの歴史』小倉貞男、中公新書（1997年）

ベトナムの歴史を物語風に語っており、歴史を理解する上で有益である。現在でも入手しやすい。

●『現代ベトナムの政治と外交』中野亜里、暁印書館（2006年）

ベトナムの政治と外交を資料に基づいて丁寧に追っている。18年前の著作であり、最近の情報はないが、ベトナム外交の軌跡を追う上で役立つ。

●『ベトナム人民軍、知られざる素顔と軌跡』小高泰、暁印書館（2006年）
秘密のベールに包まれているベトナム軍について日本語で書かれた唯一の本である。その意味で貴重であるが、筆者の努力にもかかわらず、政治と軍の関係は本書を読んでも分からない。それほどベトナム軍の行動原理は秘密のベールに覆われている。

●『中世大越国家の成立と変容』桃木至朗、大阪大学出版会（2011年）
ベトナムの中世についての情報はほとんど残っていない。その限られた一次資料を駆使して、読者にベトナムの中世を再現してくれる。タイムマシンに乗ったような気分になる。類書がないだけに貴重な文献である。

●『中国化する日本、日中「文明の衝突」1千年史』與那覇潤、文藝春秋（2011年）
直接ベトナムについて書かれたものではない。中国と日本の政治の違いを論じたものである。日本をベトナムに置き換えて読むと、ベトナム政治のあり方が見えてくる。私はベトナムの政治のあり方は、中国と日本の中間に位置していると考えている。

●『ベトナムの世界史　中華世界から東南アジアへ、増補新装版』古田元夫、東京大学出版会（2015年）
ベトナム共産党の歩みを理解する上で有用である。中国革命や冷戦構造の下で、ベトナムの共産主義者が普遍主義と民族主義の間を揺れ動いた軌跡を知ることができる。

川島博之（かわしま ひろゆき）
ベトナム・ビングループ主席経済顧問、Martial Research & Management Co. Ltd., Chief Economic Advisor。1953年生まれ。1983年東京大学大学院工学系研究科博士課程単位取得退学。東京大学生産技術研究所助手、農林水産省農業環境技術研究所主任研究官、東京大学大学院農学生命科学研究科准教授を経て現職。工学博士。専門は開発経済学。著書に『中国、朝鮮、ベトナム、日本――極東アジアの地政学』（育鵬社）、『歴史と人口から読み解く東南アジア』（扶桑社新書）、『戸籍アパルトヘイト国家・中国の崩壊』『習近平のデジタル文化大革命』（いずれも講談社+α新書）、『「食糧危機」をあおってはいけない』（文藝春秋）、『「作りすぎ」が日本の農業をダメにする』（日本経済新聞出版社）等多数。

扶桑社新書505
日本人の知らない
ベトナムの真実

発行日 2024年7月1日　初版第1刷発行

著　　者………川島 博之
発 行 者………秋尾 弘史
発 行 所………株式会社 育鵬社
〒105-0022 東京都港区海岸1-2-20 汐留ビルディング
電話03-5843-8395（編集） https://www.ikuhosha.co.jp/
株式会社 扶桑社
〒105-8070 東京都港区海岸1-2-20 汐留ビルディング
電話03-5843-8143（メールセンター）
発　　売………株式会社 扶桑社
〒105-8070 東京都港区海岸1-2-20 汐留ビルディング
（電話番号は同上）

印刷・製本………中央精版印刷株式会社

定価はカバーに表示してあります。
造本には十分注意しておりますが、落丁・乱丁（本のページの抜け落ちや順序の間違い）の場合は、小社メールセンター宛にお送りください。送料は小社負担でお取り替えいたします（古書店で購入したものについては、お取り替えできません）。
なお、本書のコピー、スキャン、デジタル化等の無断複製は著作権法上の例外を除き禁じられています。本書を代行業者等の第三者に依頼してスキャンやデジタル化することは、たとえ個人や家庭内での利用でも著作権法違反です。

©Hiroyuki Kawashima 2024
Printed in Japan　ISBN 978-4-594-09771-4

本書のご感想を育鵬社宛てにお手紙、Eメールでお寄せ下さい。
Eメールアドレス　info@ikuhosha.co.jp